NICHOLAS BLAKE
ist das Pseudonym des Autors Cecil Day-Lewis (1904-1972). Er war ein irisch-britischer Akademiker, arbeitete eine Zeit lang beim Verlag Chatto & Windus, wurde von der Queen zum Hofdichter ernannt und brauchte irgendwann Geld, weshalb er begann, unter Pseudonym äußerst erfolgreiche psychologische Kriminalromane zu schreiben.

Nicholas Blake

TOD IM WUNDERLAND

Aus dem Englischen
von Elina Baumbach

KLETT-COTTA

Klett-Cotta
www.klett-cotta.de
Die englische Originalausgabe erschien unter dem Titel
»Malice in Wonderland« im Verlag Collins Crime Club, Glasgow
© 1940 by Literary Executor of the Estate of C. Day Lewis
Für die deutsche Ausgabe
© 2023 by J. G. Cotta'sche Buchhandlung Nachfolger GmbH,
gegr. 1659, Stuttgart
Alle deutschsprachigen Rechte vorbehalten
Cover: ANZINGER UND RASP Kommunikation GmbH, München
unter Verwendung einer Abbildung von
Dieter Braun Illustration, Hamburg
Gesetzt von Dörlemann Satz, Lemförde
Gedruckt und gebunden von
Friedrich Pustet GmbH & Co. KG, Regensburg
ISBN 978-3-608-98694-5
E-Book ISBN 978-3-608-12162-9

INHALT

Teil I
Mr Perry beobachtet
7

Teil II
Mr Thistlethwaite nimmt Maß
133

Teil III
Mr Strangeways trinkt Tee
289

Teil I

MR PERRY BEOBACHTET

I

Der junge Mr Perry fuhr in ein Camp, aber kein Ausbildungscamp oder Erlebniscamp. Nein, es handelte sich tatsächlich um etwas gänzlich anderes: eine Ansiedlung, bei dessen Anblick sich jeder Nomade ungläubig die Augen gerieben und wohl die Flucht ergriffen hätte. Ein Camp, das, wie Mr Perry hoffte, ihm reichlich Stoff für die Notizbücher bieten würde, die dem Koffer in der Ablage über ihm ein beträchtliches Gewicht verliehen.

Wohlwollend besah sich der junge Mr Perry die Fabriken, die am Fenster seines Zugabteils vorbeijagten. Fabriken waren statthaft, ja sogar erwünscht. Maschinentempel. Mr Perry, der noch nie an einer Werkbank gestanden oder am Fließband gearbeitet hatte, war der Existenz von Maschinen gegenüber durchaus wohlgesonnen. Natürlich konnte man nicht alle Fabriken über einen Kamm scheren. Die aus vergangenen Tagen war eigentlich nicht mehr zulässig: Marode und dem Verfall ausgeliefert, Rauch spuckend und hustend wie pensionierte Drachen, ragten sie unkrautüberwachsen als rostige Boiler und ausrangierte Gerätschaften in der Gegend, in der Mr Perry aufgewachsen war, hie und da aus der Landschaft. Diese schaurigen Überbleibsel von *Laissez-faire* und beispielloser Habgier hatten ausgedient. Der Fortschritt war unbemerkt an ihnen vorübergegangen, wie Mr Perry es ausdrückte. Ihrem Verfall wohnte möglicherweise ein gewisser romantischer Aspekt inne, doch bei allem Respekt für den jungen Auden, dessen Schwäche für rostendes Metall und aufsteigenden Dampf bezeichnend für ein irrlichterndes Genie war, blieb doch festzuhalten, dass derartige Romantik hier fehl am Platz war.

Mr Perry hielt seinerseits den Klassizismus in Ehren. Er mochte es, wenn alles in tadelloser Ordnung war. Jene Fabrik dort drüben, zum Beispiel, die ganz alleine inmitten grüner Felder stand, auf den ersten Blick weiß, hübsch und ihren Zweck erfüllend – bei diesem Anblick ging ihm das Herz auf, vor allem, als sich herausstellte, dass sie der letzte Außenposten der Zivilisation gewesen war. Der Zug durchquerte mittlerweile unberührte Landschaft, und für Mr Perry war alles Ländliche nicht nur beklagenswert, es existierte für ihn schlicht nicht. Es gab zweifellos Menschen, die hier lebten, aus abwegigen Gründen, die sich nur ihnen selbst erschlossen, aber es handelte sich dabei nicht um Menschen in dem Sinne, wie er diese Vokabel verstand: Es waren keine Menschenmengen, und Mr Perry fühlte sich nur in Menschenmengen wirklich wohl. Zudem waren Menschenmengen sozusagen sein Geschäft.

Er löste seinen Blick von dem jämmerlichen Anblick, Kühe, Scheunen und Obstplantagen, und wandte ihn seinen Mitreisenden zu, um sich mit dem zu befassen, was ihm am Herzen lag, dem Menschen im Allgemeinen und im Besonderen. In seinem Abteil saßen drei Exemplare, offensichtlich eine Familie. Eine ältere Frau starrte ruhig aus dem Fenster; eine Blondine, ihre Tochter, verschlang das Magazin *Film Fro-*

lics, und dann gab es noch den Paterfamilias. Letzterer war zweifelsohne – wenigstens für Mr Perry – das Schaustück: Ein Mann von übernatürlicher Fettleibigkeit, dessen Bauch sogar die *Times*, die diesen nur leidlich verdeckte, zwergenhaft erscheinen ließ; sein Gesicht eine Ansammlung von Falten und Furchen, seine Kleidung wie durch ein Wunder faltenfrei. Er trug einen schwarzen Gehrock, schicklich gestreifte Hosen und einen altmodischen Krawattenschal. Sein Gesicht, riesig und ernst, erinnerte an einen Bluthund mit Schilddrüsenüberfunktion. Er sah aus wie die Karikatur eines Kapitalisten.

Der Mann fing Mr Perrys Blicke auf, legte äußerst bedächtig seine Ausgabe der *Times* zur Seite, deutete mit feierlicher Zurückhaltung auf den grünen bedruckten Anhänger an Mr Perrys Koffer und sagte: »Wie ich sehe, fahren Sie ebenfalls nach Wunderland, Sir.«

Der Zug reagierte unversehens auf dieses Stichwort und stürzte sich, gleich Alice, in einen Tunnel. Das rasselnde Getöse unterband jegliche Unterhaltung, sodass Mr Perry in Ruhe den Ton analysieren konnte, in dem dieser Riese ihn angesprochen hatte. Feierlich bombastisch war er gewesen. Doch es steckt noch mehr dahinter – nicht Unterwürfigkeit per se, eher der gut geölte professionelle Respekt eines höheren Dienstboten. Vielleicht ist er ein Butler, dachte Mr Perry, aber es ist doch eher überraschend, dass ein Butler nach Wunderland fahren sollte, und dann noch in dieser altmodisch förmlichen Kleidung. Außerdem bringt man Butler eigentlich nicht mit hübschen, blonden Töchtern in Verbindung. Wobei natürlich auch Butlern Nachwuchs gestattet ist.

Der Zug schnellte wieder hinaus in den grellen Sonnenschein.

»Sie werden dort ebenfalls einige Zeit verbringen, Sir?«, erkundigte sich der Mann.

»Zwei Wochen wahrscheinlich. Es hängt davon ab ...« Mr Perry unterbrach sich, da er nicht preisgeben wollte, dass es davon abhing, wie lange seine Arbeit dauern würde. Man fuhr normalerweise nicht nach Wunderland, um dort zu arbeiten.

»Wenn das so ist, gestatten Sie mir die Freiheit ...«

Mr Perry betrachtete die Visitenkarte, die der Mann ihm gereicht hatte. »*Mr James Thistlethwaite, 29 St. Petrock's Street, Oxford*« stand dort einfach.

»Und das ist Mrs Thistlethwaite«, fuhr er fort, mit einer Stimme wie ein Kirchendiener, der die Figuren in einem Buntglasfenster aus dem 12. Jahrhundert beschrieb. »Und meine Tochter Sally.«

Sally Thistlethwaite blickte kurz von einer Fotografie Robert Taylors auf, nickte abweisend und versank sogleich wieder in ihren *Film Frolics*. Normalerweise bekam Mr Perry diese Art von Blick von Blondinen in Tabakläden zugeworfen: Eine große Packung Players, und das war's, signalisierte er unmissverständlich. Doch heute, aus unerfindlichen Gründen, ärgerte es ihn, mit einem flüchtigen Blick abgewiesen zu werden. Er antwortete ein klein wenig aggressiver, als es sonst seine Art war: »Mein Kurzlebenslauf lautet wie folgt: Name, Paul Perry. Alter, fünfundzwanzig. Ledig. Ausbildung, St. Bees, und Peterhouse, Cambridge.«

Sally sah wieder zu ihm auf, leicht verblüfft. Ihren Vater jedoch brachte Pauls Schroffheit scheinbar nicht aus der Fassung. Er nickte freundlich.

»Ein Akademiker. Recht so. Das merkt man sofort. Und sogar Cambridge. Und Ihre Profession, Sir? Nein«, keuchte er und hob eine seiner dicken Hände, »sagen Sie nichts. Lassen Sie mich raten.« Er musterte Paul mit einem ernsten und merkwürdig wachsamen Blick.

»Mr Thistlethwaite ist ein sehr guter Menschenkenner«, meinte seine Frau leichthin. »Lassen Sie ihn nur machen.«

»Graue Flanellhosen, Stoff von guter Qualität, wenn auch nicht aus der Bügelpresse, fürchte ich. Hemd ohne abnehmbaren Kragen. Sportsakko von der Stange«, murmelte der dicke Mann, wie zu sich selbst. Paul Perry errötete, nahm verhaltene Belustigung in Sallys Blick wahr und errötete weiter mit wachsender Verärgerung.

»Die übliche Arbeitskleidung eines Lehrers«, fuhr Mr Thistlethwaite fort. »Doch wie ich sehe, sind die Ärmelschoner nicht übermäßig abgenutzt, das Jackett lässt hingegen bereits Verschleiß erkennen. Keine Arbeit am Schreibtisch, also können wir folgern: kein Lehrer. Journalist, vielleicht. Bleistifte in der Brusttasche. Ausbeulung in der rechten Hosentasche. Könnte das Notizbuch eines Reporters sein. Ich ...«

»Du bringst den Herrn in Verlegenheit, Daddy. Nicht wahr, mein Bester?«, rief Sally.

»Nicht im geringsten«, gab Paul steif zurück. »Tatsächlich bin ich Wissenschaftler. Eine Art Wissenschaftler zumindest.«

»Was für eine Art? Schneiden Sie Meerschweinchen auf, mein Bester?«

»Sally, du solltest fremde Herren in einem Zugabteil wirklich nicht mit ›mein Bester‹ ansprechen«, protestierte Mrs Thistlethwaite wenig überzeugend. »Bitte sehen Sie es ihr nach, Sir. Ähm ... Sie ist so impulsiv.«

»Keine Ursache«, erwiderte Mr Perry. »Ich bin Feldforscher, um genau zu sein.«

Sally riss die Augen auf. Es waren bemerkenswert schöne Augen. »Ein Feldforscher«, meinte sie. »Oha. Kunstdünger, vermute ich. Nun ja, jeder nach seiner Fasson.«

»Sally, das reicht jetzt«, meldete sich Mr Thistlethwaite. »Wissenschaftler sind Wohltäter für die Menschheit. Einige Herrschaften unter meinen Kunden haben sich, ihren Neigungen folgend, für die Wissenschaft entschieden. Und Kunstdünger ist von unschätzbarem Wert für den Landwirt, denn das Land heutzutage ist ...«

»Aber ich habe mit Kunstdünger nichts zu schaffen«, rief Paul beinahe verzweifelt. »Weshalb glauben Sie ...« Sein Stimme wurde leiser, er bemerkte wie Mr Thistlethwaite tadelnd seinen Hals begutachtete.

»Was ist los?«, fragte er. »Habe ich mir etwa heute Morgen den Hals nicht gewaschen?«

Erschrocken hob Mr Thistlethwaite die Hände. »Bitte, Sir. Ich bitte Sie. Nein, ich habe Ihr Revers betrachtet. Ein klein wenig zu breit, meinen Sie nicht, Sir? Etwas unkonventionell? Wo, wenn ich fragen darf, haben Sie dieses Kleidungsstück erworben?«

»In Cambridge. Wieso?«

»Ah, das dachte ich mir. Nun ja, der Jugend können wohl gewisse Ausschweifungen erlaubt werden, ein klein wenig Angeberei, wenn ich das so sagen darf. Das Jackett ist nicht unvorteilhaft, Sir. Obwohl, wie ich meiner Kundschaft immer zu sagen pflege, ein Gentleman sollte einen Anzug tragen, wenn er unter seinesgleichen distinguiert wirken möchte.«

»Sie stehen mit der Universität in Verbindung?«, fragte

Paul, der mittlerweile zu dem Schluss gekommen war, dass sein Gegenüber Bediensteter einer Bildungseinrichtung sein musste.

»Diese Ehre wird uns zuteil, Sir. Seit einhundertfünfzig Jahren wird uns diese Ehre zuteil.«

»Tatsächlich? Einhundertfünfzig Jahre? Sie werden sich dann wohl bald zur Ruhe setzen, nehme ich an?«, antwortete Paul, etwas verwirrt vom Gebrauch des Pluralis Majestatis.

»Ich spreche von meiner Firma«, gab Mr Thistlethwaite würdevoll zurück.

Sally sah auf und kicherte vergnügt. »Nun mach aber halblang, Daddy. Mr Perry brennt schon darauf zu erfahren, worum es sich handelt. Daddy hat nämlich einen Laden«, stieß sie hervor.

Horror verzerrte das riesige Gesicht ihres Vaters in Anbetracht dieser Meiose. »Ein Laden! Meine Liebe! Bitte! Eine Institution!«

»Ich hab's«, sagte Paul. »Sie sind Schneider.«

»Schneidermeister«, ergänzte Mr Thistlethwaite, um Fassung ringend. »Sehr scharfsinnig von Ihnen, Sir. Man sieht sofort, dass Sie Wissenschaftler sind. Observation und Analyse. Ich selbst beschäftige mich – auf amateurhafte Weise – mit der Wissenschaft. Kriminologie um genau zu sein.« Er holte ein grell eingebundenes Buch zum Vorschein. Es trug den Titel *Die Leiche im Stubenwagen*. »Eine interessante kleine Herausforderung. Einer meiner kürzlich verstorbenen Gentlemen hat es mir empfohlen – niemand Geringeres als Lord Hugh Willoughby.«

»Du liebe Güte, so etwas lesen Sie? Warum?«

Mr Thistlethwaite bedachte Paul mit einem betont getragenen Blick. »Ich lese es, Sir, weil es mir Genuss bereitet. Intellektuellen Genuss, Sir.«

»Mr Perry ist ein Intellektueller, nehme ich an«, warf Sally übermütig ein. »Verbringt seine ganze Zeit mit der Lektüre über Phosphate.«

»Mein Liebe«, entgegnete Paul, »ein Intellektueller, jemand von hohem geistigen Niveau, ist bloß eine Person mit einem erhöhten Bewusstsein für das Leben. Der Säugling, wenn er zum ersten Mal seine Finger benutzt, um nach einer Orange zu greifen und sie sich in den Mund zu stecken, ist ein Intellektueller. Der ...«

»Zahlen wir am Eingang, Professor, oder lassen Sie später den Hut herumgehen?«

Paul musterte sie. Das Ergebnis war niederschmetternd. Die junge Frau war unmöglich. Vorlaut, halbgebildet, mit niedrigem Intelligenzquotienten. Ein Durchschnittstyp, im Großen und Ganzen spannend als Forschungsobjekt, die einzelnen Wesenszüge jedoch absolut uninteressant. Mr Perry klassifizierte sie im Geist und legte sie ad acta, wobei er sich nicht bewusst war, dass – wie ihr Vater – Sally durchaus kein Durchschnittstyp war, sondern ein echtes Original. Zugegebenermaßen hielt Mr Perry nicht sehr viel von Originalen – sie hatten die Angewohnheit, sowohl die eigene Gelassenheit als auch die Statistik aus dem Lot zu bringen.

»Das ist Ihr erster Besuch in Wunderland?«, erkundigte sich Mr Thistlethwaite.

»Ja.«

»Ich hoffe, es wird Ihren Erwartungen gerecht werden. Mrs Thistlethwaite und ich haben dort letztes Jahr zwei äußerst angenehme Wochen verbracht. Ich selbst«, fügte er geziert hinzu, »konnte erfreulicherweise beim *Beetle Drive* triumphieren.«

»Tatsache? Sie überraschen mich.«

»In Sachen Freizeitgestaltung ist für jeden Geschmack etwas geboten. Und Sie, Sir? Spielen Sie vielleicht Cricket?«

»Nein. Nein, das nicht.«

»Was soll's«, unterbrach Sally finster. »Vielleicht gibt es ja ein Wettrennen für X-Beinige.«

Paul wandte seine Aufmerksamkeit nachdrücklich wieder dem *New Statesman* zu. Eine Weile schlängelte sich der Zug auf und ab durch eine Landschaft aus kleinen grünen Hügeln, Weiden und wilden Hecken. An einem Bahnknotenpunkt stiegen sie aus und in einen anderen, kleineren Zug um, der fröhlich in Richtung Wunderland zuckelte. Paul dachte an die vor ihm liegende Aufgabe. Falls er erfolgreich war, fand der Chef vielleicht eine feste Stelle für ihn. Doch es war fast ausschließlich unbezahlte Arbeit, und der Nachlass seiner Tante würde nicht mehr allzu lange vorhalten. Er begann, die Strategie für seine Vorgehensweise zu überdenken. Letzten Endes hing das natürlich von den Bedingungen vor Ort ab, jedoch konnte es nicht schaden, einen vagen Plan für das Prozedere zu haben.

Der Zug kam an einem kleinen Bahnhof in einer tiefen Senke unerwartet zum Stillstand, und alle stiegen aus. Mr Thistlethwaite nahm Paul am Arm, führte ihn etwas abseits und flüsterte schüchtern: »Wenn Sie so freundlich wären, Sir - bitte erwähnen Sie meine Profession nicht, wenn wir ankommen. Ich mache sozusagen inkognito Urlaub. In Wunderland gibt es natürlich keine Klassenunterschiede, aber ich möchte doch etwaige peinliche Situationen, die sich mit anderen Urlaubern ergeben könnten, von vornherein vermeiden und sie bezüglich meines – wie soll ich sagen? – glücklicheren sozialen Status im Dunkeln lassen. Lassen sie uns diese wahre Demokratie aus Feriengästen als Ebenbürtige betreten.«

Der außergewöhnliche Mann verbeugte sich ernst, wischte ein Staubkorn von Pauls Kragen und watschelte von dannen, hin zu dem Bahnhofsvorplatz, wo ein hellgrüner Bus mit der Aufschrift *Wunderland* auf sie wartete. Ein Bediensteter in hellgrüner Tracht türmte Gepäck auf das Dach des Busses. Paul, der draußen geblieben war, um seine Mitreisenden eingehender in Augenschein zu nehmen, stieg schließlich ein und sicherte sich den letzten verfügbaren Sitzplatz. Just in diesem Augenblick kam Sally Thistlethwaite den Gang hinunter und blieb neben ihm stehen.

»Gerade viel los«, meinte sie.

Paul bedeutete ihr mit eher widerwilliger Höflichkeit, dass sie seinen Platz haben könne.

»Um nichts in der Welt würde ich Sie stören«, erwiderte sie. Dann, mit einem verschmitzten Lächeln: »Ich setz mich einfach auf Ihren Schoß, mein Bester.«

»Ich ziehe es vor zu stehen«, gab der junge Mr Perry kühl zurück.

»Na gut, ganz wie Sie möchten. Aber ich wette, dass Sie nicht alle Tage von einem hübschen Mädchen gefragt werden, ob sie auf Ihrem Schoß sitzen darf.«

Paul ging nach vorne und stellte sich so hin, dass er nach vorne hinaussehen konnte. Sie preschten schmale Straßen entlang, vorbei an Bauernhöfen im Schutz von Hügeln, und erklommen eine langgezogene Steigung, bis sie eine Kuppe erreicht hatten und sich vor ihnen ein großartiges Panorama aus Klippen und Meer bot. Der weite Bogen der Küstenlinie schien golden in der Abendsonne. Das Meer in Ufernähe leuchtete in traubigem Violett. Doch galt der aufgeregte Blick des jungen Mr Perry, in dem zugleich große Genugtuung lag, weder Meer noch Küste. Er wurde angezogen von dem riesigen weißen Banner, *Willkommen in Wunderland*, das einen Torbogen für den Bus bildete, und dem Anblick von Wunderland selbst, das sich zwischen Felskuppen, Hügeln und Meer erstreckte.

II

Herzstück und Hauptattraktion von Wunderland war ein modern gestaltetes großes, weißes Gebäude mit Flachdach. Die Fenster erstreckten sich so weit über die Front, dass die Wände wie aus Glas gemacht zu sein schienen, was den strengen Linien des Baus einen recht hübschen Anschein von Leichtigkeit verlieh, ganz so als ob er jeden Moment gewaltige weiße Flügel ausbreiten und in das Sommerblau davonfliegen würde. Die dem Meer zugewandte Seite beschrieb einen Halbkreis, was einen großartigen Ausblick nach Süden, Westen und Osten gewährleistete. Im obersten Stockwerk ragte ein Balkon heraus, der ähnlich der Brücke eines Passagierschiffes geschwungen war; tatsächlich wurde er von den Stammgästen Wunderlands die ›Kommandobrücke‹ genannt.

Der junge Mr Perry betrachtete das Gebäude eingehend und befand es für gut. Und zwar nicht nur wegen der neutralen Linienführung, sondern für das, was es repräsentierte. Es stand für organisierte Freizeitbeschäftigung, mit der Betonung auf ›organisiert‹, und Paul Perry gab allem, was effizient organisiert war, seine Zustimmung. Innerhalb dieser gigantischen Spaßfabrik befanden sich (wie ihn eine von der Wunderland Feriencamp GmbH publizierte Broschüre informierte) weitläufige Speisesäle, in welchen heißhungrige Besucher sich an lukullischen Speisen laben konnten, die von Londoner Köchen in hygienisch einwandfreien Küchen zubereitet und auf blütenreiner Tischwäsche von fröhlichen Kellnerinnen zur Begleitung einer Streichergruppe kredenzt wurden. Ebenfalls gab es einen Ballsaal, dessen gefederter Ahornboden zweifellos dazu ansporte, das Tanzbein zu schwingen; ganz zu schweigen von den Bars, einer Schwimmhalle samt Luftfilter und farbigem Springbrunnen, einem Konzertsaal, einer Sporthalle und unzähligen Räumlichkeiten zum Zeitvertreib.

Wenn man in Wunderland keinen Spaß hatte, war man unwiederbringlich verloren, lautete der Tenor jener Broschüre. Und Wunderland war nachweislich entschlossen, Spaß zu bieten, selbst wenn man währenddessen an einem Übermaß an Freizeitbeschäftigung zugrunde gehen sollte. Als der Bus vor dem Hauptgebäude zum Stehen kam, liefen mehrere Männer und Frauen darauf zu, allesamt mit einem freundlichen, wenn auch professionellem Lächeln. Die Männer trugen grüne Pullover mit einem weißen W darauf sowie weiße Flanellhosen, die Frauen grüne Strickjacken und kurze, weiße Röcke. Augenblicklich wurde jedem einzelnen der neuen Besucher eine nummerierte grüne Plakette angesteckt, und man geleitete sie in Gruppen zu Chalets, ihren Unterkünften.

Die Familie Thistlethwaite war offenbar in Pauls nächster Nachbarschaft untergebracht. Er lief ein Stück hinter ihnen und hörte Sally mit - für sie - ungewöhnlich gedämpfter Stimme zu ihrer Mutter sagen, »Hast du Rip Van Winkle da oben gesehen?«

»Rip Van ...? Nein, Liebes.«

»In dem Wäldchen neben der Straße, kurz bevor der Bus auf das Gelände gefahren ist. Er hat mir mit der Faust gedroht und sah wirklich recht übel aus. Nur sein Kopf hat hinter einem Busch hervorgeschaut. Er hatte einen langen grauen Bart, ich dachte zuerst, er gehörte zum Busch.«

»Du brauchst jetzt erstmal ein schönes heißes Getränk, meine Liebe. Aber du zitterst ja. Du hast dich doch nicht etwa erkältet, oder?«

»Aber Mummy, ich habe ihn wirklich gesehen. Es sah aus, als würde er mich direkt anschauen, als wir vorbeigefahren sind. Und er hat mir mit der Faust gedroht.«

»Wir sollten deinem Vater davon erzählen«, meinte Mrs Thistlethwaite. »Er wird dafür sorgen, dass das nicht noch einmal vorkommt. Es war bestimmt nur ein Landstreicher.«

Paul Perry betrachtete interessiert die Reihe der Chalets, grün gestrichen und geschickt zwischen eine Baumgruppe gebaut, und hörte der Unterhaltung nur mit halbem Ohr zu. Er sollte jedoch bald wieder daran erinnert werden und leider auf keine angenehme Weise.

Gegenwärtig beschäftigte ihn das Gefühl - teils Verunsicherung, teils Schüchternheit -, das jeden mit Ausnahme von sehr robusten Seelen überkommt, der kurz davor steht, einer Gruppe fremder Menschen zu begegnen, welchen man selbst ebenfalls unbekannt ist. Genau wie am ersten Schultag, dachte Paul. Die sportliche Kleidung der professionellen Animateure und Animateurinnen und die Gruppen junger Leute, die überall herumschlenderten, miteinander scherzten und offensichtlich mit den Spielregeln vertraut waren, verstärkten diesen Eindruck. Hier konnten fünfhundert Personen untergebracht werden, denn Wunderland war das größte, hellste, ambitionierteste unter den Feriencamps, die in den letzten ein bis zwei Jahren in ganz England wie Pilze aus dem Boden geschossen waren.

Paul schloss die Tür seines Chalets und packte resigniert seine Sachen aus, verloren wie der Neue am Anfang eines Schuljahres, der seine wenigen Besitztümer im Schließfach verstaut. Weder die luxuriöse Sleepeesi-Matratze, die müde Abenteurer in das Reich Morpheus' lockte, noch fließendes Wasser, elektrisches Licht oder der Kleiderschrank und die zu hundert Prozent wasserdichten Wände – alles in der Wunderland-GmbH-Broschüre besungen – vermochten es, Pauls Trübsal wegzublasen. Er befürwortete Luxus zwar aus Prinzip (vorausgesetzt er war zugänglich für die Massen), doch er fühlte sich auch immer etwas verstört davon. Nicht umsonst war er der Sohn eines evangelischen Pfarrers, aufgewachsen in einer rauen, von Armut geplagten Stadt im ländlichen Norden.

»Mr Perry? Sehr schön. Sie kommen zurecht?«

Der junge Mann, der an die Tür geklopft hatte, war groß, breit und in einem prachtvollen Mahagoniton gebräunt – wie aus einer Werbeanzeige im *Esquire*.

»Ich bin der Spielleiter«, fügte er hinzu. »Wise ist der Name. Mein Stiefbruder ist der hier ansässige Direktor.«

»Edward Wise? Der Rugby-Spieler?«

»Ja. Früher habe ich ein bisschen gespielt«, antwortete der prachtvolle, junge Mann mit einer Bescheidenheit, die in Pauls Ohren so unaufrichtig klang, dass es fast beleidigend war.

»Dann waren Sie kurz vor mir in Cambridge. Und Ihr Bruder ist der Direktor? Scheint eine große, glückliche Familie zu sein hier.«

»Unser Ziel ist es, den Leuten ein Zuhause fernab von zu Hause zu bieten. Im Grünen und zugleich nah an den Meereswellen. Schauen Sie in unserer Broschüre nach.«

»Wirklich hübsch hier.«

»Nicht schlecht. Aber ich nehme an, Sie müssen noch an der Rezeption einstempeln gehen. Punkt acht. Aber hallo«, sagte Mr Wise mit Blick auf Pauls Notizbücher, die auf der Kommode gestapelt waren. »Sind Sie etwa Schriftsteller? Bin beeindruckt. Hab noch nie einen echten Schriftsteller getroffen. Geht es Ihnen ums Lokalkolorit?«

»Etwas in die Richtung«, log Paul. Der offenkundige Respekt, mit dem der Athlet ihn angesprochen hatte, war nicht spurlos an ihm vorübergegangen. Doch seine Freude war von kurzer Dauer. Edward Wise, bereits wieder an der Tür, rief gerade: »Hallo, hallo, hallo! Wenn das nicht unsere Sal ist! Wieder unter die unermüdlichen Vergnügungssüchtigen gegangen, Sally?«

»Wie geht es dir, Teddy?«

»Immer am Ball, Schätzchen, immer am Ball. Ich würd sagen, du bist in bester Gesellschaft. Gefeierter Schriftsteller in unserer Mitte. Perry, sein Name. Du wirst dich vorsehen müssen, Schätzchen.«

»Perry?«, konnte Paul sie fragen hören. »Aber das ist doch

der Mann, der mit uns im Zug hergekommen ist. Behauptete, er sei Wissenschaftler.«

»Aha. Hat dich veräppelt. Geheimnisvoller Typ.«

»Na ja, ich weiß nicht. Er ist jedenfalls ein Intellektueller ...«

»Etwas leiser, Sally. Der Herr ist gleich nebenan.«

»Hör mal, Teddy, wo wir schon von geheimnisvollen Typen sprechen: Hast du einen alten Typen mit kilometerlangem Bart oben im Wald gesehen?«

»Bart? Ach, das muss der alte Ishmael sein. Vom Schlag Einsiedler. Ziemlich harmlos, aber er mag uns nicht besonders. War nicht hier, als du das letzte Mal da warst, glaube ich. Er ...«

Paul bekam den Rest dieser äußerst interessanten Unterhaltung nicht mehr mit, denn die beiden waren mittlerweile außer Hörweite. Das Mädchen hatte eine ziemlich angenehme Stimme, überlegte er: tief, weich, mit leicht ländlichem Akzent. Schade, dass sie nichts im Kopf hatte. Edward Wise tat er als herzlichen Durchschnittstypen ab – ein gewöhnlicher Sterblicher, zweifellos ein potenzieller Feind, doch mit ein wenig Diplomatie würde er ihm schon bald aus der Hand fressen. Er fragte sich, was Wise wohl in den Wintermonaten machte, wenn das Camp geschlossen war, und er trug in sein Büchlein eine mit dem Buchstaben F (für Fragen) versehene Notiz ein.

Paul zog seine Krawatte aus, klappte den Hemdkragen nach unten über seinen Mantel (›Camouflage‹ nannte er dieses Vorgehen für sich) und ging vor dem Abendessen noch einmal an die frische Luft. Eine riesige Gestalt näherte sich ihm, prunkvoll angetan mit einem weißen Drillichanzug, Panamahut und etwas, das aussah wie die offizielle Krawatte des Marylebone Cricket Club.

»Was für eine gesunde Luft, Sir«, dröhnte Mr Thistlethwaite. »Da kommt sofort Farbe in die Wangen. Würden Sie uns die Ehre erweisen, mit an unserem Tisch zu sitzen, Sir? Sie werden sehen, eine sehr sympathische Runde, wenn ich das so sagen darf. Auch interessantes Material, für einen Gentleman der Feder. Ah, ja«, fuhr er fort und brachte Pauls Protest mit einem schalkhaft erhobenen Finger zum Schweigen. »Meine Tochter hat es mir erzählt. Keine Bange, Sir. Sie ziehen es wie ich vor, inkognito zu bleiben. Äußerst verständlich. Äußerst angebracht. Ein junger Mann unter uns, der sich Notizen macht.«

Paul hatte kein spezielles Interesse daran, Mr Thistlethwaite als ständigen Begleiter zu gewinnen, solange er in Wunderland war; doch die Aussicht darauf, mit vollkommenen Fremden an einem Tisch zu sitzen – wenn auch von Berufs wegen adäquat –, schüchterte ihn weitaus mehr ein, als er zugeben mochte. Paul Perry war immer noch relativ neu in seinem Beruf, und so nahm er Mr Thistlethwaites Angebot an, und gemeinsam spazierten sie zu dem großen weißen Bau, aus dem der tiefe Klang eines Gongs widerhallte.

»Der lärmende Überbringer von Viktualien«, zitierte Mr Thistlethwaite. »Sie werden sehen, Sir, das Essen ist einfach, aber nicht ungenießbar. Es gibt einen durchaus passablen Weinkeller hier. Ich denke, wir sollten ein Fläschchen entkorken, um auf unsere ... äh ... Vergnügungsfahrt anzustoßen ...«

»Ich verstehe nicht, wie man das alles hier für 3 Pfund 10 Schilling pro Woche auf den Tisch bringen kann«, sagte Paul zwanzig Minuten später zu dem Tischnachbarn zu seiner Linken, einem kleinen rundlichen Mann mit Dauerlächeln und einem in Gold eingefassten Zwicker. Sie hatten bereits zwei exzellente Gänge hinter sich, und es sollten noch Crème brulée, Käse und Kaffee folgen.

»Wunderbar, nicht wahr?«, erwiderte der Mann. »Alles eine Sache von Organisation. Allerdings wird das richtig gute Zeug am Samstagabend aufgetischt, weil die Neuankömmlinge normalerweise heute anreisen. Aber der ganze Spaß für 3£ 10s alles inklusive, das kann sich sehen lassen.« Er zwinkerte mehrmals sehr schnell und flüsterte Paul aus dem Mundwinkel mit geradezu lächerlicher Selbstgefälligkeit zu, »Würd mich nicht überraschen, wenn sie dabei Verluste machen. Ich hab gehört, dass sie es darauf anlegen Beale Bay auszuschalten – das Feriencamp weiter unten an der Küste. Bestimmt ein harter Konkurrenzkampf. Bekämen wir die Bilanz zu Gesicht, würden wir feststellen, dass die Leute von Wunderland kaum noch Gewinne machen.«

»Na ja, das ist ihre Sache, oder? Für uns arme Urlauber bedeutet es weniger Kosten für den ganzen Luxus, sodass wir uns nicht beschweren.«

»Was? Ja, natürlich, ich verstehe, was Sie meinen«, antwortete der kleine Mann. Er wirkte beim Zuhören angespannt, bemerkte Paul. Sein Kopf war leicht zur Seite gelegt, die Augen starrten angestrengt durch den Kneifer, als ob es bei dem, was man sagte, für ihn um Leben und Tod ginge.

»Natürlich«, fuhr er mit leiser Stimme fort, »der geringe Preis hier ... Na ja, es bedeutet, dass man eher ein gemischtes Publikum vorfindet. In Bognor dagegen ...«

»Sir«, unterbrach ihn Mr Thistlethwaite, der diese Äußerung mitgehört hatte, »wollen Sie damit andeuten, dass die Annehmlichkeiten der Zivilisation nicht ausnahmslos allen zugänglich sein sollten? Von den höchsten Gesellschaftsschichten bis hin zu den niedrigsten?«

»Aber nein, absolut nicht. Ich ...«

»Sie als Wissenschaftler« – hier zwinkerte Mr Thistlethwaite Paul vielsagend zu – »werden sicher mit mir übereinstimmen, dass die Wissenschaft allen gleichermaßen zugutekommen sollte.«

»Es wäre schön, wenn es so wäre.«

»Ganz richtig. Ihre Ansichten, Mr Morley, kann man bestenfalls als illiberal bezeichnen.«

»Also Daddy, du darfst Albert nicht so schikanieren«, schaltete sich Sally ein. »Albert, mein Bester, hör gar nicht auf ihn. Er schwingt bloß Reden, um sich auf seine Zeit als Stadtrat vorzubereiten.«

Albert Morley warf Sally einen Blick zu, der beinahe schon an einen dankbaren Hund erinnerte. Sie lächelte ihm freundlich zu. Paul bemerkte zum ersten Mal ihre dunklen Augenbrauen und dunklen Wimpern. Beides verlieh ansonsten Durchschnittsblondinen eine gewisse Lebhaftigkeit, musste er zugeben. Sie fing seinen Blick auf und sagte kühl, »*Als Wissenschaftler*, Mr Perry, müssen Sie uns für einen sehr niveaulosen, langweiligen Haufen halten. Seltsam, dass ausgerechnet *Sie* an einem Ort wie diesem Urlaub machen.«

»Ein Wissenschaftler hält immer Ausschau nach Objekten für seine Untersuchungen«, antwortete Paul und erwiderte ihren stolzen Blick interessiert. Wenn sie entschlossen war, grundlos Krieg gegen ihn zu führen, sollte sie Krieg haben.

»Der König der Konter«, meinte Sally nur und drehte ihm den Rücken zu.

Paul sah sich die anderen Tische an und das, was Mr Morley als gemischtes Publikum bezeichnet hatte. Junge Leute, hauptsächlich. Einkommensgruppen von 150£ bis 300£, schätzte er; das konnte später noch bei einer Querschnittanalyse festgestellt werden. Trotzdem noch eine relativ große Anzahl an älteren Erwachsenen, die offensichtlich ihre Kinder dabeihatten. Für die Kinder gab es um 6 Uhr ein eigenes Abendessen. Viele Mädchen trugen Abendkleider in Erwartung der Tanzveranstaltung, bei den Männern dominierten Flanellanzüge. Gesichter und Anzüge wirkten gleichermaßen gepflegt, wollten gesehen werden, passten perfekt zum Anlass. Die Besucher hatten ihren Spaß, daran bestand kein Zweifel – es war wesentlich mehr Animation geboten, als man es in einer Pension mit Meerblick erwarten könnte, dachte Paul und erschauerte bei der Erinnerung an die Urlaube seiner Jugendzeit in garstigen Pensionen in Scarborough und Skegness.

Zwei Seiten des Restaurants wurden fast vollständig von bodentiefen Fenstern eingenommen; die anderen Wände sahen nach unbehandelter Eiche aus, waren aber wohl Kiefernimitat. Die Stühle waren dem spanischem Stil nachempfunden und relativ gut gepolstert. Blumen und kleine elektrische Stehlampen zierten die Tische, die in Größe variierten und je nachdem Platz für zwei bis zwölf Personen boten. Paul stellte fest, dass einige der Besucher von dem ungewohnten Luxus ihrer Umgebung etwas eingeschüchtert wirkten; zweifelsohne handelte es sich um Neuankömmlinge, die noch nie zuvor in einem vergleichbaren Camp gewesen waren. Im Großen und Ganzen fühlten sie sich jedoch in dem, was Mr Thistlethwaite die Annehmlichkeiten der Zivilisation genannt hatte, sofort wie zu Hause. Er hätte gerne jemanden gefragt, ob diese kurze jährliche Berührung mit diesen Annehmlichkeiten zur Folge hatte, dass die Leute umso mehr Missfallen an der Trostlosigkeit ihrer Wohnstatt fanden, doch er fürchtete, dass Mr Thistlethwaite ihm für diese Frage gehörig den Kopf waschen würde, da dieser unter dem Einfluss von gutem Wein und Urlaubsstimmung von Minute zu Minute demokratischer zu werden schien.

Ja, der Wunderland-Thistlethwaite unterschied sich merklich von dem Mitreisenden von vor ein paar Stunden, wie wohl auch der Mitreisende sich gewiss merklich von dem Schneider in Oxford unterschied. Wie viele Männer seines Alters hatte er eine Schwäche für Verallgemeinerungen mit wissenschaftlichem Beigeschmack.

Nach dem Abendessen schlug Mr Thistlethwaite einen Spaziergang zur Kommandobrücke vor, bevor es Zeit würde, sich für die Empfangszeremonie in die Konzerthalle zu begeben. Albert Morley trottete hinter ihnen die Treppen hinauf und wies Paul auf die in der Tat grandiose Aussicht hin: vor ihnen das Meer, und nach Osten und Westen hin die Küste. Mit einer Art besitzergreifendem, doch leicht nervösem Stolz, wie bei einem Vater, der seine Kinder einem reichen, kapriziösen Verwandten vorstellt, lenkte Mr Morley Pauls Aufmerksamkeit auf den Sonnenuntergang, einen vorbeiziehenden Frachter, eine alte Schmugglerbucht und auf den Teil der Klippen, die den Kriegshafen von Applestock, der nächsten Stadt, verdeckten.

»Als ich noch ein kleiner Knirps war, wollte ich zur Marine. Aber meine Augen ...«, sagte Mr Morley und sah Paul an. »Ich weiß noch, wie mein Vater mich auf einem Dampfer auf der Themse mitgenommen hat. Es war ein langes Wochenende im August 1913 – oder war es 1912? –, ich kann mich nicht mehr erinnern. Wir fuhren an den Lagerhäusern vorbei in Richtung Limehouse-Becken, und er erzählte mir – mein Vater war im Küstenhandel tätig, wissen Sie? –, dass man früher die Gewürze in den Lagerhallen über den ganzen Fluss riechen konnte. Sie wurden aus dem Osten hierher verschifft. Ich stellte mir vor, dass ich sie immer noch riechen konnte. Natürlich hatte ich schon lange vorher Matrose werden wollen, aber mit einem Mal war ich sicher. Ich ging zu einem Heuerbüro. Etwas Besseres wäre mir auch nicht eingefallen, wenn Sie verstehen, was ich meine.«

Mr Morley brach ab und errötete leicht. Oh verdammt, dachte Paul. Wird mir dieser dröge kleine Mann jetzt für den Rest des Aufenthalts nicht mehr von der Seite weichen? Ihm war diese Offenbarung des Wunschtraums von Albert Morley peinlich, und er schämte sich dafür, dass ihm das peinlich war.

»Was ist das?«, fragte er und zeigte auf einen Teil des Balkons, der mit einer Glaswand vom Rest abgetrennt war.

»Das ist auf der Brücke der Privatbereich von Captain Wise. Captain Mortimer Wise. Er leitet die Ferienanlage. Sie sehen ihn gleich beim Gästeempfang in der Konzerthalle. Ein sehr angenehmer Zeitgenosse. Er kann wunderbar organisieren.«

Der Leiter. Er könnte mir eine beträchtliche Menge der Informationen geben, auf die ich aus bin, dachte Paul; wenn er nicht zu beschäftigt ist. Sollte ich mich ihm sofort anvertrauen? Vielleicht ist es besser, abzuwarten und zu sehen, wie er so ist.

»Zeit hinunterzugehen«, sagte Mr Thistlethwaite, der in einiger Entfernung von ihnen mit gequälter Atmung auf der

Brücke gestanden und mit seinen Armen merkwürdige Gesten vollführt hatte, als gäbe er unkontrolliert Signale. »Die Ozonschicht hier ist unvergleichlich, Sir«, verkündete er. »*Mens sana in corpore sano*, wie der römische Dichter es hält.«

Die Konzerthalle war beinahe voll. Obwohl es eigentlich ein Empfang für die Neuankömmlinge sein sollte, würden alle – wie Edward Wise es ausgedrückt hatte – einstempeln gehen. Die Wunderländler waren offenbar ein geselliger Haufen. Das erfreute Paul, der aus Prinzip Massenbewegungen befürwortete und einzelne Kapitel und Abschnitte von Gegenwartsautoren zitieren konnte, die den Einzelgänger, den Vogelkundler, die verhohlene Lasterhaftigkeit romantischer Isolation verurteilten.

»In diese Hall passen fünfhundert Leute«, flüsterte Albert Morley mit verlegenem Stolz. »Warten Sie nur, bis der Spaß beginnt. Der junge Mr Wise ist ein ziemlicher Witzbold.«

Paul schwante Übles. Warten Sie, bis der Spaß beginnt. Das klang unheilverkündend nach dem Initiationsritus eines Barbarenstammes. Nicht, dass er kein Interesse an Anthropologie gehabt hätte.

Die grün-weiß gekleideten Angestellten des Camps marschierten nun unter Applaus in Reih und Glied auf die Bühne und setzten sich auf im Halbkreis aufgestellte Stühle. Wie die Belegschaft bei einer Preisverleihung unterhielten sie sich untereinander und gaben sich alle Mühe, das Publikum im Saal zu ignorieren. Und das war der Einsatz für den Auftritt des Direktors. Tosender Applaus. Captain Wise kam mit einem Stapel Papiere an der vorderen Bühnenrand. Bedeutend älter als sein Stiefbruder. Kleiner. Derselbe quadratische Kopf. Das professionelle Auftreten – anteilnehmend, doch ungeheuer kompetent – des Machers. Einer, der anpackt und weiß, was er will.

»Ich will Sie nicht allzu lange aufhalten«, begann er. »Wir begrüßen Sie in Wunderland und hoffen, dass Sie alle eine schöne Zeit hier verbringen werden. Meine Assistenten und ich sind hier, um das zu gewährleisten. Am Schwarzen Brett in der Eingangshalle hängt ein Wochenplan mit den Aktivitäten. Ich bin mir sicher, dass Sie dort alle etwas nach Ihrem Geschmack finden. Aber bitte denken Sie nicht, dass Sie an irgendeinem der Wettbewerbe oder sonst irgendetwas teilnehmen müssen, wenn Sie nicht möchten. In Wunderland ist die Teilnahme an Spielen nicht Pflicht.« (Leichter Applaus. Die Anspielung auf Privatschulen ist wohl etwas zu hoch für die Masse, dachte Paul.)

»Wir versuchen, hier mit so wenig Vorschriften wie möglich auszukommen. Wir verlassen uns auf Ihre Kooperation, und bis dato wurden wir noch nie enttäuscht. Oberste Regel: Kein Lärm im Camp nach 1 Uhr morgens. Die Damen benötigen Ihren Schönheitsschlaf.« (Gelächter und Protest.) »Und, selbstverständlich, kein rüpelhaftes Benehmen. Unsere Truppe von erfahrenen Rausschmeißern ...« (Captain Wise deutete auf die Reihe der Angestellten hinter ihm. Jubel und Gelächter. Ein guter Psychologe, dachte Paul, weiß, wie er seine Zuhörer zum Lachen bringen kann, ohne falsch zu klingen.) »Falls Sie Beschwerden haben, große oder kleine, oder Verbesserungsvorschläge für unser Camp, kommen Sie damit zu mir oder zum Personal. Wir haben immer ein offenes Ohr. Und vergessen Sie nicht, schon jetzt für nächstes Jahr zu buchen – wir mussten über zweihundert Anfragen für diesen Sommer ablehnen. Also gut, ich werde Sie jetzt unserem Spielleiter überlassen. Wenn du so freundlich wärst, Teddy. Auf Wiedersehen zusammen.«

Edward Wise ergriff das Wort. Ein merkliches Raunen ging durch den weiblichen Teil des Publikums.

»Hallihallo, Jungen und Mädchen«, rief er.

»Hallihallo Teddy«, schallte es zurück.

»Bevor wir zusammen ein bisschen singen, wollen wir uns mit dem guten, alten Schlachtruf etwas aufwärmen. Wunder-land, ha-ja-ja. Erstmal sachte. Ganz sachte. Und los.«

Der Schlachtruf wurde zwanzig Mal wiederholt, jede Silbe deutlich betont, erst war es ein Flüstern, dann ein Brüllen der Massen, lauter und immer schneller und am Ende fast hysterisch.

Paul Perry war sowohl fasziniert als auch erschrocken. Seine zarte Seele war äußerst peinlich berührt von dem Geschehen. Der künstliche amerikanische Akzent, gleich dem des Leiters einer Tanzkapelle, der Edward Wises übliche Sprachmelodie ersetzt hatte, sowie die routinierten, selbstbewussten Gesten, mithilfe derer er den Schlachtruf dirigierte, wirkten abstoßend auf Paul. Doch als objektiven Beobachter interessierte ihn das Spektakel natürlich, und da er jeglicher Massenproduktion prinzipiell wohlgesonnen war, musste er dieser merkwürdig maschinenartigen Produktion von Massenlauten ebenfalls wohlgesonnen sein. Und es waren nicht nur Massenlaute. Man erzeugte Massengefühle, die Wunderlandbesucher wurden zu einer Gemeinschaft verschmolzen – einer großen Vergnügungseinheit mit einer einzigen Stimme. Neben ihm grölte rhythmisch Mr Thistlethwaite, und er machte nicht länger einen lächerlichen Eindruck; und schon bald skandierte Paul ebenfalls mit Hocheifer. Als der

Schlachtruf schließlich wie mit einem Donnerschlag geendet hatte, drehten sie sich alle einander zu, lachend und glücklich, oder, wie Paul es formuliert hätte, es waren alle Schranken gefallen.

Paul war tatsächlich so hingerissen, dass er, als Teddy Wise um Freiwillige aus dem Publikum bat, um als Sportorganisatoren dem Wunderlandpersonal zur Hand zu gehen, sich selbst überraschte, indem er sich als einer der Ersten freiwillig meldete. Sally Thistlethwaites skeptischer Blick bestätigte ihn bloß in seiner Entscheidung.

Nach einer halben Stunde gemeinschaftlichen Singens begaben sich die meisten Gäste in den Tanzsaal. Sobald die Kapelle spielte, ging Paul zu Sally und ihrer Mutter und bat Mrs Thistlethwaite um den ersten Tanz. Das wird ihr zeigen, wie der Hase läuft, dachte Paul und musterte Sally kühl, bevor er ihre Mutter auf die Tanzfläche führte. Er wusste, dass er ein guter Tänzer war.

Die Tanzveranstaltung war seit etwa einer Stunde im Gange, als die Scheinwerfer eine neue Nummer ankündigten. In stillschweigender Übereinkunft nahmen nur die besten Tänzer daran teil. Paul war so mutig gewesen, eine der Bediensteten zu bitten, seine Tanzpartnerin zu sein – eine verführerische Brünette, die sich als Miss Jones, die Sekretärin des Direktors, entpuppte. Es waren nicht mehr als ein Dutzend Paare auf der Tanzfläche, die sich zu einem langsamen Foxtrott bewegten und nacheinander vom Scheinwerferlicht herausgepickt wurden, während sie geschmeidig umherglitten, gleich Fischen in einer Unterwassergrotte. Paul hoffte, dass Sally Thistlethwaite zusah. Er zog Miss Jones näher zu sich heran, als der Scheinwerfer auf sie herabschien.

Es schien, als wären sie vollkommen allein, abgetrennt von Zuschauern und Tänzern durch eine Wand aus Licht. Ihm wurde bewusst, das nur noch vereinzelte Paare tanzten. In dem Moment spürte er, wie ihm jemand auf die Schulter tippte.

»Hier steigen wir aus«, meinte Miss Jones. »Gut gemacht, Partner.«

»Aber ich ... Wieso sollten wir?«

Miss Jones erklärte es ihm. Der Leiter der Kapelle hatte ein Paar nach dem anderen eliminiert, bis nur noch die beiden besten Tänzer übrig waren. Paul hörte ihrer Erklärung kaum zu. Er sah dem letzten Paar zu – Sally Thistlethwaite bewegte sich fließend wie Seide, wie Wasser, in Edward Wises Armen, während der Scheinwerfer sie in einen Strahl wechselnder Farben tauchte. Zur Hölle mit ihr, dachte Paul mit einer Boshaftigkeit, die ihn selbst erschreckte. Zur Hölle mit den beiden!

Nur einige Sekunden später erklang eine Stimme aus den Lautsprechern: ein verzerrtes, metallisches Kreischen, das dem ruhigen Rhythmus der Kapelle in die Quere kam.

»Hütet euch vor dem Verrückten Hutmacher, Jungen und Mädchen«, tönte sie.

Sally bemerkte ein leichtes Zögern in Teddys Schritt, eine vorübergehende Anspannung in seinen Fingern auf ihrem Handgelenk.

»Was soll das denn?«, fragte sie, während sie sich zu den letzten Takten der Musik bewegten. »Ein neuer Wettbewerb oder so?«

»Äh, ja. Ja genau«, erwiderte Teddy. »Ein ziemlich verrückter Wettbewerb.«

»Oh, davon musst du mir erzählen.«

Aber die Musik endete mit einem letzten Beckenschlag, die Lichter gingen an, und die Zuschauer applaudierten Teddy und Sally, die blinzelnd in dem grellen Schein standen und sich vage anlächelten, ganz so, als ob sie gerade aus einem tiefen Schlaf erwacht wären.

III

Der nächste Tag war ein Sonntag. Nach dem Frühstück mit einer beträchtlichen Anzahl von Wunderländlern ging Paul an den Strand hinunter, um im Meer zu baden. Der Pfad führte etwa einhundert Meter die Klippen entlang, bevor er sich im Zickzack die Felswand hinunterschlängelte, wo es Jahre zuvor einen schweren Erdrutsch gegeben hatte. Infolgedessen hatte sich ein Abhang mit einem Gewirr aus Büschen und Bäumen gebildet, durch die man stellenweise das Meer erspähen konnte. Die Badenden, die nacheinander den Pfad hinunterkletterten, wirkten in ihrer bunten Badekleidung überaus fröhlich und glichen – fand Paul – einer Prozession von Pilgern, die sich ihren Weg zu einem Meeresschrein bahnte. Er gab dem Wunderland-Unternehmen die volle Punktzahl dafür, dass es den Pfad nicht durch eine Treppe aus Beton ersetzt hatte, oder die Wildnis durch künstlich angelegte Terrassen. Die allgemeine Hochstimmung, man kicherte und neckte einander, dazu ein Gefühl von Abenteuer, zu dem der wilde Pfad animierte, ließ die Entscheidung, ihn in diesem natürlichen Zustand gelassen zu haben, gerechtfertigt erscheinen.

»Passen Sie auf, Sally«, rief er plötzlich dem Mädchen zu, das vor ihm unsicher auf dem Pfad ging.

»Was ist los?«

»Haben Sie ihn nicht gesehen? Gleich da drüben hinter dem Busch? Das war der alte Rip Van Winkle.«

»Oh!«, Sally zuckte zurück und klammerte sich an seinen Mantel. »Wo? Ich kann nichts sehen.«

»Ist schon in Ordnung. War nur ein Scherz.«

»Sie sind wirklich gemein! Das ist kein Witz, glauben Sie mir. Wenn Sie ihn gesehen hätten. Aber Augenblick mal. Wer hat Ihnen überhaupt von Rip Van erzählt?«

»Ich hab Sie gestern Abend mit Ihrer Mutter darüber reden hören. Und dann mit unserem Athletikdiktator.«

»Was für ein Diktator? Ach, Sie meinen Teddy. Man könnte fast meinen, Sie sind eifersüchtig. Donnerwetter! Na ja, ist ja nur menschlich.«

Sie gingen weiter, und Paul sprach zum Rücken des Mädchens, was seinen Bemerkungen etwas von ihrer Schärfe nahm.

»Haben Sie eigentlich immerzu nur Männer im Kopf?«, fragte er kühl.

»Nie. Ich bin bloß ein dummes, albernes Mädchen. Überhaupt nicht Ihr Typ, fürchte ich. Eigentlich schade. Dabei sehen Sie ohne Ihre komische Hornbrille gar nicht so schlecht aus.«

»Danke für das Kompliment. Sie sind auch recht attraktiv, wenn Sie nicht versuchen, jemanden aus einem Filmblättchen nachzuäffen.«

»Macht es Ihnen eigentlich Spaß, andere Leute zu belauschen?«

»Wie in aller Welt …?«

»Das wissen Sie nur zu gut. Ich und Teddy, unsere Unterhaltung über Rip Van Winkle.«

»Sie sollten nicht so kreischen, wenn Sie nicht wollen, dass die Leute Ihre vertraulichen Plaudereien mit jungen Männern mitbekommen.«

»Er ist nicht … Ich … Sie gehen mir wirklich auf die Nerven. Sie sind einfach nur ein gemeiner Schnüffler, Mr Paul Perry. Perry geschrieben P-r-y, wie Schnüffler, vermute ich. Jawohl, ich werde Sie ab jetzt Paul Schnüffler nennen, mein Bester.«

»Das lassen Sie mal schön bleiben. Was hat Ihnen Ihr junger Verehrer eigentlich über Rip Van Winkle erzählt?«

»Das geht Sie überhaupt nichts an. Sie sind viel zu jung. Und wenn Sie nochmal von meinem jungen Verehrer reden, sorge ich dafür, dass er Ihnen was auf die Nase gibt.«

»Kann ich mir vorstellen, dass Ihnen das gefallen würde. Das verführerische Püppchen, um das sich zwei gestandene Mannsbilder prügeln.«

»Gestandene Mannsbilder? Damit meinen Sie doch wohl nicht sich selbst, Paul Schnüffler. Selbst ich könnte Sie k. o. schlagen, glaube ich. Ich hab Boxen gelernt.«

»Das muss der Grund für Ihre muskulösen Arme sein. Richtige Muskelpakete.«

»Lassen Sie mich. Ich hasse Sie.«

Paul hatte eigentlich seine Freude an diesem verbalen Schlagabtausch, was an der Urlaubsstimmung lag und daran, dass man einfach mal einer Unterhaltung frönen konnte, die man unter anderen Umständen als vulgär, langweilig und unter Niveau abgetan hätte. Auch die Freude daran, dass man sich bei solchen Neckereien behaupten konnte, spielte eine Rolle. Aufgrund seiner Arbeit hatte Paul natürlich ständig Kontakt mit Leuten, die so sprachen; in der Theorie hatte er den Jargon verinnerlicht, doch dies war das erste Mal, dass er ihn in der Praxis angewendet hatte.

Das alles ging ihm durch den Kopf, während er die letzten fünfzig Meter des Klippenpfads bezwang. Es hätte ihn einigermaßen überrascht, hätte er gewusst, was Sally in diesem Moment durch den Kopf ging. Was für ein komischer, junger Mann, dachte sie, und wie wichtigtuerisch er daherredet. So sprechen wahrscheinlich schlaue Leute – eigentlich ziemlich attraktiv. Nein, stimmt nicht, er ist ein scheußlicher Kerl, er hat gesagt, dass meine Arme zu dick sind – ich hasse ihn. Es hätte Paul wohl noch mehr schockiert, wenn ihm jemand gesagt hätte, dass der wahre Grund, warum er den Schlagabtausch mit Sally so genoss, nichts mit Wissenschaft zu tun hatte – er fand sie schlichtweg attraktiv. Er konnte sehr nüchtern und sehr ausführlich über Attraktion und Antagonismus zwischen den Geschlechtern referieren – aber er war außerstande, beides zu erkennen, wenn aus der Theorie Realität wurde.

Der private Badestrand von Wunderland lag in einer Bucht zwischen zwei kleinen Landzungen. Direkt unterhalb der Kalksteinklippen war der Strand flach und sandig; ein Stück weiter fiel er steil zum Meer hin ab, was den Badenden einige Schwierigkeiten bereitete. Etwa fünfzig Meter vom Ufer entfernt waren ein paar Flöße vertäut, und eine Anzahl an Gästen war bereits zu diesen hinausgeschwommen, während andere auf grellbunten Luftmatratzen auf dem Wasser paddelten. Auf dem flachen Teil des Strandes hatte man angefangen zu spielen. Junge Männer und Frauen standen in einem

Kreis und warfen sich gegenseitig einen Ball zu, den ein in der Mitte stehender Mann abzufangen versuchte. Dieser Mann, bemerkte Paul beim Näherkommen, war Albert Morley. Er hatte seinen Zwicker abgesetzt und unternahm die lächerlichsten Bemühungen, den Ball zu fangen, wobei er auf und ab sprang wie ein Frosch auf einer heißen Herdplatte.

Wie es anfing, konnte Paul nicht sagen. Er bildete sich ein, dass Edward Wise den Ball absichtlich so warf, dass dieser Mr Morley traf, von ihm abprallte und wieder zu den Leuten im Kreis zurücksprang. Auf jeden Fall hatte er nach einiger Zeit die anderen angesteckt. Anstatt den Ball an Albert vorbei oder über ihn hinweg zu werfen, zielten schon bald alle direkt auf ihn, schrien und lachten dabei und warfen den Ball immer härter, bis der kleine Mann nicht mehr versuchte, ihn zu fangen, sondern sich nur noch bemühte, ihm auszuweichen – ohne großen Erfolg jedoch. Er strahlte allerdings immer noch, nahm es mit Humor, aber mit der Zaghaftigkeit einer Person, die sich nicht sicher ist, ob man sich mittlerweile nicht auf seine Kosten einen Scherz erlaubte.

Paul merkte, dass Sally neben ihm stand. Ihre Augen blitzten, und sie atmete schwer.

»Sie hänseln ihn. Das ist nicht fair«, meinte sie. »Machen Sie, dass sie aufhören, Paul. Bitte.«

Irgendein perverser Impuls, den er augenblicklich bereuen sollte, veranlasste ihn zu sagen, »Wieso sollte ich? Ich bin kein Polizist.«

»Mein Gott, Sie hat wirklich der Himmel geschickt«, stieß sie hervor und lief rasch zu den Spielenden.

Doch Mortimer Wise, der in Badekleidung umherflanierte, kam ihr zuvor.

»Hey, hey!«, rief er gutgelaunt und gesellte sich zu den Spielern. »Lassen Sie jemand anderen in die Mitte gehen, Mr Morley.« Er nahm den Ball, schubste seinen Stiefbruder in die Mitte und warf gezielt an dessen linker Hand vorbei.

Paul sah, wie Albert Morley aus dem Kreis, der plötzlich etwas kleinlaut geworden war, hervortrat und sich die Augen rieb. Einen Augenblick lang, es war wirklich furchtbar, dachte er, der kleine Mann weinte. Doch Albert meinte, »Ich habe Sand in den Augen. Von dem Ball.«

Sally holte ein Taschentuch hervor, legte eine Hand auf Mr Morleys Schulter und wischte ihm vorsichtig den Sand aus den Augen. Paul fühlte sich wahrlich gedemütigt, als er sie so sah. In dem weißen Badeanzug sah ihr Körper wunderschön aus, und ihr sanftes Verhalten löste Einsamkeit und Verärgerung in ihm aus. Er ging zum Meer hinunter und schwamm hinaus.

Zehn Minuten später, nicht weit von einem Pulk planschender und juchzender Schwimmer, riss Sally Thistlethwaite plötzlich die Hände hoch und den Mund auf und verschwand unter Wasser. Alle nahmen an, dass sie Unfug trieb, aber es dauerte lange, bis sie wieder auftauchte; als sie schließlich wieder an die Oberfläche kam, war sie leichenblass und versuchte zu schreien, aber das Wasser schnürte ihr offenbar die Kehle zu. Paul war ganz in ihrer Nähe, als sie wieder unterging, doch Edward Wise hatte es ebenfalls bemerkt, und seine energischen Schwimmzüge brachten ihn schneller an die Stelle, an der sie untergegangen war. Er tauchte und kam sofort wieder nach oben, seine Hände unter Sallys Achseln, und zog sie ans Ufer. Augenblicklich war Captain Wise zur Stelle, um ihm zu helfen. Paul sah, dass auch Albert Morley ihnen mit etwas Abstand und einem komischen Ausdruck von Betroffenheit verzweifelt hinterhergeschwommen war.

Als Paul das Ufer erreichte, saß Sally zwischen den beiden Brüdern, spuckte hustend Salzwasser aus und sagte, »Tut mir leid. Ich habe die Nerven verloren. Irgendein dummer Esel hat mich untergetaucht und mich ein bisschen zu lange festgehalten. Als ich wieder an die Oberfläche gekommen bin, konnte ich irgendwie nicht mehr. Aber mir geht es gut. Wirklich.«

Eine kleine Menschenmenge hatte sich um sie versammelt. Captain Wise bedeutete ihnen zu gehen und meinte, »Alles in Ordnung. Es ist nichts weiter passiert.« Aber als sich die Menge aufgelöst hatte, drehte er sich mit ernster Miene zu Sally, »Sie haben nicht gesehen, wer es war, vermute ich? Wir möchten nicht, dass es hier zu solchen Zwischenfällen kommt.«

»Nein, ich fürchte nicht. Jemand hat mich an den Knöcheln gepackt, mich nach unten gezogen und festgehalten.«

»Haben Sie versucht, sich zu wehren? War es ein Mann oder eine Frau?«

»Ich weiß nicht. Ich glaube ein Mann. Die Hände waren groß. Ich kam nicht an ihn heran, er hat es irgendwie geschafft, unter mir zu bleiben.«

»Also gut, wenn Sie sicher sind, dass Ihnen nichts fehlt ...« Captain Wise schickte sich an zu gehen und gab seinem Bruder ein Zeichen, ihm zu folgen. Paul hörte ihn sagen, »Es war wahrscheinlich nur ein dummer Streich. Sei trotzdem auf der Hut Teddy, okay?« Den nächsten Satz bekam Paul nicht mit.

»Wenn ich den Spaßvogel erwische, verpasse ich ihm eine Abreibung, an die er sich erinnern wird«, sagte Teddy wütend.

»Auf keinen Fall. Der Kunde hat immer recht – innerhalb akzeptabler Grenzen. Lass die brutalen Methoden außen vor, mein Junge. Wir werden ihn deutlich warnen, wenn wir ihn erwischen.«

Aber sie erwischten ihn nicht. Ganz im Gegenteil. Trotz aller Umsicht von Teddy Wise wurden in der nächsten Stunde noch zwei Leute untergetaucht. Ein Opfer war Albert Morley, das andere niemand Geringerer als der Leiter selbst. Keiner von beiden wurde so lange unten gehalten wie Sally, aber Mortimer Wise war sehr verärgert. Nicht bloß verärgert, wie Paul feststellte, sondern besorgt. Paul sah, wie Captain Wise seinen Bruder beiseitenahm, und kurz darauf holte Teddy Stift und Papier hervor und notierte sich offenbar die Namen all derer, die am Strand gewesen waren.

Es mussten beinahe einhundert Badegäste gewesen sein, und viele unter ihnen hatten überhaupt nicht gemerkt, dass sich etwas Ungewöhnliches ereignet hatte – bis auf den Vorfall mit Sally. Sie sollten jedoch nicht lange in Unwissenheit bleiben.

Paul ging mit Mr Thistlethwaite, der fast eine Stunde auf dem Rücken getrieben war wie ein Frachter unter Ballast, zu den Chalets zurück.

»Merken Sie sich, was ich Ihnen jetzt sage, Mr Perry«, sagte er, als sie oben auf den Klippen angekommen waren, »da ist was im Gange.«

»Die Sache mit dem Untertauchen, meinen Sie? Da hat bestimmt nur jemand einen Streich gespielt. Irgendwann probiert er es einmal zu oft, und man erwischt ihn und fordert ihn auf, das Camp zu verlassen. Das ist alles.«

Mr Thistlethwaite warf ihm einen vielsagenden Blick zu,

seufzte dramatisch und erwiderte, »Ich wünschte, ich könnte das glauben, Sir. Doch ich bin außergewöhnlich empfänglich für Stimmungen. Und ich wage zu behaupten, dass die Stimmung in Wunderland umschlägt.«

»Haben Sie das schon bemerkt, als Sie angekommen sind?«

»Nein, Sir. Um genau zu sein, habe ich es gestern Abend um sechs Minuten nach zehn bemerkt.«

»Sechs Minuten nach zehn? Warum, was ...?«

»Wenn Sie sich die Ereignisse des gestrigen Abends ins Gedächtnis rufen, Sir, werden Sie sich daran erinnern, dass der Tanz um zehn Uhr begann. Kurz bevor der Tanz endete, wurde eine gewisse Durchsage über Lautsprecher gemacht. Um zweiundzwanzig Uhr sechs gingen die Lichter an.«

»Und?«

»Haben Sie die Gesichter der Angestellten gesehen- des Leiters der Tanzkapelle beispielsweise oder der Animateure und Animateurinnen und des jungen Mr Wise?«

»Nein, ich könnte nicht sagen, dass ich darauf geachtet habe. Ich habe mit Miss Jones getanzt, und sie machte, soweit ich mich erinnere, einen völlig normalen Eindruck.«

»In habe Zweifel in ihren Gesichtern bemerkt, Sir«, fuhr Mr Thistlethwaite auf großspurige Weise fort, »ja ich würde fast sagen, Verwirrung.« Er schob sein riesiges Gesicht nahe an Pauls. »Was folgern wir daraus?«

»Ich versuche gerade, mich an die Durchsage zu erinnern. Ach ja, jetzt hab ich's. Irgendetwas von einem Verrückten Hutmacher.«

»Es spielt auf einen fiktiven Charakter in einem Kinderbuch, namens ›Alice im Wunderland‹, von dem kürzlich verstorbenen Mr Dodgson aus Christchurch an. Mein Unternehmen hatte die Ehre, ihn einmal mit einem Dutzend Hemden auszustatten.«

»Ja, das ist mir alles klar. Aber ich verstehe nicht ...«

»Der Punkt ist, Sir, dass die Durchsage die Angestellten aus der Fassung gebracht hat. Die meisten nahmen einfach an, dass sie sich auf einen kommenden Wettbewerb bezog. Aber das Personal wusste offensichtlich nichts von solch einem Wettbewerb. Wir können daher folgern, dass eine nicht dazu autorisierte Person sich im Schutz der Dunkelheit Zugang zu dem Mikrofon verschaffte und mit der Durchsage eigene Ziele verfolgte.«

»Aber ...«

»Insbesondere wird ihnen die Bedeutung«, fuhr Mr Thistlethwaite fort, mit einer Stimme, die Paul trotz ihrer lächerlich keuchenden Feierlichkeit einen unerklärlichen Schauer über den Rücken jagte, »von *Wunderland* auffallen. Darüber hinaus bietet das Wort *verrückt* Raum für Spekulationen. In dieser Sache ist das letzte Wort noch nicht gesprochen.«

Und er sollte recht behalten. Als sie an der Empfangshalle des großen, weißen Gebäudes vorbeikamen, hatte sich eine recht große Menschenmenge vor dem Schwarzen Brett versammelt. Man war verärgert. Die Leute drängelten sich vor einem Zettel, auf dem in Großbuchstaben geschrieben stand:

WIE HAT EUCH DAS UNTERTAUCHEN
GEFALLEN?
MACHT EUCH BEREIT FÜR MEINEN
NÄCHSTEN SPASS.
                      DER VERRÜCKTE HUTMACHER.

Paul hörte den Leuten zu.

»Wer ist dieser Verrückte Hutmacher?«

»Ein paar Leute sind heute Morgen im Meer unter Wasser gehalten worden. Eine Frau ist beinahe ertrunken ...«

»Die Campleitung sollte etwas unternehmen ...«

»Einer der Gäste ist heute Morgen ertränkt worden, habe ich gehört.«

»Von wem?«

»Von dem Verrückten Hutmacher ...«

»Ach was! Das ist nur wieder einer dieser Wettbewerbe. Wie die Schnitzeljagd. Ein Überraschungsprogramm, so wie ...«

»Pass auf, Gertie! Da ist der Verrückte Hutmacher! Direkt hinter dir!«

»Ahhhh! Mensch, hast du mir vielleicht einen Schrecken eingejagt! Mensch, das ist doch bloß Mr Thistlethwaite.«

»Stets zu Diensten, Madame ...«

»Ich frage mich, was er wohl als Nächstes vorhat?«

»Irgendjemand muss was unternehmen. Es ist ein Skandal, dass ...«

»Wir sollten Captain Wise Bescheid sagen.«

»Captain Wise ist im Krankenhaus, hat irgendjemand gesagt. Er ist fast ertrunken heute Morgen. Drei weitere sind tot ...«

»Also, das ist mir vielleicht ein schöner Urlaub. Ich glaube nicht ...«

Nach dem Mittagessen wurde ein Sondertreffen einberufen. Der Konzertsaal war bis auf den letzten Platz besetzt, als Captain Wise auf die Bühne trat, mit ernster Miene, aber immer noch der Inbegriff von Effizienz.

»Meine Damen und Herren«, begann er, »es tut mir leid, dass ich Sie an so einem schönen Nachmittag hier festhalten muss. Unglücklicherweise scheint jemand mit einem garstigen Sinn für Humor unter uns zu sein. Heute Morgen wurden zwei Besucher und ich unten am Strand untergetaucht und festgehalten. Wäre es nur einmal vorgekommen, hätten wir vielleicht von einem unschuldigen Streich ausgehen können. Aber der Zettel am Schwarzen Brett kurz darauf, unterschrieben mit ›Der Verrückte Hutmacher‹, zwingt mich zu der Annahme, dass hier eine Person mit Hang zu äußerst törichten Scherzen am Werke ist. Zuallererst möchte ich ihn – oder sie – bitten einzusehen, welche allgemeine Unruhe er damit verbreitet, und damit aufzuhören. Wir bieten hier in Wunderland sicherlich genügend Aktivitäten zum Zeitvertreib für jedermann und möchten zwielichtige Spielchen dieser Art tunlichst vermeiden.«

»Sehr richtig!«, dröhnte Mr Thistlethwaite.

»Ich kann Ihnen versichern, dass mein Personal und ich, in Zusammenarbeit mit Ihnen allen, dieses Ärgernis schon bald aus der Welt schaffen werden, sollte diese Person sich dazu entschließen, mit ihren dummen Streichen weiterzumachen. Insofern habe ich einige Anliegen. Erstens, diejenigen unter Ihnen, die am gestrigen Tanzabend anwesend waren, haben eine Durchsage gehört, dass Sie sich vor dem Verrückten Hutmacher in Acht nehmen sollen. Zu diesem Zeitpunkt war es, abgesehen von dem Scheinwerfer, dunkel. Jeder hätte die Bühne vom Saal aus betreten können beziehungsweise wäre durch die Türen zu beiden Seiten der Bühne in den Saal und so zum Mikrofon gelangt – es stand ganz rechts außen auf der Bühne. Ich habe bereits mit den Musikern gesprochen, aber niemand hat etwas gesehen. Wie Sie hat auch die Band angenommen, dass es sich um eine überraschende Durchsage der Campleitung handelte, und ihr keine besondere Aufmerksamkeit geschenkt. Falls jemand von Ihnen zu der Zeit etwas Verdächtiges bemerkt haben sollte oder jemanden gesehen hat, der sich auffällig benahm, nachdem das Licht wieder angegangen war, bitte ich Sie um Mitteilung in meinem Büro. Der zweite Punkt betrifft den Zettel, der heute Morgen aufgehängt wurde. Er hing mit Sicherheit noch nicht am Schwarzen Brett, als meine Sekretärin um zwölf Uhr einige meiner Ankündigungen aufgehängt hat. Falls jemand zwischen zwölf und ein Uhr eine Person gesehen hat, die unerlaubt einen Zettel aufhängte, sagen Sie mir bitte Bescheid. Drittens wäre ich dankbar, wenn die Mitglieder des freiwilligen Sportkomitees in mein Büro kommen könnten, sobald wir hier fertig sind. Und zu guter Letzt würde ich Sie bitten, dies alles für sich zu behalten. Um ehrlich zu sein, wäre eine solche Angelegenheit, falls sie bekannt werden sollte – und Sie wissen ja wie Gerüchte sich verbreiten –, schlecht für Wunderland. Meiner Ansicht nach werden die Person oder Personen so vernünftig sein, mit derartigen Streichen aufzuhören, denn sie wissen jetzt, dass sie von Ihnen Gegenwind bekommen. Allerdings würde ich gerne meine Arbeit behalten, und ich habe dafür zu sorgen, jedwede Wiederholung dieser dummen Scherze zu verhindern, auch wenn manch einer der Ansicht sein mag, dass ich aus einer Mücke einen Elefanten mache. Nun gut, das wäre alles, denke ich. Vielen Dank an Sie alle.«

Einige Minuten später saß Paul Perry mit den anderen Mitgliedern des Sportkomitees – fünf Frauen und vier Männern – im Büro des Direktors. Captain Wises Sekretärin,

Miss Jones, und Teddy Wise waren ebenfalls anwesend. Die Glastüren zum Balkon standen offen, und Sonnenlicht flutete das Büro und brachte den Chromschreibtisch zum Leuchten, schien auf die Aktenschränke, das Bild eines Regiments, das über dem elektrischen Kamin hing, und erhellte auch Captain Wises leicht amüsiertes Lächeln. Doch, dachte Paul, er sieht aus wie ein Schuldirektor, der um der Disziplin willen einen harmlosen Streich öffentlich angeprangert hat und im kleineren Kreis nun alles nicht mehr so ernst nimmt, weil Jungen nun einmal so sind.

Captain Wise machte keinerlei Bemerkung zu seiner vorherigen Ansprache, sondern sagte nur, dass sie ohne weitere Informationen nichts unternehmen könnten. Zweifellos würden bald Besucher in sein Büro strömen, um ihm zu berichten, was sie gesehen hatten oder meinten gesehen zu haben oder von jemand anderem gehört hatten; Informationen, die er aussieben musste. Er wolle das Sportkomitee nicht mit dieser Sache belästigen. Eine Brise blies vom Meer durch das offene Fenster und wirbelte seinen feinen Haare durcheinander, konnte aber Miss Jones perfekt sitzender Frisur nichts anhaben. Sie saß mit Stift und Notizbuch in perfekter Haltung neben ihm, ganz die gestrenge Sekretärin und trotzdem hinreißend. »Also«, sagte Captain Wise, »lassen Sie uns das Programm für morgen besprechen. In der Früh ...«

Er unterbrach sich. Auf der Treppe draußen waren Schritte zu hören, und die Tür wurde geöffnet. Ein hübsches Mädchen in Tennisschuhen, kurzem weißen Rock und Brassière stürmte herein, gefolgt von einigen anderen.

»Oh, Captain Wise, es tut mir leid, dass ... Aber wir haben sie so im Pavillon gefunden«, keuchte sie. »Schauen Sie.«

Sie stellte eine Kiste mit Tennisbällen auf den Schreibtisch und öffnete den Deckel. Die Mitglieder des Komitees sprangen auf und versuchten, über Captain Wises Schulter einen Blick zu erhaschen. In der Kiste waren ein halbes Dutzend Tennisbälle. Sie waren mit einer dicken Schicht Sirup bedeckt.

IV

Sprachlos starrten alle den Inhalt der Kiste an. Ebenfalls schweigend, wie eine feierliche Prozession, die Opfergaben auf einem Altar platziert, kamen die anderen Mädchen, die an der Tür gestanden waren, und stellten Kisten auf den Schreibtisch des Direktors.

»In meiner Kiste lag ein Zettel«, sagte das erste Mädchen. »Hier ist er.«

Vorsichtig nahm Captain Wise das mit Sirup verklebte Papier entgegen und las vor, »Ein Geschenk für Elsie, Lacie und Tillie. Vom Verrückten Hutmacher.‹ Also, ich werd nicht mehr! Elsie, Lacie und ...«

»Genau das habe ich zu meiner Freundin auch gesagt«, verkündete das Mädchen. »Es macht keinen Sinn. Ich heiße Dolores. Keine von uns heißt ...«

Mit kühler Kompetenz schnitt Miss Jones ihr das Wort ab, »Elsie, Lacie und Tillie heißen die drei kleinen Mädchen, die auf dem Grund eines Sirup-Brunnens lebten, Captain Wise.«

»Was in aller Welt reden Sie da, Miss Jones«, rief er gereizt. »Sirup-Brunnen?«

»Das ist ein Teil der Geschichte des Siebenschläfers aus

›Alice im Wunderland‹. Bei der Teeparty des Verrückten Hutmachers, wie Sie sich vielleicht erinnern«, erwiderte Miss Jones gelassen.

»Ich verstehe«, sagte Captain Wise. »Wo haben Sie diese Kisten her?«

»Die sind für das Tennisturnier heute Nachmittag. Sie standen im Pavillon«, antwortete wieder das erste Mädchen.

»Nun gut, entschuldigen Sie diesen bedauerlichen Vorfall, Miss Page. Teddy, gehst du bitte mit den Damen zum Lager und gibst ihnen neue Tennisbälle? Und dann komm wieder her. Ach, und frag den Koch, ob eine Dose Sirup fehlt.«

»Ach, Mr Wise«, hörte Paul das Mädchen zu Teddy sagen, als die Gruppe hinausmarschierte, »ich bin so froh, dass Sie mitkommen. Ehrlich. Ich fühle mich nicht sicher, solange so ein gemeingefährlicher Irrer frei herumläuft.«

Captain Wise zog die Augenbrauen hoch und zuckte mit den Schultern. »Das genau habe ich befürchtet«, sagte er. »Wenn wir nicht aufpassen, wird aus diesem Scherzbold noch Jack the Ripper.«

»Können wir irgendwie helfen?«, fragte ein Mitglied des Komitees, ein junger Mann mit einem eckigen Kiefer, er sah aus wie jemand, der in jedem Club oder Komitee unweigerlich die Rolle des Sekretärs, Witzbolds und Mädchen für alles übernimmt, und es war auch tatsächlich so.

Captain Wise rieb sich mit dem Kinn über die Fingerspitzen. Ein seltener Moment von Unentschlossenheit, fast schon Ratlosigkeit, schien ihn erfasst zu haben.

»Sehr freundlich von Ihnen, Mr Easton«, sagte er schließlich. »Aber ich glaube nicht, dass ich irgendjemand von Ihnen darum bitten könnte. Das wäre nicht fair. Sie sind hier im

Urlaub, und es ist Sache der Direktion, dafür zu sorgen, dass man Ihnen den Urlaub nicht verdirbt.«

»Das würde ihn sicher nicht verderben – ich spreche natürlich nur für mich selbst. Aber ich bin mir sicher, dass das auch die Meinung der anderen Komiteemitglieder ist«, beharrte der junge Mann, der sich für seine neue Arbeit erwärmte. »Ich meine, es wäre doch was Neues für uns alle. Ein neuer Wettbewerb – findet den Verrückten Hutmacher. Verstehen Sie, was ich meine? Man könnte sogar einen Preis ausschreiben, irgendeine Art von Belohnung für denjenigen, der Informationen liefert, die zur Verhaftung des Verrückten Hutmachers führen. Wecken Sie das Interesse aller. Das könnte doch funktionieren. Das wäre doch eine Idee, Captain Wise.«

Der Direktor beäugte ihn kritisch und blickte dann in die Runde. Die Mitglieder des Komitees – wie es bei Komitees üblich ist – äußerten sich alle gleichzeitig und steuerten mehr oder weniger Relevantes bei.

»Das ist eine Idee.«

»Meiner Meinung nach haben wir kein Mandat der anderen Gäste, etwas in diese Richtung zu unternehmen. Wir sind ein Sportkomitee.«

»Na ja, diesen Typen zu jagen wäre eine Art Sport. Jagdsport, könnte man sagen.«

»Ich missbillige Jagdsport. Die Liga der ...«

»Mein Chef geht zweimal die Woche zum Jagen. Er ist ein sehr freundlicher Gentleman. Ich würde sagen, dass er keiner Fliege etwas zuleide tun kann. Er ist Verleger. Er hat mir mal erzählt ...«

»Meine Flo sagt, es ist für sie ein Hangen und Bangen, seit der Verrückte Hutmacher aufgetaucht ist. Immerhin hat sie

Jiu Jitsu gelernt. Ich glaube, sie würde ihm eine ganz schöne Abreibung verpassen. Kann deinen Arm so leicht brechen wie ein Streichholz.«

»Unser Billy hat sein Zaubertrick-Set in der Schule gegen eine Anleitung für Streiche getauscht. Richtig gemeine Tricks. Hab ihm den Hintern versohlt. Ich würde sagen ...«

»Hat jemand von Ihnen«, unterbrach Miss Gardiner, eine massige Lehrerin mit respekteinflößendem Blick, »die Psychologie des Schalks studiert?«

»Ich halte nichts von diesen Psychologen. Erst kehren sie dein Innerstes nach außen, und was hast du dann davon?«

»Deine Gedärme, vermutlich.«

»Die Motivation des Witzbolds«, beharrte Miss Gardiner in einem Tonfall, der an eine Roboterbrigade erinnerte, die einen desorganisierten Feind wegfegte, »ist im Allgemeinen ein Gefühl von Unterlegenheit. Seine Libido und sein Machthunger lassen ihn zu Mitteln greifen, die die Gemeinschaft auf sein Niveau herunterziehen. Da er selbst verspottet wurde, bemüht er sich, die Gemeinschaft als Ganzes lächerlich zu machen.«

»In etwa ›Wie du mir, so ich dir‹, meinen Sie?«

»Das wäre eine grobe Vereinfachung der Psychose«, erwiderte Miss Gardiner ernst. »Oft handelt es sich auch um eine Person mit einem ausgeprägten, aber unterdrückten Drang nach Zurschaustellung. Söderman beschreibt einen Fall, es geht um ein Mitglied der freiwilligen Feuerwehr, der Mann beging mehrmals Brandstiftung, nur um in der Öffentlichkeit Uniform tragen zu können. Adler behauptet ...«

»Was für eine Uniform trägt dieser Verrückte Hutmacher überhaupt? Ein Tschako?«

»Einen Zylinder, natürlich, Dummerchen.«

An dieser Stelle unterbrach der Direktor sie taktvoll, »Ich denke wir müssen diese interessante Diskussion beenden und uns um wirklich Wichtiges kümmern. Ich kann Ihnen versichern, dass Ihre Vorschläge berücksichtigt werden, und ich würde Sie gegebenenfalls später noch einmal einbestellen. Es ist immerhin möglich, dass unser Scherzbold sich dazu entscheidet, es gut sein zu lassen. Also dann ...«

Das Komitee begann, das Programm für Montag zu besprechen. Das Hauptereignis sollte die Schnitzeljagd am Nachmittag sein. Die Route und die Hinweise dafür waren bereits von der Direktion vorbereitet worden. Es war Aufgabe der Komiteemitglieder, das Personal dabei zu unterstützen, die Hinweise auszulegen, die Strecke zu ›überwachen‹ und andere Vorbereitungen zu treffen. Die Hinweise steckten in versiegelten Umschlägen, die heute beim Abendessen verteilt werden würden, sodass besonders eifrige Schatzsucher bereits die Gelegenheit hatten, sie ausführlich zu studieren.

Nach dem Treffen ging Paul Perry hinaus zu den Tennisplätzen. Es wurden ein paar nicht allzu ernste Partien gespielt – das wöchentliche Turnier begann nicht vor Dienstag. Paul erblickte Mr Thistlethwaites kolossale Gestalt, die in einem Liegestuhl saß, gleich neben dem Platz, auf dem Sally und Mr Morley gegen ein anderes Paar ein Doppel spielten. Er setzte sich neben Mr Thistlethwaites Stuhl ins Gras, um zuzusehen.

»Sie spielen ebenfalls, Sir?«, erkundigte sich dieser.

»Ein wenig. Mir bleibt dieser Tage allerdings nicht viel Zeit dafür.«

»Ah. Als Mann der Feder schmähen Sie natürlich Vergnügungen und verbringen stattdessen arbeitsreiche Tage. Eine Laufbahn, die einiges abverlangt, aber nur weniges bietet gleichermaßen Belohnung.«

»Ihre Tochter spielt gut. Sie scheint ihren Partner zu motivieren.«

»Das liegt in der Familie, Sir. Ich selbst hatte einmal ein wenig Talent für Ballspiele.«

Albert Morley sprang verzweifelt zur Seitenlinie, um einen Drive abzufangen, verfehlte den Ball und fiel der Länge nach hin. Seine Gegner lachten, selbst Sally musste lächeln. Mr Morley rappelte sich auf, strahlte gutmütig in die Runde und nahm seinen Platz am Netz wieder ein.

»Ein guter Sportsmann, dieser Mr Morley«, sagte Mr Thistlethwaite. »Er verträgt ausnahmslos jeden Witz. Das ist einer der herausragenden Aspekte unseres Nationalcharakters, finden Sie nicht auch, Sir? Zeigen Sie mir einen Mann, der über sich selbst lachen kann, und Sie zeigen mir einen wahren Gentleman.«

Paul machte keinen Versuch, diese Behauptung anzufechten. Stattdessen erkundigte er sich, »Wie reagieren die Leute hier auf diesen Witzbold? Werden sie etwas unruhig?«

»Sie sind überwiegend ruhig und gefasst. Ein Brite lässt sich nicht so leicht aus der Ruhe bringen. Alles wie gehabt, oder sollte ich sagen, Vergnügen wie gehabt, lautet die momentane Parole in Wunderland.«

»Ich frage mich, was er als Nächstes vorhat. In Sirup getauchte Tennisbälle sind nicht ganz auf dem Niveau von versuchtem Ertränken.«

»*Reculer pour mieux sauter*, möglicherweise, Sir. Die Überlegung ist nicht ganz uninteressant.« Mr Thistlethwaite drehte sich zu Paul, wobei sein Liegestuhl gefährlich knarzte. »Sie haben den Ausdruck ›Scherzbold‹ verwendet, Sir. Haben Sie die Implikationen bedacht?«

»Was meinen Sie?«

»Implikationen von was, Daddy?« Sally hatte ihr Spiel beendet und sich mit Albert Morley zu ihnen gesetzt.

»Ich sprach gerade von diesem Individuum, das sich der Verrückte Hutmacher nennt. Meinem Urteil nach ist das Wesentliche eines Scherzes oder Streichs, dass der Täter nicht nur die Not seines Opfers beobachten kann, sondern auch, dass er gebührenden Beifall für seinen Einfallsreichtum erfährt. Ein Streich, den man mit niemandem teilen kann, außer mit sich selbst, kann einen unmöglich vollkommen zufriedenstellen. Was können wir in der gegenwärtigen Situation also daraus schließen?«

»Sie meinen«, antwortete Paul nach einer kurzen Pause, »dass der Kerl einen Komplizen – oder mehrere – hat, mit denen er den Streich teilen kann.«

»Eine Möglichkeit, Sir«, sagte Mr Thistlethwaite.

»Ich glaube, der Bursche ist ein bisschen verrückt«, warf Mr Morley ein.

»Das wäre ebenfalls eine plausible Hypothese. Ein Verrückter«, fuhr Mr Thistlethwaite gelassen fort, »ist das einzig lebende Geschöpf, das einen Streich mit sich selbst teilen kann.«

»Oh Daddy, bitte sei still. Du machst mir Angst.«

»Er könnte auch ein Fall von gespaltener Persönlichkeit sein«, sagte Paul. »Ein Individuum, das abwechselnd das Narrenkleid trägt und dann wieder ganz respektabel wirkt, eine Person, wie Sie es sind.«

»Wollen Sie sagen, dass Daddy der Verrückte Hutmacher ist? Seien Sie vorsichtig, Mr Paul Schnüffler.«

»Ich habe mir lediglich eine wissenschaftliche Verallgemeinerung erlaubt, da müssen Sie gar nicht spitzfindig werden.«

»Es gibt noch eine dritte Alternative, die diese bizarren Ereignisse erklären könnte«, verkündete ihr Vater. Er legte seine Fingerspitzen aneinander und machte eine dramatische Pause. »Vielleicht ist der Verrückte Hutmacher weder jemand, der Streiche spielt, noch ist er verrückt. Er ist womöglich so zurechnungsfähig wie Sie oder ich.«

»Aber Daddy, das ist unmöglich. Entweder er ...«

»Wenn man eine kriminelle Handlung analysiert, also eine, die gegen gesellschaftliche Normen verstößt, muss man sich nicht nur fragen, wer daraus einen Nutzen zieht, sondern auch, wer dabei etwas zu verlieren hat.«

»Na ja, du hast etwas zu verlieren gehabt. Wenn diese furchtbare Person mich noch länger unter Wasser gehalten hätte, dann wäre deine hübsche Tochter jetzt eine arme, starre Leiche.«

Ihr Vater lehnte sich zu ihr, strich ihr über den Kopf und lächelte. Ein eher einfältiges Lächeln, dachte Paul. Aber auf seltsame Weise ließ es ihn wirklicher scheinen. Mr Thistlethwaite hatte solch eine Präsenz, dass man ihn kaum mit einem Privatleben samt menschlichen Schwächen und Beziehungen in Verbindung brachte.

»Nein«, sagte er und spulte vorsichtig seine maßgeschneiderten, taktvollen Sätze ab, »Es sind nicht so sehr die Gäste, als vielmehr die Wunderland GmbH selbst, die im Falle einer Fortführung dieser Ausschreitungen etwas zu verlieren hat.«

»Dann muss es sich bei dem Witzbold um jemanden handeln, der einen Groll gegen das Unternehmen hegt«, sagte Paul.

Mr Thistlethwaite neigte in feierlicher Billigung seinen Kopf – so sah er möglicherweise aus, wenn ein Lehrling, unter seiner fachmännischen Anleitung, den perfekten Stoff ausgewählt hatte.

»Aber ist das nicht eine sehr seltsame Art, sich an dem Unternehmen zu rächen – indem man die Besucher verstört?«, warf Sally ein.

»Vielleicht die einzige Art und Weise, auf die man das schafft, meinen Sie nicht?«, kam es von Mr Morley unerwartet.

»Ganz richtig, Mr Morley. Und das liefert uns einen Hinweis auf den Übeltäter, oder nicht?«

»Wie meinen Sie?«

»Er ist eine Person ohne Einfluss oder sozialen Status. Er selbst befindet sich nicht in der Position, seinen Feind anzugreifen, außer mit diesen hinterhältigen und würdelosen Tricks – ganz gleich, ob es sich bei dem Feind um das gesamte Unternehmen handelt oder um einen Angestellten, wie Captain Wise. Er könnte seinen Posten verlieren, sollte sich von diesem Skandal ein Großteil der Besucher vertreiben lassen.«

Mr Thistlethwaite holte einmal tief Luft und strich über die Falten seiner makellosen Flanellhose.

»Einer der Angestellten vielleicht, der gefeuert wurde?«, schlug Paul vor. »Aber man würde nicht erwarten, dass die so bewandert in den Werken Lewis Carrolls sind.«

»Ich nehme an, dass auch Angestellte lesen können«, erwiderte Sally. »Außerdem muss man ›Alice im Wunderland‹

nicht gelesen haben, um den Verrückten Hutmacher zu kennen. Das gibt es auch als Kindertheater.«

»Ich würde annehmen, dass Elsie, Lacie und Tillie darin nicht vorkommen«, gab Mr Thistlethwaite zu bedenken.

Paul Perry erstarrte und besah ihn sich gründlich.

»Der Faktor Zeit ist ebenfalls von Interesse«, fuhr Mr Thistlethwaite fort. »Die Mehrheit der Besucher in Wunderland bleibt nur eine Woche. Sollten sich die Vorfälle bis in die zweite Woche hinziehen, kämen nur noch das Personal und die übriggebliebenen Besucher als Verdächtige infrage.«

»Sie haben sich eingehender mit der Sache befasst, wie ich sehe«, sagte Paul.

»Ich habe mich damit beschäftigt, Sir. Als Amateur-Kriminologe habe ich ...«

»Was haben Sie da unter Ihrem Fingernagel?«, fragte Paul plötzlich und zeigte auf Mr Thistlethwaites Mittelfinger, mit dem er immer noch über die Falte des Hosenbeins fuhr.

»Sirup, fürchte ich«, antwortete Mr Thistlethwaite unbeirrt. »Ich war zufällig in der Nähe, als die junge Frau die Tennisbälle gefunden hat, und ich habe an einem von ihnen mit meinem Nagel gekratzt, um festzustellen, was für eine Substanz daran klebte.«

»Aha, ich verstehe«, stellte Paul enttäuscht fest. »Deshalb wussten sie von Elsie, Lacie und Tillie?«

»So ist es.« Ein Ausdruck traurigen Vorwurfs kam über Mr Thistlethwaits bluthundartige Züge. »Sie haben doch sicherlich nicht *mich* der Beteiligung an diesen Vorkommnissen verdächtigt, Sir?«

»Nein. Nein, natürlich nicht. Ich habe nur ...«

»Oh doch, das hast du, Paul Schnüffler. Versuchen Sie nicht, sich da herauszuwinden. Sie blicken ganz schuldig drein, und Sie werden rot.« Sally war wirklich wütend. Ihre grauen Augen versprühten ein winterliches Feuer. »Sie schnüffeln herum. Ja, ich hab Sie gesehen, wie Sie in Ihr kleines Notizbuch schreiben, wenn Sie glauben, dass niemand zusieht. Und Sie wagen es, Daddy zu beschuldigen ... Dabei sind Sie genau der Typ für solche gemeinen Streiche. Und Ihre Fingernägel sind übrigens auch nicht so sauber.«

»Da wir von Sirup sprechen«, mischte sich Mr Thistlethwaite diskret ein, »Das erinnert mich an eine Episode, die sich zu meiner Lehrzeit in Oxford zugetragen hat. Es drehte sich um niemand Geringeren als den seligen König Edward VII. Ein großer Gentleman, König Teddy. Und ein Vorreiter in Sachen Mode. In der Tat ein sehr ausgelassener junger Gentleman, wenn er im Palast war. Es war das Ergebnis einer Wette zwischen dem König und dem Herzog von Hamilton. Der Herzog ging in einen Lebensmittelladen und fragte nach einem Pfund Sirup. Als der Verkäufer ihn fragte, ob sein nobler Kunde denn ein Gefäß für den Sirup mitgebracht habe, erwiderte der Herzog, ›Füllen Sie ihn in meinen Hut.‹ Der Verkäufer leistete dem Folge, woraufhin der Herzog dem Verkäufer den Hut aufsetzte, eine Goldmünze auf die Theke warf und sich davonmachte. Ach, ja. Seine selige Majestät war voller Esprit.«

»Ein wahrhaft königlicher Scherz«, sagte Paul säuerlich.

»Ich verstehe nicht, warum sie den Sirup nicht bereits in einer Dose oder in einem Gefäß hatten. In dem Laden, meine ich«, merkte Albert Morley an.

»Wollen Sie die Richtigkeit meiner Anekdote in Zweifel ziehen, Sir?«

»Oh, nein. Nein. Ich habe mich nur gefragt.«

Würden wir mit den hier Anwesenden »Alice im Wunderland« besetzen, dachte Paul, wäre Albert ganz bestimmt der Siebenschläfer. Mr Thistlethwaite wäre zweifellos Vater William. Und ich? Na ja, mir gefällt die Grinsekatze recht gut. Und Sally ist vorlaut und naiv genug, um Alice zu sein. Paul blickte neugierig auf seine Hand, die Sally gerade in ihre genommen hatte, um die angebliche Unsauberkeit seiner Nägel vorzuführen. Die Betrachtung rief zu seiner Überraschung eine derart starke Erregung in ihm hervor, dass er gezwungen war, aufzustehen und unversehens ohne ein Wort zu gehen.

Im Büro des Direktors, hoch oben über dem ruhigen Meer, unterhielten sich Captain Wise und sein Bruder.

»So sieht es aus, Teddy. Lass mich zusammenfassen, was wir bisher herausgefunden haben. Schreiben Sie das bitte mit, Miss Jones. Es wird uns noch zugutekommen, sollten wir die Sache an die Polizei übergeben.«

Miss Jones brachte ihr Erstaunen und ihre Missbilligung nur mit einem leichten Schürzen ihrer Lippen zum Ausdruck. Im Gegensatz zu Teddy.

»Na, aber jetzt, alter Junge. Nicht die Bullen. Das ist wirklich ... also, wir müssten innerhalb von zwei Wochen schließen.«

»Mein lieber Teddy, wenn dieser Scherzbold so weitermacht, müssen wir in einer Woche schließen. Ich werde die Polizei nicht einschalten, bis die Gäste mich dazu zwingen; aber das werden sie, wenn wir den Verrückten Hutmacher nicht schon bald überführen. Nun gut. Die Ansage über die Lautsprecher gestern Abend. Niemand konnte Informationen dazu liefern. Der Kerl hätte aus der Konzerthalle kommen können oder durch eine der Türen neben der Bühne; oder es könnte jemand von der Band sein. Eigentlich könnte es verdammt nochmal jeder gewesen sein, du oder ich oder Miss Jones hier.«

»Nicht ich, alter Junger. Ich habe mit Sally im Scheinwerferlicht das Tanzbein geschwungen.«

»Stimmt. Als Nächstes, das Untertauchen. Es ist wahrscheinlich ein Mann, auf jeden Fall stark, große Hände. Fünfundneunzig Leute waren am Badestrand. Wir werden einige von ihnen ausschließen können, wenn wir jeden Einzelnen fragen, wer zu dem Zeitpunkt, an dem die Leute untergetaucht wurden, gerade in seiner Nähe stand, aber auch dann bleiben noch viele Verdächtige. Du hast die Nummern der Plaketten aller notiert, die den Strand verlassen haben, die Namen derer, die ihre Plakette nicht dabeihatten, und die Reihenfolge, in der sie gegangen sind. Aber das bedeutet immer noch keine hundertprozentige Kontrolle. Der Scherzbold hat die Sache womöglich verkompliziert, indem er sich die Plakette von jemand anderem genommen hat. Drittens, der Zettel am Schwarzen Brett. Außer er hat einen Komplizen, muss der Kerl ihn selbst aufgehängt haben. Miss Jones schwört, dass der Zettel um zwölf Uhr noch nicht da hing. Aufgrund dessen muss er ihn nach seinem Bad aufgehängt haben. Mit an Sicherheit grenzender Wahrscheinlichkeit war er einer der Ersten, die den Strand verlassen haben. Denn je länger er damit gewartet hätte, ihn aufzuhängen, desto mehr Leute wären in der Nähe der Eingangshalle unterwegs gewesen. Damit kommen nur die ersten Namen auf unserer Liste infrage. Wir sehen sie uns gleich nochmal an. Zu guter Letzt, die Sache mit dem Sirup. Der Koch hat sein Lager durchgesehen, als du zu ihm gegangen bist, aber es fehlte keine Dose Sirup. Der Bursche muss seinen eigenen mitgebracht haben, was bedeutet, dass er gut vorbereitet war, und das wiederum bedeutet, dass er sein Werk noch lange nicht vollendet hat. Wir könnten die Chalets durchsuchen, aber das würde uns nicht besonders beliebt machen, und mittlerweile wird er die Dose auch weggeworfen haben, wenn er halbwegs bei Sinnen ist. Die Tennisbälle wurden irgendwann zwischen 12:45, als die Spieler sie im Pavillon verstaut haben, und 14:15, als sie wieder herausgeholt wurden, mit dem Sirup übergossen. Ein verdammt großes Zeitfenster, für das wir Nachforschungen anstellen müssen. Vielleicht haben wir Glück, und es gibt Leute, die gesehen haben, wie jemand später zum Mittagessen kam oder früher wieder ging. Alles verdammt vage.«

Captain Wise raufte sich entnervt das lichter werdende Haar. »Wir brauchen ein Kommando der Geheimpolizei oder irgendetwas in der Art.«

»Soll ich versuchen, Gerätschaften für ein Fingerabdruckverfahren zu organisieren?«, fragte Miss Jones, Bleistift und Notizbuch parat.

»Fingerabdruckver...? Ach, ich verstehe. Ja, auf dem Mikrofon hätten wir Spuren finden können. Na ja, vielleicht ...«

»Möchtegern-Kriminelle tragen heutzutage doch Handschuhe, oder?«, sagte Teddy.

»Verdammt verzwickt. Wir können die Gäste nicht wie eine Bande Kriminelle behandeln. Ich ...«

Da klopfte es an der Tür. Paul Perry kam herein. »Tut mir leid«, sagte er, »ich dachte, Sie wären allein.«

»Allein? Sind Sie etwa gekommen, um Ihre Verbrechen zu gestehen?«, fragte Captain Wise ein wenig zu gut gelaunt.

»Nein. Aber ich dachte mir, dass ich Ihnen vielleicht von Nutzen sein könnte. Bei dieser Sache mit dem Verrückten Hutmacher. Wissen Sie ... ich sollte Ihnen wohl lieber zuerst erzählen, wieso ich nach Wunderland gekommen bin ...«

V

Paul Perry schlug seinen professionellen Tonfall an. Er war immer noch neu genug in seinem Beruf, um sich dessen bewusst zu sein und seinen Berufsstand stolz zur Schau zu tragen; es war ein wenig so, als würde er eine Rolle zu spielen, so wie es ein junger Polizist empfinden könnte, der zum ersten Mal seine Uniform trägt. Er sprach mit klarer Stimme – der einer kompetenten, anonymen Führungskraft eines florierenden Unternehmens –, während er sonst entweder zurückhaltend oder aggressiv sprach, auf jeden Fall nicht als selbstsicher bezeichnet werden konnte.

»Im Allgemeinen stellen wir unsere Nachforschungen ganz zwanglos an, fangen Gerüchte auf, die man in Wirtshäusern hört, auf der Straße und so fort. Manchmal bereitet man eine Reihe von Fragen vor, die dann aber ungezwungen in eine Unterhaltung miteinfließen. Die Leute neigen dazu, den Schwanz einzuziehen, wenn sie das Gefühl haben, dass man ihnen zu nahe kommt. Allerdings sind allgemeine Befragungen dem Normalbürger mittlerweile ziemlich vertraut, und ich selbst mache kein Geheimnis daraus, dass ich eine solche durchführe, wenn man mich fragt. Als ich den Auftrag erhalten habe, eine Umfrage in einem Feriencamp zu veranstalten, wollte ich ursprünglich als gewöhnlicher Gast auftreten. Doch die Vorkommnisse hier lassen mich glauben, dass ich die Umfrage mit ein wenig Detektivarbeit kombinieren könnte.«

»Ich verstehe. Wie wollen Sie vorgehen?«

»Sie könnten die Ankündigung machen, dass ich im staatlichen Auftrag eine Umfrage durchführe. Das würde mir offiziellen Status verleihen und die Leute auch interessieren, denke ich. Ich könnte mit dem arbeiten, was ich bereits vorbereitet habe, aber auch Fragen mit einbauen, die Sie zur Überführung des Verrückten Hutmachers für nützlich erachten. Mein Vorteil gegenüber einem offiziellen Ermittler wäre, dass die Gäste denken, es handele sich um eine harmlose Umfrage.«

»Ja, da ist vielleicht was dran. Was meinst du, Teddy?«

»Hört sich gut an, finde ich. Natürlich liegt das Ganze bei Perry, schätze ich. Wenn er mit den Leuten hier gut klarkommt, sehr schön. Er darf sie bloß nicht verärgern.«

»Was meinen Sie, Miss Jones?«, fragte Captain Wise eilig, als er sah, dass Teddys Kommentar Paul beträchtlich verstimmt hatte.

Die Sekretärin neigte ihren wohlfrisierten Kopf zur Seite, wie eine Amsel, die einen Wurm begutachtete. »Ich denke, es wird schwierig sein, Fragen bezüglich der Streiche zu formulieren, die zu einer staatlichen Umfrage passen. Ich bezweifle, dass sich da eine Schnittmenge finden lässt.«

»Na Esmeralda, das überlasse ich dir und Mr Perry.« (Esmeralda, dachte Paul. Esmeralda Jones. Gütiger Himmel. Und warum erst nach ihrer Meinung fragen, wenn er sich sowieso darüber hinwegsetzt?) »Also stecken Sie Ihre Köpfe zusammen, und lassen Sie sich etwas einfallen.«

»Captain Wise macht sich große Sorgen«, sagte Miss Jones förmlich, als sie die Treppe hinuntergingen.

»Die Krankenschwester zitiert den Arzt.«

Sie sah ihn scharf an, dann lachte sie. »Ja, ich schätze, danach klingt es.«

Wie schön mit einer Frau zu reden, die Anspielungen sofort versteht, dachte Paul; eine Frau, die nicht sofort in die Offensive geht. Er betrachtete sie aufmerksam. Sie war aufgeweckt und intelligent, das sah man sofort, und bei der Tanzveranstaltung gestern Abend hatte sie ausgesehen wie jemand aus der *Vogue*. Das Schwierige dabei war, diese beiden Personen zusammenzubringen, zu entscheiden, wer die echte Esmeralda war. Paul Perry machte sich, wie zu sehen war, zwar ernsthaft Gedanken über Frauen, aber er hatte keinerlei Ahnung bei diesem Thema.

Sie standen draußen in der Sonne und gingen in Richtung des Schwimmbeckens, wo das Stimmengewirr von Badenden erklang, die sich vor dem Abendessen noch einmal kurz abkühlen wollten. Miss Jones ging voraus.

»Sollten wir nicht den Fragebogen besprechen?«, fragte er.

»Das Schwimmbecken ist der perfekte Ort – öffentlich«, erwiderte sie. »Man sollte Geheimnisse immer inmitten einer Menschenmenge besprechen. Die sicherste Methode.«

»Anscheinend kennen Sie sich mit dem Thema Verschwörung aus, Miss Jones.«

»Sie können mich Esmeralda nennen. Das ist zwar nicht der Name, den ich mir ausgesucht hätte, aber Miss Jones passt eher zu einer Kurzwarenverkäuferin.«

»Ich nehme an, Sie behalten sich Miss Jones für die Sekretärin vor und Esmeralda für die ...«

»Die was?«

»Na ja«, sagte Paul, und war plötzlich überfordert, und kam sich sehr jung vor, »für Sie als Privatperson. Sie sind nicht nur Sekretärin, will ich damit sagen.«

»Im Moment bin ich Sekretärin, mein Freund. Setzen wir uns hier hin.« Sie deutete auf ein paar rustikale Stühle, die auf der Rasenfläche um das Schwimmbecken standen.

»Weshalb macht sich Ihr Chef solche Sorgen?«, fragte er. »Immerhin kann dieser Witzbold nur für ein paar Unannehmlichkeiten sorgen. Es ist schließlich nicht so, als ob Sie einen gemeingefährlichen Irren hier herumlaufen hätten.«

Miss Jones nahm ihre Hornbrille ab und verstaute sie in einem Etui in der Seitentasche ihres eleganten, gepunkteten Seidenkleids.

»Ganz so einfach ist es nicht, Paul. Das hier ist das größte von drei Wunderland-Camps, die alle von demselben Unternehmen betrieben werden. Wie Sie sehen können, wurde ein beträchtlicher Betrag investiert, und falls eines der Camps in Verruf geriete, kann leicht das gesamte Unternehmen pleitegehen. Sie haben keine Vorstellung davon, wie gefährlich schlechte Kritik – selbst nur ein bisschen – für eine Show wie diese sein kann. Und ich würde es einigen unserer Konkurrenten auch zutrauen, das auszunutzen.«

»Ziemlich üble Geschäftsmethoden, finden Sie nicht?«

»Seien Sie nicht so selbstgefällig, Paul«, antwortete sie scharf. »Neunzig Prozent der Menschheit würden sich ebenso verhalten, um an Geld zu kommen, wenn sie nur genügend Mut und Talent besäßen, es durchzuziehen.«

»Das macht es doch auch nicht besser.«

»Nun ja, wir sind nicht hier für ein Symposium über Geschäftsethik. Wir ...«

»Was meinen Sie, Esmeralda«, unterbrach Paul sie aufgeregt, »könnte nicht tatsächlich die Konkurrenz hinter all dem stecken? Man beauftragt ein, zwei Unruhestifter, die hier als gewöhnliche Gäste Ärger machen. Und dann ...«

Miss Jones ließ ein heiseres, verschmitztes Lachen erklingen, das Paul erröten ließ – er wusste nicht, ob vor Vergnügen oder vor Verlegenheit.

»Jetzt werden Sie aber etwas unrealistisch. Nein, ich glaube nicht, dass die Konkurrenz so übel ist.«

»In Amerika schickt man Lockspitzel zu den Gewerkschaften.«

»Wir müssen wirklich zur Sache kommen.« Sie rückte ein wenig näher an Paul heran. Er sah, wie Sally Thistlethwaite vom Sprungbrett aus zu ihnen herüberblickte und frohlockte innerlich. Es war schön, die Köpfe zusammenzustecken, wie Captain Wise es ausgedrückt hatte, wenn es der dunkle gepflegte Kopf Esmeraldas war. Er winkte Sally lässig zu und drehte sich wieder zu seiner Begleiterin.

»Wissen Sie«, beschwerte er sich und zeigte mit dem Finger auf die Menge, die jauchzte, spritzte, schwamm, flanierte und in der Sonne badete, scheinbar unbeeindruckt von dem Verrückten Hutmacher und seinen bösen Streichen. »Ich bin immer noch nicht der Meinung, dass sich hier gut nachdenken lässt.«

»Der geschulte Geist kann sich überall konzentrieren. Also, erzählen Sie mir erst einmal, an was für Fragen Sie gedacht hatten ...«

Bis zum Abendessen hatten sie einen vorläufigen Plan erarbeitet. Falls Captain Wise damit einverstanden wäre, würde er heute Abend eine Ankündigung machen, um Paul offiziell einzuführen, und dieser könnte am nächsten Morgen mit seiner Umfrage beginnen. Er schlug vor, dass er als Mitglied des Sportkomitees zurücktreten sollte, da er ziemlich beschäftigt sein würde. Miss Jones gab ihm recht und bat ihn, einen Ersatz zu nominieren. Er schlug Mr Thistlethwaite vor.

»Dann fragen Sie ihn wohl besser, ob er dazu bereit wäre.«

»Das mache ich gleich. Ich möchte den Plan gerne sofort schriftlich festhalten.«

»Soll ich Ihnen Tee in Ihr Chalet bringen lassen?«

»Ja, vielen Dank.«

Paul fand Mr Thistlethwaite auf der kleinen Veranda seiner Unterkunft, wo er mit Frau und Tochter saß und zweifellos auf den lärmenden Überbringer von Viktualien wartete. Mit so viel Ernst und Feierlichkeit, als würde er einen potenziellen Ritterschlag zur Sprache bringen, fragte Paul ihn, ob er seinen Platz im Komitee einnehmen würde. Mr Thistlthwaite willigte ein.

»Das Prinzip der Kommunalverwaltung«, dozierte er, »von welcher dieses Komitee eine kleine, aber nicht weniger wichtige Variation ist, darf als wesentlicher Bestandteil eines Systems gesehen werden, welches auf demokratischen Institutionen beruht.«

Es kam niemanden in den Sinn, diese Aussage infrage zu stellen. Sally bemerkte sogleich, »Sie sind also gefeuert worden?«

»Nein.«

»Sie verstehen sich anscheinend sehr gut mit diesem Mädchen.«

»Mit welchem Mädchen?«

»Mit dieser Sekretärin.«

»Ach, die. Ja. Intelligent. Und hübsch, finden Sie nicht?«

»Wenn man auf diesen Typ steht.«

›Tue ich.«

»Da schau einer an. Ich glaube, Sie haben sich glatt in sie verliebt«, rief Sally mit großer Geste aus. »Paul Schnüffler hat sich in ein Mädchen verliebt! Es gibt noch Wunder!«

»Also Sally, du solltest ihn nicht so ärgern. Beachten Sie sie gar nicht, Mr Pry«, sagte Mr Thistlethwaite gutmütig.

»Der Name ist Perry.«

Mr Thistlethwaite hielt eine kurze Predigt zur Emanzipation von Frauen. Die moderne Frau stehe ihrer Großmutter in Sachen Weiblichkeit in nichts nach, behauptete er, während sie auf dem langen Weg des Fortschritts ihren Platz neben dem männlichen Geschlecht einzunehmen wisse. Er befand diese Emanzipation für gut und vereinbar mit der Entwicklung der Demokratie. Sally würde eine Ausbildung zur Sekretärin machen, und eine Anstellung bei einem Autor sei unter Sekretärinnen sehr begehrt. Es klang so, als ob Mr Perry es sich vielleicht überlegen sollte, seine Tochter dafür in Betracht zu ziehen.

»Ach, Paul will keine Sekretärin. Er will einen Harem aus Intellektuellen mit Hornbrillen«, verkündete Sally grob. Der Protest ihres Vaters wurde vom Klang des Gongs unterbrochen, und, wieder allein, machte Paul sich daran, seine Umfrage zu notieren. Eine halbe Stunde später lehnte er sich zurück und überprüfte, was er geschrieben hatte.

(i) Warum haben Sie sich für Urlaub in Wunderland entschieden? (a) Werbung gesehen. (b) Von Freunden davon gehört. (c) Andere Gründe.

(ii) Warum haben Sie ein Urlaubscamp einer gewöhnlichen Ferienanlage vorgezogen? (a) Mehr Gelegenheit für Geselligkeit. (b) Erschwinglicher Luxus. (c) Anreiz von Snobismus (d) Neue Erfahrung. (e) Andere Gründe.

(iii) (a) Besteht die Wahrscheinlichkeit, dass aufgrund des Luxus hier Sie Ihr Zuhause und Ihre gewohnte Arbeitsumgebung nicht mehr zufriedenstellen wird? (b) Ruft der Luxus Neid auf diejenigen hervor, die sich solches Essen, Freizeitbeschäftigungen etc. das ganze Jahr über leisten können? (c) Oder akzeptieren Sie, dass solche Unterschiede einfach bestehen?

(iv) Was ist für Sie die wichtigste Attraktion hier im Camp? (a) Die Natur in der Umgebung. (b) Der Luxus. (c) Die Gesellschaft anderer Leute. (d) Die Unterhaltung und Freizeitgestaltung.

(v) (a) Gefällt es Ihnen, wenn Ihre Freizeitvergnügungen in dem Ausmaß für Sie organisiert werden, wie es hier in Wunderland der Fall ist? (b) Sind Sie bei Spielen lieber Zuschauer oder Mitwirkender? (c) Haben Sie hier in Wunderland je das Bedürfnis, allein zu sein?

(vi) Was halten Sie vom Verrückten Hutmacher? Handelt es sich um (a) einen Scherzbold? (b) einen Verrückten? (c) mehr als eine Person? (d) einen Gag der Direktion? (e) eine Person, die einen Groll gegen die Wunderland GmbH hegt? (f) Andere Theorien.

(vii) Ist die Anwesenheit des Verrückten Hutmachers

(a) aufregend? (b) der Grund dafür, dass Sie abreisen und nie wieder zurückkommen möchten? (c) Ihnen egal?
(viii) Glauben Sie, die Direktion sollte (a) die Gäste um Mithilfe bei der Überführung des Verrückten Hutmachers bitten? (b) die Polizei rufen? (c) sich selbst um die Sache kümmern?
(ix) Bitte geben Sie Ihren Namen, Alter, Geschlecht, Beruf, Adresse, Einkommen und Dauer des Aufenthalts an.

Nachdem er es noch einmal durchgelesen hatte, aß Paul die zwei Stück Zucker von seinem Unterteller, strich »Geselligkeit« in Frage (ii) und ersetzte es durch »Leute kennenlernen«. Außerdem strich er – widerwillig – »Anreiz von Snobismus« und schrieb »mehr Auswahl an Unterhaltung«, und er löschte »Einkommen« aus Frage (ix).

Er und Miss Jones hatten sich schließlich darauf geeinigt, dass es unmöglich war, Fragen einzufügen, die ihnen Informationen über den Verrückten Hutmacher liefern könnten, ohne das Thema direkt anzusprechen. Sie hatten ebenfalls beschlossen, dass dieser Teil der Umfrage eher ein Fragebogen und weniger eine Reihe von Interviews sein sollte. So würden sie wesentlich mehr Material erhalten, also eine breitere Grundlage für weitere Untersuchungen, und es würde der Direktion ein einigermaßen klares Bild davon verschaffen, wie die Gäste auf den Verrückten Hutmacher reagierten. Falls Captain Wise den Fragebogen absegnete, sollte Miss Jones fünfhundert Abzüge davon machen, die sie heute beim Abendessen verteilen würden.

Paul ging mit seinem Notizbuch zum Büro des Direktors.

Er war ziemlich stolz auf seinen Beitrag zu dem Fragebogen und darauf, wie er es bewerkstelligt hatte, seinen Nachforschungen offiziellen Status zu verleihen. Miss Jones, das musste er dabei einräumen, hatte die Sache mit dem Verrückten Hutmacher sehr geschickt zur Sprache gebracht. Indem der Fragebogen den Anstrich einer statistischen Umfrage erhielt, rückten seine absurden Spielchen in den Hintergrund, und es wurden das Zutrauen und die gute Laune der Gäste bewahrt. Captain Wise war nicht der einzige Psychologe unter den Angestellten Wunderlands.

Captain Wise überflog den Fragebogen wie jemand, der es gewohnt war, drei Spalten von Zahlen simultan zu addieren. Beinahe sofort tippte er mit seinem Bleistift auf Frage (vi).

»Wessen Vorschlag war das – anzudeuten, dass der Verrückte Hutmacher ein Einfall der Direktion sei? Wir wollen doch sicher nicht, dass sich eine Idee wie diese in den Köpfen der Leute festsetzt?«

»Meiner«, erwiderte Miss Jones knapp. »Ich habe gehört wie ein, zwei Besucher diese Theorie erörtert haben, und die beste Methode, um zu zeigen, wie absurd dieser Einfall ist, besteht darin, das Kind beim Namen zu nennen.«

»Hm. Na gut. Lassen Sie es stehen. Ich denke, wir sollten noch fragen, ob jemand etwas Verdächtiges gehört oder gesehen hat, das eventuell mit den Streichen in Verbindung steht. Die Leute sind vielleicht eher bereit, ihre Antwort aufzuschreiben, als damit persönlich zu mir zu kommen.«

»Daran dachte ich auch. Aber wäre es nicht fatal, den Eindruck zu erwecken, dass sie sich gegenseitig ausspionieren sollen?«

»Unsinn, Miss Jones. Das hat nichts mit Spionieren zu

tun. Und außerdem habe ich in meiner Ankündigung beim Mittagessen bereits nach diesbezüglichen Informationen gefragt. Schreiben Sie es dazu.«

Seltsam, dachte Paul, wie er erst nachgibt und sich gleich darauf wieder durchsetzt. Im Grunde ist er wohl eine schwache Persönlichkeit. Die schwache Persönlichkeit wandte sich Paul zu:

»Sehr interessant, Ihr Beitrag. Die Ergebnisse werden vielleicht auch für mich von Nutzen sein. Wäre es für Sie in Ordnung, wenn ich sie mir ansehe?«

»Na ja, ich weiß nicht, ob ...«

»Sozusagen Nachforschungen im Auftrag des Unternehmens. Ich biete Ihnen Freigetränke für die Dauer Ihres Aufenthalts«, schlug Captain Wise überraschenderweise vor.

»Also wirklich! Ich muss doch nicht bestochen werden ...«, setzte Paul an, brach aber sofort ab, als er den schelmischen Blick von Esmeralda Jones auffing und sah, wie sie mit ihren roten Lippen das Wort ›Musterknabe‹ formte.

»Ich sehe nicht, was dagegen spricht. Es ist vielleicht etwas ungewöhnlich, aber der Verrückte Hutmacher ist nun einmal auch etwas ungewöhnlich.«

»Ich gehe davon aus, dass nicht Sie selbst der Verrückte Hutmacher sind?«, fragte Captain Wise und bedachte Paul mit einem schnellen, herzlichen Lächeln.

»Sie haben nur mein Wort«, erwiderte Paul, der sich sehr wohl bewusst war, dass sich hinter dem fröhlichen Blick des Direktors eine gute Menschenkenntnis verbarg.

»Also gut.« Captain Wise kam auf den Fragebogen zurück. »Gibt es sonst noch etwas, das wir hinzufügen sollten, bevor wir ihn verteilen?«

»Ich würde gerne einen Vorschlag machen«, sagte Miss Jones. »Wenn Mr Perry damit einverstanden ist, könnten wir im zweiten Teil eine Frage einfügen? Irgendetwas wie: Wenn Sie der Verrückte Hutmacher wären, welchen Streich würden Sie spielen, um den Alltag im Camp so gründlich wie möglich durcheinanderzubringen? Der Verrückte Hutmacher, wer immer er auch ist, wird möglicherweise den Fragebogen selbst ausfüllen. Er ist offensichtlich ein wenig exhibitionistisch veranlagt, vielleicht antwortet er auf diese Frage ja mit Details zu einem Streich, den er tatsächlich ausführen möchte. Eine Art Mutprobe. Falls er das tut, sind wir wenigstens vorgewarnt. Die Antworten könnten uns in jedem Fall einen Hinweis liefern, worauf wir uns einstellen müssen. Meiner Meinung nach legt dieser Witzbold gerade erst los und hat noch große Pläne.«

»Das ist eine ziemlich pessimistische Einschätzung, die Sie da haben, Miss Jones. Verlieren Sie etwas die Nerven?«

»Ich möchte meine Anstellung behalten, Captain Wise«, erwiderte sie säuerlich.

»Also gut. Nehmen Sie die Frage unter Punkt (ix) auf, und machen Sie die zu Name, Alter etc. Punkt (x). Gott weiß, was der Vorstand sagt, wenn er von dem Fragebogen erfährt. Das ganze Vorgehen ist verdammt unkonventionell. Wir können nur hoffen, dass der Verrückte Hutmacher es mit der Angst bekommt, wenn er merkt, dass wir ihn ernst nehmen.«

Captain Wise warf einen Blick auf sein Handgelenk, der bedeutete, dass die Unterhaltung zu Ende war, wobei eine kleine goldene Armbanduhr zum Vorschein kam, die offensichtlich einiges gekostet hatte.

»Sie sollten den Fragebogen besser gleich in den Druck geben, Miss Jones. Danke für Ihre Hilfe, Perry. Ich stelle Sie heute Abend beim Essen vor.«

Ein paar Stunden später gingen Captain Wise, Paul Perry und Esmeralda Jones jeweils in die zwei Speisesäle. Miss Jones hatte die Fragebögen und die versiegelten Umschläge für die Schatzsuche dabei, die vom Wunderland-Personal verteilt werden würden. Captain Wise hielt eine seiner kurzen, cleveren Reden, die weder das Interesse der Gäste noch ihr Essen erkalten ließ. Paul, der unter einer streng professionellen Fassade eine gewisse Verlegenheit verbarg, wurde in seiner wahren Rolle und Funktion vorgestellt. Captain Wise erläuterte den Zweck des Fragebogens und betonte, dass keinerlei Zwang bestehe, ihn auszufüllen. Er bat die Gäste jedoch darum, die Fragen gegebenfalls gewissenhaft zu beantworten und ohne sich mit anderen zu besprechen. Seine Rede rief neugieriges Raunen hervor und brachte Leben in die beiden Speisesäle. Man konnte hören, wie Mr Thistlethwaite das Vorgehen als außerordentlich demokratisch pries. Mehrere Mädchen quietschten verhalten bei der Erwähnung des Verrückten Hutmachers, und die Lehrerin Miss Gardiner setzte an ihrem Tisch zu einem Vortrag über die Eigenheiten von allgemeinen Umfragen an. Ganz der perfekte Schauspieler hielt Captain Wise sich nicht länger auf, nachdem er seine Rede beendet hatte, sondern marschierte, ohne die allgemeine Neugier zu zerstreuen, zügig aus dem Saal und überließ es seinen Assistenten, die Zettel zu verteilen.

Eine Stunde später wurde bei dem Konzert der Gäste immer noch damit hantiert. Es gab zweierlei Arten von Konzerten in Wunderland: Jede Woche gab es einen Auftritt der Band, eine Aufführung der Angestellten und einer extra einbestellten Persönlichkeit aus Radio oder Varieté, und eine weitere, die von den Gästen selbst veranstaltet wurde. An diesem Abend sah man überall im Publikum der Konzerthalle Urlauber, die mit verschwitzten Händen Liedtexte hielten oder verstohlen in Windinstrumente bliesen. Miss Jones hatte Paul erzählt, dass es selten Probleme gab, das Programm mit hiesigen Talenten zu füllen, die zum Großteil tatsächlich sehr talentiert waren. Das widersprach natürlich der Aussage kultureller Experten, die gemeinhin behaupteten, dass es heutzutage aufgrund des Radios keine Hausmusik mehr gäbe. Paul gefiel das, da es seiner Meinung nach eine nicht unwichtige Aufgabe allgemeiner Umfragen war, die Verallgemeinerungen und das Wunschdenken von sogenannten Experten zu untergraben. Überdies war er mit der Wirkung seines Auftritts auf das Publikum sehr zufrieden. Man blickte von den Fragebögen auf und stieß sich gegenseitig in die Rippen. Paul war, wenn auch in kleinem Kreis, zu einer öffentlichen Person geworden. Unbewusst gab er sich zerstreut professionell und nahm bescheiden in einer der hinteren Reihen Platz. Eine Stimme neben ihm tönte, »Guten Abend, Mr Perry.«

Er drehte sich um und sah ein kantiges, stark geschminktes Mädchen mit Pickeln, das ihn mit einer Mischung aus krankhafter Schüchternheit und grimmiger Entschlossenheit anblickte.

»Ich hoffe, es ist in Ordnung, dass ich Sie anspreche ... Ich heiße Arnold, Phyllis Arnold. Und das ist meine Freundin Janice Mears. Wissen Sie, wir hatten in einem Treffen des Buchklubs der Linken eine Diskussion über allgemeine Umfragen, und wir konnten uns einfach nicht entscheiden, ob es eine gute Sache ist oder nicht. Ich meine, die Idee ist gut, das Ganze basiert immerhin auf Wissenschaft, oder nicht? Aber es gibt da einige Broschüren, in denen die Leute mit ihren Antworten schlecht wegkommen, sie stehen da wie Dummköpfe. Natürlich gehöre ich selbst nicht zur Arbeiterklasse, aber ich bin mir sicher, dass es viele Leute wie mich gibt, die sich mit Politik oder Soziologie beschäftigen, und eure Leute treffen scheinbar nur Lumpenproletariat oder Bürgersöhne, die im Leben nichts als Spaß haben wollen.«

Miss Arnold unterbrach ihren Redefluss, sie musste lediglich wieder zu Atem kommen, an Gesprächsstoff mangelte es ihr nicht.

»Vielleicht haben Sie recht. Aber die Antworten aus unseren Umfragen werden alle, soweit möglich, wörtlich wiedergegeben. Es liegt wohl weniger daran, dass die Leute nicht nachdenken, sondern vielmehr an ihrem Unvermögen, sich auszudrücken. Sie bilden da eine Ausnahme, Miss Arnold.«

Das Mädchen errötete, was sie nicht hübscher werden ließ, und offenbar hatte es ihr ob der eigenen Kühnheit die Sprache verschlagen.

»Es überrascht mich, Sie hier zu treffen«, fuhr Paul fort, in dem Versuch, dem Gespräch eine unverfänglichere Wendung zu geben. »Ich hätte eher gedacht, dass Sie am Ferienprogramm des Buchklubs der Linken teilnehmen würden.«

»Einmal habe ich das auch gemacht. Aber vieles davon war zu hoch für mich, um ehrlich zu sein. Außerdem«, fügte sie trotzig hinzu, »werden da auch nur offene Türen eingerannt, oder? Hier gibt es viel mehr Möglichkeiten.«

»Ich finde das hier einen ganz wunderbaren Ort«, sagte Janice Mears. Sie hatte ein hübsches, kindliches Gesicht und eine Schleife in ihren kunstvoll gelegten Locken.

»Diesen Saal, meinen Sie?«

»Oh, einfach alles. Es ist alles so groß und luxuriös, wie im Film. Ein wahres Märchenland, finde ich. Unsere Tanzhalle zu Hause kann da nicht mithalten, und die haben wir immer für ziemlich schick gehalten. Und dass man bedient wird, und das wundervolle Essen, und private Gärten zum Spazierengehen – ganz als ob man in einem Film wäre.«

Paul machte sich eilig geistige Notizen; das hier war genau nach seiner Fasson. Er ließ seinen Blick durch die Konzerthalle schweifen, ihre Höhe wurde von den klaren Linien noch betont, die Wände waren spärlich mit abstrakten Mustern dekoriert, und auf der Bühne thronte bereits ein elektrisches Klavier.

»Glauben Sie, der Verrückte Hutmacher wird heute Abend etwas anstellen, Mr Perry?«, fragte Janice Mears.

»Hier wird er keinen Anlass finden, glaube ich.«

»Wie dumm, sich so zu verhalten. Ich lasse mir von *dem* auf jeden Fall nicht den Urlaub verderben.«

Das sagen sie alle, dachte Paul. Der Verrückte Hutmacher wird sich etwas einfallen lassen müssen, um Leute wie die beiden in die Flucht zu treiben.

Teddy Wise stand auf der Bühne. »Leute«, rief er, »schenkt mir euer Gehör. Wir haben eine Menge Talente hier heute Abend, und ich glaube, es wird das beste Gäste-Konzert der Saison. Der erste Programmpunkt ist«, er sah auf den Zettel in seiner Hand, »ein altes englisches Volkslied, ›*I will give my love an apple*‹, gesungen von einem unserer besten Amateurbässe, Mr Bernard Scripps. Mr Scripps, bitte treten Sie vor.«

Ein großer, glatzköpfiger Mann mit einem konisch geformten Kopf und fransigem Schnurrbart kam unter Applaus auf die Bühne. Die Klavierbegleitung machte sich bereit, ordnete die Noten und ließ die Fingerknöchel knacken. Mr Scripps' Schnurrbart wehte, als er ausatmete, leicht – ähnlich einem Vorhang in Zugluft. Dann nickte er der Pianistin zu. Er nahm eine theatralische Pose ein, sie schlug den ersten Akkord an.

»Gluck«, sagte das Klavier.

Mr Scripps stürzte sich mannhaft in das Lied. Seine Stimme war herrlich resonant, und er präsentierte sie ihnen zu Beginn in voller Lautstärke, sein Schnurrbart erzitterte wie Rohr im Sturm.

»Meiner Lüübsten einen Oapfel«, donnerte er.

»Gluck glucks gluckgluck«, sagte das Klavier.

Alle starrten die Pianistin an, die verzweifelt in die Tasten schlug. Mr Scripps rollte die Augen wie ein verängstigtes Pferd, blieb aber beharrlich. Doch zu dieser ungewöhnlichen Begleitung zu singen, war, wie durch Morast zu waten. Nach der ersten Strophe gab er auf. Die Begleiterin war den Tränen nahe, winkte ihn zu sich, und zusammen spähten sie in das Innere des Instruments.

Der Verrückte Hutmacher hatte in der kargen Halle nicht viele Handlungsmöglichkeiten gehabt, und außer die Interpreten zu vergiften, war ihm nur geblieben, das Klavier zu sabotieren. Und das hatte er äußerst effektiv getan. Er hatte es großzügig mit Sirup behandelt.

VI

Am nächsten Morgen erwachte Sally Thistlethwaite aus einem eher schlechten, aber nicht gänzlich unangenehmen Traum, dessen Leitmotiv ein Duell zwischen Teddy Wise und Paul Perry gewesen war. Sie hatten wie in einem Gangsterfilm ununterbrochen gekämpft, während das Duell mit verblüffender Geschwindigkeit den Schauplatz gewechselt hatte. In einem Moment griffen sich die beiden mit Wasserbällen an, angestachelt von einer Schar badender Schönheiten, und im nächsten waren sie weit draußen im Meer und schlugen wie wild um sich, während das Wasser die Farbe und Konsistenz von Sirup annahm. Dieses Seegefecht wurde wiederum zu einem Kampf an Land, wo Mr Perry, mit Zylinder und verschanzt hinter einer Maginot-Linie aus Konzertflügeln, Mr Wise mit Tennisbällen bewarf, die in einem Regen aus Fragebögen explodierten. Captain Wise hatte ebenfalls einen kurzen Auftritt, in der undankbaren Rolle des Schiedsrichters bei einem Ringkampf. Auch andere Charaktere trieben sich am Rande des Traums herum, insbesondere Miss Jones, die abwechselnd Verrat und Vetternwirtschaft frönte, gleich einer Göttin in einem homerischen Kampf. Die Duellanten hatten zudem proteushafte Fähigkeiten zu ihrer Verfügung, denn beide konnten sich ohne Schwierigkeiten in Mr Thistlethwaite verwandeln sowie in eine Schlange, König Edward VII, verschiedene Haustiere, den Direktor von Sallys Sekretärinnen-Schule und sogar in Sally selbst.

Da sie nicht besonders introspektiv veranlagt war, fragte Sally sich nicht, weshalb das warme Gefühl von Genugtuung andauerte, nachdem sie aufgewacht war, sondern gab sich einfach damit zufrieden, es zu genießen. Sie streckte sich auf der Sleepeesi-Matratze, die sämtliche Versprechen der Wunderland-Broschüre erfüllte, warf die Bettdecke auf den Boden und tauchte ihre Zehen in das Sonnenlicht, das durch das offene Fenster hereinschien. Wieder ein wunderbarer Tag. Die Schnitzeljagd. Selbst wenn es regnen sollte, gab es hier immer noch eine Menge zu tun. Sie war bislang weder am Schießstand gewesen, noch hatte sie Tischtennis gespielt; außerdem gab es ein Kabarett, organisiert von den weiblichen Gästen, in dem sie eine Rolle übernommen hatte.

Wenn bloß diese dummen Streiche aufhören würden. Sie waren so kindisch. Vielleicht steckte eines der Kinder im Camp dahinter oder eine ganze Bande von ihnen? Nein, natürlich nicht. Die Hände, die sie an den Fußgelenken gepackt und so grausam unter Wasser gezogen hatten, waren keine Kinderhände gewesen. Und dann war da noch das, was Daddy gestern Abend nach dem Konzert gesagt hatte. Er glaubte nicht daran, dass es sich bloß um einen Scherzbold handelte. Teddy Wise hatte angemerkt, wie seltsam es war, dass sich niemand mit Informationen gemeldet hatte, denn man sollte meinen, dass in einem Camp von fünfhundert Leuten die Gerüchteküche kochen würde. Paul Perry hatte daraufhin erwidert, das läge daran, dass hier jeder genug zu tun habe. Gerüchte seien die Freizeitgestaltung derer, die sich kein anderes Vergnügen leisten konnten. Oder irgendetwas Intellektuelles in die Richtung. Und Daddy hatte gefragt, ob dasselbe nicht auf den Verrückten Hutmacher zutraf. Niemand würde einfach so Streiche spielen wollen, wenn man hier doch so viel Spaß haben konnte. Paul meinte, das sei eine falsche Analogie – er musste einfach irgendein unmögliches Wort aus dem Lexikon benutzen. Dann wurde Daddy sehr geheimnisvoll und sagte, er habe schon eine Theorie, und er würde beweisen, dass die Streiche des Verrückten Hutmachers aus kaltblütiger Überlegung und Bösartigkeit begangen wurden. So wie er das gesagt hatte, war ihr für einen kurzen Moment das Blut in den Adern gefroren.

Wie dem auch sei, wer immer dahinterstecke hatte bislang ein ziemlich erbärmliches Schauspiel abgeliefert. Mit Untertauchen und Sirup würde er nicht besonders weit kommen, wenn er den Leuten wirklich den Urlaub verderben wollte. Natürlich hatte die Sache mit dem Klavier die Leute ordentlich verärgert. Man hatte sich hinter vorgehaltener Hand gefragt, wieso die Direktion nicht effektivere Vorsichtsmaßnahmen ergriffen hatte. Es sollte eigentlich nicht so schwer sein, jemanden zu fassen, der mit einer riesigen Dose Sirup durch die Gegend lief, meinten die Leute. Aber Teddy hatte sie alle bald wieder aufgeheitert – alle bis auf Mr Scripps. Der war fuchsteufelswild geworden, sagte, er würde am nächsten Tag abreisen und wolle sein Geld zurück und war davongestürmt. Armer Mr Scripps, er hatte so witzig ausgesehen, wie er gegen seinen Schnurrbart blies und versuchte zu singen, während das Klavier nur gluck gluck gluck von sich gab. Die Leute hatten ihn ausgelacht, und man konnte es ihnen nicht verübeln, aber Sänger sind so empfindlich, wenn auch nur die kleinste Kleinigkeit schiefläuft.

Ja, Teddy war wunderbar gewesen. Hatte die ganze Sache von der witzigen Seite betrachtete und jeden zum Lachen gebracht – auf nette Weise, nicht so, wie sie anfangs über Mr Scripps gelacht hatten. Dann hatte Teddy ein paar Gewichtheber kommen lassen, die ihm dabei halfen, das Klavier aus dem Tanzsaal zu tragen, und das Konzert war fortgesetzt worden, als ob nichts passiert wäre. Na ja, vielleicht nicht ganz. Einige der Darsteller waren angespannt gewesen und hatten sich vor dem gefürchtet, was ihnen vielleicht bevorstand – ausgerechnet dann, wenn sie an der Reihe waren. Ein Mädchen hatte ein klassisches Musikstück auf ihrer Klarinette vorgetragen, und auch wenn diese intellektuelle Musik ziemlich schrecklich war, konnte es doch nicht sein, dass sie *so* klingen sollte. Sie sagte, dass etwas mit dem Rohrblatt nicht stimmte, hatte schließlich die Nerven verloren, und alle waren sehr verständnisvoll gewesen. Und dann hatten die Angestellten Wunderlands mit ihrem Getuschel und Kommen und Gehen alle etwas aus der Fassung gebracht. Captain Wise hatte schließlich die Gäste gefragt, ob sie damit einverstanden wären, ihre Chalets durchsuchen zu lassen, und sie hatten abgestimmt, und alle hatten ihr Einverständnis gegeben. Natürlich mussten sie sich fügen, nachdem sie sich beschwert hatten, dass die Direktion nicht genug unternahm. Doch das Publikum hatte Schwierigkeiten, sich auf die Musik zu konzentrieren, wo sie doch nur darauf warteten, dass jeden Augenblick jemand hereinkam und verkündete, dass in einem der Chalets eine leere Dose Sirup gefunden worden war. Eigentlich konnte man sich auch nicht ganz sicher sein, dass die Dose nicht in der eigenen Unterkunft gefunden würde.

So gesehen war das Konzert ziemlich gut verlaufen. Und Teddy war ganz zweifellos wunderbar mit dem Publikum umgegangen. Schon ein sympathischer Typ, dieser Teddy. Und richtig gutaussehend. Man weiß immer, woran man bei ihm ist. Ganz im Gegensatz zu Paul Schnüffler, der so ganz anderes daherredet und einen ständig piesackt. Aber Paul hat schöne Hände. Er wäre gar nicht so unattraktiv, wenn er nicht immer so finster dreinblicken würde. Außerdem ist er irgendwie interessant, was man von Teddy nicht gerade behaupten kann. Natürlich muss Teddy darauf achten, wie er sich gibt, schließlich ist er der Verantwortliche für die Spiele hier; er muss alle Mädchen gleich behandeln, wie ein Offizier auf einem Schiff. Ich frage mich, ob Paul an mir interessiert ist. Er scheint sich oft mit dieser Sekretärin herumzutreiben. Er wird jemanden brauchen, der sich um ihn kümmert, falls das Mädchen es ernst meint. Aber sie führt ihn sowieso nur an der Nase herum; ich wette, dass sie es in Wirklichkeit auf Captain Wise abgesehen hat. Wenn man sich sein Luxusauto, die Kleidung und alles andere ansieht ... Also, wenn ich nur aufs Geld aus wäre wie Esmeralda Jones, dann würde ich mich auch für ihn interessieren. Trotzdem sollte ich nicht einfach so zusehen, wie sie sich Paul krallt. Er ist so hilflos. Typ Bücherwurm. Bücher bringen dir nicht bei, wie man mit Vamps wie der Jones umzugehen hat. Komisch, dass ich von ihnen geträumt habe. Und noch komischer, wenn Paul und Teddy sich wirklich prügeln sollten. Der arme Paul hätte keine Chance. Das muss man sich mal vorstellen, sich in einem Zylinder zu prügeln, so wie in meinem Traum. Und darin war ein Zettel. Der Hut vom Verrückten Hutmacher. Alles Unsinn. Bloß ein Traum. Reiß dich zusammen, Sally. Vergiss es.

Das Mädchen griff nach dem Umschlag, er lag auf dem Boden, wo sie ihn am Abend zuvor hingeworfen hatte. Er enthielt den ersten Hinweis für die Schnitzeljagd heute

Nachmittag, die folgendermaßen ablaufen würde: Jeder Mitstreiter erhielt Hinweise, die ihn zu einem bestimmten Ort führen würden, wo ein weiterer Hinweis versteckt war, der zum nächsten Ort führte, und so weiter. Alles in allem gab es sechs Hinweise, die in der Wunderland-Anlage oder der ländlichen Umgebung versteckt waren. Um zu verhindern, dass alle einfach einander hinterherliefen, und um das Feld zu Beginn zu zerstreuen, führte der erste Hinweis in verschiedene Richtungen. Sobald das erste Ziel erreicht war, konnte man sich mit einem anderen Spieler zusammentun – nicht vorher. Die Hinweise an all den verschiedenen ersten Orten führten zu einem einzigen zweiten Ziel, von dem aus alle Spieler denselben Weg nehmen würden. Sally hatte sich den ersten Hinweis am Vorabend ansehen wollen, war aber eingeschlafen, bevor sie dazu kam. Im Vorjahr war sie nur deshalb um den Sieg gebracht worden, weil ein wilder Stier auf dem Feld zwischen ihr und dem Schatz aufgetaucht war, der sich dann aber als Kuh entpuppt hatte. Sie drehte sich auf den Bauch, öffnete den Umschlag und nahm einen Bogen Papier heraus. Als sie den Hinweis las, erstarrte sie.

»Ein Einsiedler lebt im Wald,
Sein Bart ist lang und weiß,
Im Bart des alten Mannes, im Busch am Straßenrand
Versteck ich mich ganz leis.«

Sallys Blick fiel auf das offene Fenster, dessen Vorhänge leicht in der Brise wehten. Angst ließ sie frösteln, und sie zog sich ihren Morgenmantel über, zwang sich aufzustehen und zum Fenster zu gehen.

Draußen war niemand. Natürlich nicht. Nichts außer den Rhododendronbüschen und Birken hinter den Chalets – die ›grüne Umgebung‹, die zu Recht in der Wunderland-Broschüre gefeiert wurde. Es gab nichts, wovor man Angst haben musste. Die Bäume waren nachts nicht vor ihr Fenster gerückt. Sally drehte sich um und klopfte an die Tür, die ihr Zimmer von dem der Eltern trennte.

Mr Thistlethwaite saß im Bett und füllte sorgfältig den Fragebogen aus, während seine Frau ihren allmorgendlichen Tee trank. Die Szene war so normal und so vertraut, dass Sally augenblicklich ihre Zurückhaltung vergaß. Schluchzend warf sie sich auf das Bett.

»Was ist los, Kleine?«, fragte Mr Thistlethwaite verwundert. Tränenblind drückte sie ihm den Zettel mit dem Hinweis in die Hand.

»Er muss letzte Nacht in meinem Zimmer gewesen sein. Er hat den echten mitgenommen und den hier dagelassen.«

»Na, na. Was ...?« Mr Thistlethwaite las den unheimlichen Reim laut vor. »Ich verstehe nicht. ›Er hat den echten mitgenommen‹?«

»Ja. Das ist der erste Hinweis für die Schnitzeljagd, begreifst du nicht? Ich meine, das sollte er sein, aber ...«

»Aber was stimmt denn nicht damit, Schatz?«, fragte ihre Mutter. »Für mich hört sich das nach einem ganz normalen Hinweis an.«

»Das kann nicht sein. Versteht ihr denn nicht? Es bedeutet, dass der nächste Hinweis im Bart des Einsiedlers versteckt ist – dieser furchtbare, alte Mann, der da oben im Wald lebt und mir mit der Faust gedroht hat. Das ist doch absurd. Captain Wise oder wer auch immer sich diese Hinweise ausdenkt, würde niemals etwas im Bart des Einsiedlers verstecken und erwarten, dass er es über sich ergehen lässt, wenn die Gäste danach suchen. Das ist doch Wahnsinn.«

»Es wäre sicherlich einigermaßen geschmacklos«, erwiderte Mr Thistlethwaite und war wieder ganz er selbst.

»Na also. Falls es keiner der echten Hinweise ist, muss er geschrieben worden sein, um mir Angst einzujagen, und wurde dann in meinem Zimmer versteckt. Jeder weiß, dass ich Angst vor diesem furchtbaren, alten Einsiedler habe, und ...«

»Moment.« Ihr Vater erhob gebieterisch den wurstigen Zeigefinger. »Jeder weiß? Wem hast du davon erzählt, außer deiner Mutter und mir?«

»Meine Güte! Das stimmt. Es war mir tatsächlich ein bisschen peinlich, dass ich Angst hatte. Ich habe niemandem außer Teddy davon erzählt. Oder doch? Ach genau, Paul hatte mitgehört. Er hat mich gestern Morgen damit aufgezogen, als wir baden gegangen sind.«

Ein Ausdruck von bemerkenswertem Scharfsinn trat auf Mr Thistlethwaites Gesicht. »Nicht ganz unverdächtig. Außer, natürlich, Mr Wise oder Mr Perry haben die Information an jemand Dritten weitergegeben. Mr Perry und Mr Wise. Hm. Es scheint, einer von ihnen muss der Verfasser dieses Drohbriefs sein. In welchem Fall ...«

»Mr Wise und Mr Perry? Das ist doch Unsinn«, sagte Mrs Thistlethwaite. »Beide sind sehr liebenswürdige, höfliche Gentlemen. Als Nächstes willst du mir noch erzählen, einer von ihnen sei der Verrückte Hutmacher. Ich verstehe nicht, weshalb ihr so einen Wirbel macht.«

»Oh, aber Mummy, siehst du denn nicht ...?«

»Mein Liebes, es ist doch wirklich offensichtlich, dass ...«, riefen Sallys Eltern gleichzeitig.

»Dieser Tee ist nicht so gut wie der zu Hause, meinst du nicht, James?« Mrs Thistlethwaite schenkte sich mit mildem Ausdruck eine weitere Tasse ein.

»Was ich sagen wollte – ihr wart so aufgeregt, dass ich nicht zu Wort gekommen bin – ich wollte sagen, dass ihr viel Aufhebens um nichts macht. Zeig mir dieses Gedicht. Ja, das dachte ich mir. Ihr Mädchen lernt heutzutage anscheinend nichts Nützliches mehr in der Schule. Ihr könnt nicht kochen, ihr könnt nicht nähen. Nur noch Französisch und Wissenschaften und Pappmaché. Als ich in deinem Alter war ...«

»Mutter, kannst du *bitte* bei der Sache bleiben?«

»Als ich in deinem Alter war – und das ist eine ganze Weile her, aber ich weiß noch einiges von dem, was ich gelernt habe –, hat man uns Botanik gelehrt. Unsere Lehrerin war eine gewisse Miss Brown. Sie sagte immer, dass Botanik eine Beschäftigung für Damen sei. Ich habe immer noch ein paar von den gepressten Blumen, die ich damals gesammelt habe. Ich glaube, ich habe auch einmal einen Preis dafür gewonnen. Aber was wollte ich sagen?«

»Du hast über deine hektischen Mädchenjahre gesprochen«, erwiderte Sally beherrscht.

»Natürlich. Also, der Bart des alten Mannes hat nichts mit einem Einsiedler zu tun. Von wegen Einsiedler! Es ist eine Pflanze, die Gemeine Waldrebe. Ihre Blüten haben vier dicke, flaumige Kelchblätter, und im Herbst verlängern sich ihre Griffel zu kleinen, weißen Bärten. Diese ganze Dichtkunst, die euch so aufgeregt hat, bedeutet nichts anderes, als dass ein Hinweis im Bart einer Pflanze am Straßenrand versteckt ist. Was ihr braucht, ist eine gehörige Dosis Riechsalz – dieser Verrückte Hutmacher hat euch ja ganz hysterisch gemacht.«

»Ähm ... Ts, ts, ts ... Also gut«, murmelte Mr Thistlethwaite und vermied es dabei, seine Frau anzusehen.

»Also ist das *doch* der richtige Hinweis?«, stieß Sally hervor. Sie hüpfte über das Bett und umarmte ihre Mutter. »Ach, ich bin so erleichtert. Ich hatte wirklich Angst. Immer schön Klassenbeste bleiben, liebste Mutter!«

»Das ist mein Magen, den du gerade trittst«, beschwerte sich Mr Thistlethwaite. Sally blickte plötzlich erschrocken drein. »Oh, ich muss ja immer noch in den Wald rauf und den Hinweis suchen. Brrrr! Ich hoffe, der alte Einsiedler ist nicht da. Ich denke, es war töricht von Captain Wise, einen Platz wie diesen auszusuchen, um den Hinweis zu verstecken. Er weiß doch, dass der Einsiedler das Camp hasst. Und er wird außer sich sein, wenn eine Horde Gäste um seinen Unterschlupf herumtrampelt ... Du liebes Bisschen, wie spät es ist! Ich muss zum Sportkurs.«

Fünf Minuten später war sie in den Freizeitanlagen, etwas außer Atem, aber mit hübsch geröteten Wangen. Jeden Morgen um 8:30 Uhr wurden sie hier vom Verantwortlichen der Spiele oder einem seiner Assistenten in einer milderen Variante von physischer Ertüchtigung unterwiesen. Heute war Teddy Wise persönlich anwesend.

»Hallo, da ist ja Sally«, sagte er, als sie näherkam. »Ein Bild für die Götter.«

»In welchem Sinne?«, erwiderte Sally als Antwort auf diese altbekannte, doppeldeutige Redewendung, allerdings weniger lebhaft als sonst. Teddys Scherze hörten sich heute an wie leere Phrasen. Die hätte auch ein Lautsprecher übernehmen können. Mag ich ihn etwa nicht mehr?, fragte sie sich.

Sie nahm ihren Platz in der vorderen Reihe der kleinen Truppe ein, deren Uniform aus kurzer Hose, Brassière und Sandalen bestand. Sie folgte Teddys Übungen, leichte Bewegungen, die sich immer wiederholten, und hörte die älteren Frauen in der hinteren Reihe, deren Beweglichkeit nicht mit ihrem Eifer Schritt hielt, grunzen und protestieren. Sie machte Rumpfbeugen, behielt dabei Teddy im Auge, um im Rhythmus zu bleiben, und dachte, Er hat einen eindrucksvollen Brustkorb, genau wie Johnny Weismüller. Und seine Arme – ich wünschte, ich würde so braun. Aber er macht das ja auch den ganzen Sommer über. Muss schon komisch sein, ständig nur Spiele zu veranstalten und von allen Seiten von Frauen bewundert zu werden, ohne dabei irgendwelche Annäherungsversuche unternehmen zu dürfen – wie ein Priester. Irgendwie eine seltsame Existenz. Ich frage mich, wie er so ist, wenn er allein ist. Kurz darauf stellte sie überrascht fest, dass sie sich Teddy nicht allein vorstellen konnte.

Sie machten eine kurze Pause, Teddy gähnte und streckte sich. »Ich bin ein bisschen müde«, sagte er. »War spät gestern Abend.«

»Oh, Mr Wise, mussten Sie Wache stehen wegen dem Verrückten Hutmacher?«

»Keine Angst. Den können wir unbesorgt euch muskulösen Ladies überlassen, oder? Nein, ich musste die Hinweise für die Schatzsuche verstecken. Mondschein-Mission. Nicht so spaßig. Ich habe ein paar Stiere auf der Strecke platziert, Sally, nur um dich auf Trab zu halten. Hey, bist du in Trance gefallen? Wach auf, Sally! Was starrst du da denn an?«

Er drehte sich langsam in die Richtung, in die sie deutete. »Da ist Miss – wie heißt sie nochmal? – die Lehrerin, Miss Gardiner. Was zur Hölle trägt sie da?«

Sally kam dieser Augenblick wesentlich schlimmer vor als die Sekunden, in denen sie unter Wasser gezogen worden war. Das war viel zu plötzlich geschehen, um Angst zu haben. Der Situation jetzt war solch eine Langsamkeit zu eigen, dass sie den Horror in all seinen Nuancen zu spüren bekam. Wie die Schritte von Trauernden, die widerwillig, doch unaufhaltsam auf ein offenes Grab zugingen. Und doch, als sie später darauf zurückblickte, gab es nichts, was den Todesschreck hätte erklären könnten, der über sie gekommen war; nichts außer einer grobgliedrigen Frau, in Pullover und Tweedrock, die gleichmäßigen Schrittes aus dem morgendlichen Grün hinter den halbmondförmig angeordneten Chalets auf sie zukam und etwas im Arm hielt.

»Was zum Teufel trägt sie da?«, wiederholte Teddy schwach. Aus dieser Entfernung konnte man nichts erkennen außer einem weißen Fleck, der sich von ihrem grellorangenen Pullover abhob.

Gefasst, beinahe wie mit der anonymen tödlichen Intention eines funkferngesteuerten Panzers, bewegte sich Miss Gardiner auf sie zu. Sie hielt das Ding, ohne dabei Angst zu zeigen, doch auf eine irgendwie unnatürliche Weise. Als sie mit in der Sonne glitzerndem Kneifer näherkam, bot sie es ihnen dar wie eine Opfergabe. Es war ein Hund, ein drahthaariger Terrier, dessen Körper grässlich sichelförmig verbogen war.

»Mr Wise«, sagte sie mit unheilverkündender Stimme, »weshalb wurden keine Vorsichtsmaßnahmen ergriffen? Dieser Hund wurde vergiftet.«

»Das tut mir schrecklich leid, wirklich, aber ...«

Hinter Sally ertönte ein Schrei. Eine Frau kam herbeigelaufen und nahm Miss Gardiner den Hund ab. »Das ist Bingo!«, rief sie. »Mein kleiner Hund! Sie ...«, sie starrte Miss Gardiner verwirrt an, »Sie waren das! Sie haben Bingo vergiftet!«

VII

Der Haustiergarten war der Geistesblitz eines geschäftsführenden Direktors von Wunderland gewesen und Teil der Unternehmensphilosophie, nach der man besser sein müsse als alle anderen existierenden Urlaubscamps. Wo andere Camps sich gegen Haustiere in ihren Anlagen sträubten, war das Motto in der Wunderland-Broschüre: »Lassen Sie Ihren besten Freund nicht zu Hause! Bringen Sie ihn mit nach Wunderland, in unseren hervorragend ausgestatteten Haustiergarten! Gönnen Sie auch ihm einen Urlaub! Ob Herumtollen auf unseren duftenden Grünflächen oder Baden im glitzernden Salzwasser – hier gibt es alles, was das Hundeherz begehrt!«

Besagter Direktor hatte allerdings bei Weitem das Wohlwollen überschätzt, das die Wunderland-Klientel Haustieren entgegenbrachte. Die bestand aus überwiegend jungen Leuten, die in Kleinstädten lebten und die krankhafte Hundeliebhaberei der Oberschicht nicht teilten; und diejenigen, die Haustiere hielten, waren nur allzu bereit, deren Bedürfnissen im Urlaub nicht nachzukommen. Und so blieb der Haustiergarten mit seinen eleganten Doppelzwingerhälften und sterilen Trinknäpfen das Zeugnis einer großen Illusion und die meiste Zeit unbewohnt. Die besten Freunde, die dann doch auftauchten, fühlten sich möglicherweise von dem Unternehmen hereingelegt, denn das Herumtollen auf den duftenden Grünflächen sowie das Baden im glitzernden Salzwasser waren ausdrücklich beschränkt auf die frühen Morgenstunden und den späten Abend. Den Rest des Tages mussten sie an der Leine bleiben oder Trübsal blasend in ihren luxuriösen Käfigen.

Verärgert von diesen Einschränkungen hatte Bingo – ein freiheitsliebender Geist – seinen Gefühlen dem erstbesten Opfer gegenüber Luft gemacht, und dieses Opfer war zufälligerweise Miss Gardiners Siamesische Katze gewesen. Bingo wollte mit Katzen rein gar nichts zu tun haben, und das ungewohnte Erscheinungsbild dieser Katze war eine zusätzliche Beleidigung für ihn. Er selbst war angeleint gewesen, die Katze zusammengerollt auf Miss Gardiners Schulter, als sie sich auf ihrem Nachmittagsspaziergang begegneten. Bingo schlüpfte aus seinem Halsband, sprang Miss Gardiner an, vertrieb die Katze, erkämpfte sich einen Büschel ihres Fells und jagte sie glücklich einen Baum hinauf. Daraufhin hatte Miss Gardiner Bingos Besitzerin informiert, dass sie Bingo höchstpersönlich vergiften würde, sollte sein Frauchen ihr Mistvieh nicht unter Kontrolle halten. Da sie es gewohnt war, mit Klassen von zwanzig bis vierzig Kleinkindern umzugehen, machte Miss Gardiner wahrscheinlich keine halben Sachen. Trotzdem, ›Wer mit der Rute spart, verzieht das Kind‹ war nicht ganz dasselbe wie ›Wer mit dem Gift spart, verzieht den Hund‹.

Daher waren die meisten Schaulustigen – wenn auch schockiert von der Szene und mitfühlend gegenüber Bingos Besitzerin – überzeugt, dass deren Anschuldigungen reine Hysterie waren. Paul Perry hatte das Geschehen beobachtet und war mit einer Gruppe von Leuten in stillschweigender Übereinkunft der Leidtragenden zum Haustiergarten gefolgt. Als er später darauf zurückblickte, war er der Meinung, dass dies der Zeitpunkt war, zu dem der Verrückte Hutmacher zum ersten Mal wirklich zugeschlagen hatte. Das konnte man auch daran erkennen, dass für kurze Zeit niemand mehr seinen Namen erwähnte, und wenn, dann nur in Grüppchen und hinter vorgehaltener Hand, so als ob die Schattengestalt mit einer Phiole Gift in der Hand ihnen überall zwischen den Chalets auflauern könnte.

Dort lauerte allerdings niemand, außer Mr Thistlethwaite, der schnell das Kommando übernahm, da Teddy Wise immer noch mit Miss Gardiner beschäftigt war. Sie konnten ihre Stimme hören, peitschend wie ein Lineal, das auf einen Schreibtisch niederfährt, während sie Teddy die gravierende Unzulänglichkeit der Unternehmensleitung aufzeigte.

Mr Thistlethwaite richtete sorgfältig gewählte Worte des Beileids an die Hundebesitzerin, schickte ein Mädchen los, um den Arzt des Camps zu holen, fand heraus, dass eine Frau, die in ihrem Chalet geschlafen hatte, um zwanzig Minuten nach drei von einem bellenden Hund geweckt worden war, schloss daraus, dass das der Zeitpunkt des Verbrechens sein musste, und führte die Gruppe schließlich geschlossen um das Wäldchen, hinter dem der Haustiergarten lag, um des Nachts ruhestörende Tiergeräusche zu dämpfen.

Als sie den Tatort erreichten, fanden sie die anderen Bewohner des Haustiergartens – drei Hunde und Miss Gardiners Katze – unverletzt vor.

»Ich frage mich, wieso er nicht alle vergiftet hat, wenn er schon dabei war«, sagte Sally zu Paul. »Er hat wahrscheinlich ein Stück vergiftetes Fleisch über den Zaun und in Bingos Zwinger geworfen. Was für ein abscheulicher, schmutziger Streich!«

»Ja, das ist schon seltsam. Es sieht ganz so aus, als würde er sich mittlerweile die Leute einzeln vornehmen. Und er lernt die Schwachstellen kennen.«

»Was soll das heißen?«

»Na, dieser Kerl Scripps zum Beispiel. Der Verrückte Hutmacher hat gemerkt, dass er zum reizbaren Geschlecht der Sänger gehört, also hat er das Klavier manipuliert, weil er wusste, dass Scripps Gift und Galle speien würde.«

»Aber woher wusste er, dass Scripps als Erster auftreten würde?«

»Alle Darsteller haben vermutlich die Abfolge des Programms vorher gekannt. Der Verrückte Hutmacher hätte leicht einen von ihnen fragen können. Und dann der Hund. Er hätte irgendein anderes Tier oder alle vergiften können, aber er wählte das, dessen Tod sofort für schlechte Stimmung sorgen würde. Es hatte Streit wegen Bingo und Miss Gardiners Katze gegeben, aber das weißt du ja. Ja, der Kerl wird immer besser.«

Sally erschauerte und wandte sich ab. Sie sah, dass sie in der Nähe der eher baufälligen Steinmauer standen, die die Grundstücksgrenze des Camps markierte.

»Hör mal, Paul«, rief sie plötzlich aus und packte ihn am Ärmel. »Ich habe eine Idee.«

»Ja?«

»Angenommen ... Nein, das klingt zu abwegig. Aber wollen Sie bei der Schnitzeljagd heute Nachmittag mein Partner sein? Wir sollen eigentlich alle allein beginnen, aber es wird niemandem auffallen, wenn wir uns davonstehlen.«

»Schnitzeljagden sind nicht so mein Ding. Außerdem muss ich mir nach dem Mittagessen die Fragebögen ansehen.«

Sie zerrte nachdrücklich an seinem Ärmel. »Ach, seien Sie doch nicht so pedantisch, mein Bester. Sie sind doch sicher lieber mit mir zusammen, anstatt sich über langweiligen Papieren den Kopf zu zerbrechen.«

»Eigenlob. Die Papiere sind überhaupt nicht langweilig.«

»Jetzt verhalten Sie sich doch mal wie ein normaler Mensch und kommen Sie mit. Bitte.«

»Aber was soll das alles?«

»Versprochen, dass Sie es niemandem verraten?«

»In Ordnung.«

»Also, Sie und ich werden den Verrückten Hutmacher zur Strecke bringen.«

Eine kurze Pause folgte. Der Wind fuhr durch die Blätter über ihnen und zog weiter.

»Na gut. Ich komme mit. Aber ich fürchte, es wird ein Schuss in den Ofen sein.«

In diesem Moment kam der Arzt des Camps. Dr. Holford war jung, praktizierte erst seit Kurzem und war sehr glücklich darüber, für seine seltenen Dienste einen Monat Urlaub gratis in Wunderland machen zu dürfen. Mr Thistlethwaite löste sich von der Gruppe von Leuten, die mittlerweile eher planlos vor dem Zwinger des verstorbenen Bingo standen.

»Doktor Holford?«, erkundigte er sich mit einer hofmeisterlichen Geste. »Sie wurden zweifellos von der jüngsten Gräueltat in Kenntnis gesetzt. Um den Übeltäter außer Gefecht zu setzen, müssen wir uns der exakten Uhrzeit, zu der das Gift verabreicht wurde, sicher sein. Wir haben diesbezüglich bereits einige Hinweise erhalten, die von Ihnen eventuell bestätigt werden können. Hier entlang, Sir, wenn Sie so freundlich wären. Da ist er. Armer Bingo. Das unschuldige Opfer eines Rohlings, der mit seiner feigen Tat ins Herz dieser Gemeinschaft getroffen hat.« Mr Thistlethwaite blinzelte eine Träne weg.

Dr. Holford verbarg seine Verwirrung hinter professioneller Schneidigkeit und kniete sich neben das Tier. Sofort sagte er, »Strychnin. Ich kann Ihnen nicht genau sagen, wann es passiert ist. Ich bin kein Tierarzt. Vor drei bis sechs Stunden vielleicht.«

»Sir, vielleicht könnte eine Autopsie ...«

»Nein, das lasse ich nicht zu«, stieß Bingos Besitzerin hervor. »Ich möchte nicht, dass mein armes Hündchen aufgeschnitten wird. Ich will ihn beerdigen.«

»Das sollten Sie. Es würde sowieso nicht viel nützen«, sagte der Arzt taktvoll. »Hier im Camp sind fünfhundert Leute, und zu wissen, wann der Hund umgebracht wurde, würde uns dem Täter nicht näherbringen.«

»Mr Wise war letzte Nacht unterwegs, um die Hinweise zu verstecken«, sagte ein Mädchen.

Mr Thistlethwaite blies sich auf, »Junge Dame, dubiose Anschuldigungen sind ebenso unangemessen wie müßig. Genug jetzt davon.«

»Na gut, na gut«, erwiderte das Mädchen gekränkt. »Kein Grund, mir an den Kragen zu gehen. Ich wollte nur helfen. Ich habe eigentlich gemeint, dass Mr Wise jemanden gesehen haben könnte, der irgendwo hier herumgeschlichen ist.«

»In dem Fall wird er die Informationen an die zuständige Stelle übermitteln.«

»Und ich verstehe nicht, was Sie das überhaupt angeht. Sie schikanieren hier die Leute und werfen Ihr Gewicht in die Waagschale. Und was für ein Gewicht!«, fügte das Mädchen hinzu und wähnte sich überlegen.

»Schluchz, heul! Ich will zu meiner Mami«, äffte Sally den Tonfall des Mädchens mit weinerlicher Stimme nach, was Paul äußerst peinlich war.

Die Ankunft Teddy Wises bereitete der drohenden Auseindersetzung ein Ende. Er erklärte, dass er auf seiner nächtlichen Mission nichts Verdächtiges gesehen habe.

»Wir können also davon ausgehen, Sir, dass Sie nicht in der unmittelbaren Umgebung des Haustiergartens waren?«

»Na, ich will doch keine Geheimnisse ausplaudern. Würde ich ja sagen, wüssten Sie, dass einer der Hinweise hier in der Nähe versteckt ist. Keine gute Idee. Was ich Ihnen allerdings sagen kann, ist, dass einige der Angestellten die ganze Nacht die Chalets und das Hauptgebäude im Auge behalten haben; und das werden Sie auch weiterhin tun. Also können die Damen gestrost ihren Schönheitsschlaf halten. Leider hätten wir nie gedacht, dass diese Witzfigur sich am Haustiergarten zu schaffen machen würde, weshalb hier niemand aufgepasst hat. Ziemlich übel das Ganze. Also, Leute, das Frühstück wird kalt. Auf geht's. Ach, übrigens, mein Bruder sagt, die Unternehmensleitung wird Ihnen einen anderen Hund besorgen, Miss Lightfoot. Nicht dasselbe, ich weiß. Bester Freund und so. Kann man nicht wirklich ersetzen. Trotzdem, wir besorgen Ihnen einen ganz besonderen – Sie können sich einen aussuchen. Ich fahr Sie heute nach Applestock, wenn Sie möchten, und Sie können sich nach einem umsehen.«

Diese großzügige Geste seitens Captain Wise wurde von Miss Lightfoot mit unterdrücktem Schluchzen aufgenommen, der Rest gab zufriedenes Gemurmel von sich. Die Unternehmensleitung war eigentlich nicht verantwortlich für die Gesundheit der Tiere, die ins Camp mitgebracht wurden.

Beim Frühstück drehten sich die Unterhaltungen hauptsächlich um den Verrückten Hutmacher. Für die meisten stellte er immer noch eher ein Kuriosum als eine Bedrohung dar. Doch seine letzte Tat in Verbund mit dem Fragebogen hatte offensichtlich das Interesse geweckt.

»Ich befürchte«, sagte Mr Morley zu Paul, neigte seinen Kopf und wischte sich mit der Serviette in einer Weise über den Mund, die gleichzeitig unbeholfen und selbstironisch wirkte, »Ich befürchte, diese Angelegenheit wird Ihre Untersuchungen behindern, Mr Perry.«

»Ich fürchte, es wird sie beinahe unmöglich machen. Das Ziel war es ja, eine Umfrage bezüglich des Alltags in einem Urlaubscamp zu präsentieren. Aber die Lage wird immer ungewöhnlicher.«

»Ich habe meinen Fragebogen ausgefüllt, Mr Perry. Ich fand ihn sehr interessant. Obwohl ich nicht immer verstanden habe, worauf Sie hinauswollen. Zum Beispiel der Teil, ob man lieber Zuschauer oder Teilnehmer bei Spielen ist.«

»Ich wollte herausfinden, ob die Gäste sich hier anders verhalten als normalerweise. Fast jeder kommt nach Wunderland aufgrund der Freizeitmöglichkeiten. Ich wollte verstehen, ob die Leute an den Spielen hier teilnehmen, um, na ja, um auf ihre Kosten zu kommen, oder weil sie immer an Spielen teilnehmen, wenn sie die Möglichkeit dazu haben.«

»Ach so. Ja. Ich verstehe«, erwiderte Albert Morley, der eindeutig nicht verstand. »Aber ich verstehe immer noch nicht, was dahintersteckt. Was hilft es, das herauszufinden? Wenn es eine statistische Erhebung im Auftrag einer Firma wäre, dann wäre es etwas anderes. Das gehört zur Theorie des Verkaufs. Damit habe ich mich etwas befasst, wissen Sie? Ich bin gerne auf dem neuesten Stand, und man weiß nie, wann so etwas von Nutzen sein kann. Angenommen ich bekomme eines Tages ... na ja, ich wollte zum Beispiel die Arbeitsstelle wechseln. Was ich sagen will, ist, dass ich einmal ein Buch über Umfragen gelesen habe. Darin stand alles darüber, wie die Leute sich in Kneipen verhalten, wie sie sich ihre Pfeifen anzünden, was sie sagen, wenn sie jemanden auf ein Getränk einladen – na ja, ehrlich gesagt war es mir ein Rätsel. Viel Lärm um nichts meiner Meinung nach.«

»Sie glauben nicht an Anthropologie? Wissen über das Verhalten von Menschen zu sammeln?«

»Ist vielleicht interessant für Wissenschaftler«, sagte Albert zweifelnd. »Aber die Öffentlichkeit wird sich nicht dafür interessieren.«

»Die Öffentlichkeit scheint momentan ziemlich interessiert daran zu sein. Sehen Sie sich all die Leute an, die ihre Fragebögen studieren.«

»Sie haben mich nicht ganz verstanden, Sir.« Mr Morley wirkte verdutzt, blieb aber hartnäckig. »Was ich sagen will, ist, die Öffentlichkeit will nicht, dass die Wissenschaft ihr etwas erzählt, das sie bereits weiß, wie ...«

»Umso schlimmer für die Öffentlichkeit. Und sie weiß es

eben nicht. Täglich entstehen neue Institutionen, neue Umgangsformen, neue Methoden und mischen sich mit bestehenden. Das menschliche Leben ist ständig in Veränderung begriffen – und das sollte man auch dokumentieren.«

Mr Morley strahlte über sein rosiges, kleines Gesicht. »Na, das ist doch mal eine Aussage! Das ist schon besser. Das ist die Romantik der Wissenschaft.«

»Die Wissenschaft ist nicht romantisch.«

»Oh doch, das ist sie, Mr Perry. Glauben Sie mir. Denken Sie an die Sterne. Ich habe Jeans und Eddington gelesen – ich lese ziemlich viel in meiner Freizeit. All diese Welten, die Milliarden von Meilen entfernt verbrennen, alles Teil des kosmischen Tanzes. Und dann behaupten diese Jugendlichen doch tatsächlich, sie glauben nicht an Gott. Ich wünschte, ich könnte mir ein Teleskop leisten, ein richtiges, für Astronomen ...«

»Wir sind recht weit vom Thema abgekommen«, erwiderte Paul kühl. Wie jeder junge Wissenschaftler verachtete er den Laien. Er hatte vielleicht nicht die Absicht, Mr Morley zu brüskieren, aber das wirre Gerede des kleinen Mannes machte ihn schier wahnsinnig. Außerdem war es schwierig, Albert Morley Gehör zu schenken und gleichzeitig den Unterhaltungen der anderen Gäste zu folgen. Paul hatte ein separates Notizbuch, in dem er die Gesprächsthemen im Camp vermerken wollte. Es war bereits anhand roter Überschriften untergliedert – das Leben im Camp, Gerüchte über Gäste, Sex, Filme, Politik, Gespräche über Berufe, Sport, Kleidung, Alltag und so fort. Die relative Häufigkeit dieser Themen, auf zwei Dezimalstellen gerundet, würde dabei helfen, das Bild vom Leben im Camp abzurunden.

Doch der Verrückte Hutmacher – ganz gleich, ob er nun wahnsinnig war, vorsätzlich sabotierte oder bloß Streiche spielte – würde die Statistik sicherlich verfälschen. Von allen Tischen wurde er immer wieder neugierig gemustert, und Paul fiel auf, dass man rasch aufsah und kurze erwartungsvolle Stille sich ausbreitete, wann immer einer der Angestellten den Speisesaal betrat. Was wird Captain Wise unternehmen? Das war der rote Faden, an dem in vielen Varianten mithilfe von Neugier, Oberflächlichkeit, Empörung, Pessimismus oder überbordender Fantasie gesponnen wurde. In einer Sache waren sich die Gäste zweifelsohne einig: Keiner wollte allein an der Schnitzeljagd teilnahmen, denn eine einzelne Person wäre ein viel zu leichtes Ziel für den Verrückten Hutmacher gewesen.

»Die Regeln sind mir egal. Ich starte nicht alleine, Leonard, also mach mit oder lass es bleiben. Wenn du nicht mein Partner sein willst«, neckte Janice Mears, »dann kann ich natürlich einen anderen Gentleman fragen.«

»Oh, ich komme mit. Was tut man nicht alles, damit man seine Ruhe hat. Aber was, wenn *ich* der Verrückte Hutmacher bin?«

»Genau, Leonard! Und ich bin Greta Garbo!«

Auch sehr interessant, überlegte Paul. Endlich werden sie gezwungen, den Verrückten Hutmacher ernst zu nehmen, aber sie können sich immer noch nicht vorstellen, dass es möglicherweise jemand aus dem näheren Kreis ist. Natürlich nur ein Abwehrmechanismus. Aber falls er nicht mehr funktionieren sollte, sind alle Voraussetzungen für eine Panik gegeben.

An diesem Morgen gab es keine weiteren Vorfälle mehr.

Nach dem Mittagessen versammelten sich die Teilnehmer der Schnitzeljagd – es waren circa einhundert – vor dem Sportpavillon. Sally, zweckmäßig gekleidet in blauen Hosen und einem blauen Pullover, machte sich ohne Aufsehen mit Paul auf den Weg. Sie ging voraus, um das Wäldchen herum, am Haustiergarten vorbei, über die baufällige Steinmauer und den Hügel hinauf.

»Wohin gehen wir?«

»Zum Wald des Einsiedlers«, erwiderte sie und zeigte Paul ihren Hinweis.

»Finden Sie nicht, dass es an der Zeit ist, mir zu erklären, was ...?«

»Warten Sie. Ich will sichergehen, dass wir weit genug von den anderen entfernt sind.«

Frauen müssen immer so geheimnisvoll tun, dachte Paul nachsichtig. Ein Machtspielchen, und früher oder später fällt alles in sich zusammen – der Pandora-Komplex.

Die Grasnarbe des Abhangs federte ihre Schritte ab. Es wuchsen Thymian und Glockenblumen, und der Himmel war so zartblau wie die Glockenblumen. Paul war ungewöhnlich verzaubert von der Schönheit des Nachmittags und blickte zurück über das Meer, das sich perfekt in die Ausbuchtungen der Klippen unter ihnen schmiegte.

»Kommen Sie schon«, sagte Sally und zog ihn am Ärmel. »Wir müssen uns beeilen. Die Natur können Sie ein anderes Mal bewundern.«

»Ich bewundere die Natur nicht. Sie ist launisch, verschwenderisch und verlogen. Ganz wie die Frauen.«

»Aber sie ist schön, und man kann ihr nicht entkommen. Schon gut, schauen Sie nicht so ängstlich. Ich werde Sie schon nicht vom rechten Weg abbringen, Sie alter Frauen- ... Was ist los?«

»Frauenhasser. Sie kommandieren gerne herum, stimmt's, Sally?«

»Na ja, Sie sollen ja auch nicht die Natur bewundern, sondern mich.«

»Aber das tue ich doch. Ich finde Sie sehr hübsch.«

»Meine Güte! Mit ein bisschen mehr Überzeugung bitte, mein Bester. ›Ich finde Sie sehr hübsch‹«, äffte sie gekonnt seine gestelzte Ausdrucksweise nach. »Ich sehe schon, ich muss Ihnen noch das ein oder andere beibringen.«

»Oh Gott, bloß das nicht!«

»Kein Grund, gleich unhöflich zu werden.«

Sally sah niedergeschlagen drein und schmollte. Sie war flatterhaft wie ein Schmetterling. Kurz darauf zog sie Paul nach unten hinter eine Steinmauer, als hätte sie in dem Wald, der sich vor ihnen auf der anderen Straßenseite in die Ferne erstreckte, einen Scharfschützen ausgemacht.

»*Here we are alone*,« sang sie leise, »*out of cigarettes* ... Dort, das muss der Busch aus meinem Hinweis sein. Sehen Sie die weißen Blüten? Der Bart des alten Mannes.«

»Und jetzt? Wollen wir nicht nach dem zweiten Hinweis suchen? Er wird irgendwo in dem Busch versteckt sein.«

»Nein, mein Bester, das werden wir nicht. Wir setzen uns jetzt hin, machen es uns gemütlich, und Tantchen wird Ihnen eine schöne Geschichte erzählen.« Sie lehnten mit dem Rücken an die Steinmauer, und Sallys Schulter schmiegte sich vertrauensvoll an seine. »Wir haben eine Abkürzung hierher genommen. Die anderen, die dem ersten Hinweis folgen, sind noch auf der Straße unterwegs. Die lassen wir vorbeiziehen.«

»Sie machen es aber ganz schön spannend.«
»Wissen Sie, wer in dem Wald hier lebt?«
»Irgendein Einsiedler, oder?«
»Genau. Und wissen Sie auch, wer das ist?«
»Johannes der Täufer«?
»Es ist der Verrückte Hutmacher«, flüsterte Sally.
Für einen Moment starrte Paul sie ungläubig an. Dann lachte er und sagte, »Aber natürlich! Wie dumm von mir! Ich habe ihn schon oft im Camp herumschleichen sehen, mit seinem langen, grauen Bart. Unverwechselbar.«
»Ihren Sarkasmus können Sie sich sparen. Jetzt hören Sie mir mal gut zu. Teddy hat mir alles über den Einsiedler erzählt. Bevor das Camp hier gebaut wurde, hat er in einer Art Hütte in der Nähe der Klippen dort gehaust. Er hat ein einfaches Leben geführt – war ein bisschen verrückt, aber ziemlich harmlos. Er lebte schon seit Jahren dort, und der Bursche, dem das Land gehörte, hat nie Pacht von ihm verlangt. Und dann – ach, du liebes bisschen, was ist das?«
Paul drehte sich um und spähte über die Mauer. »Keine Sorge«, sagte er rasch, »nur ein paar der Schatzsucher. Gemessen an dem, was Sie mir da gerade erzählt haben, ist hier ganz schön was los, finden Sie nicht?«
»Ich wollte hierherkommen, um nachzusehen, ob der Einsiedler zu Hause ist. In diesem Fall wird er sich den Leuten sicher zeigen. Also, der Bursche, dem das Land gehörte, hatte irgendwann kein Geld mehr und musste verkaufen. Das war vor ungefähr drei Jahren. Aber niemand wollte es kaufen, bis die Wunderland-Leute kamen und fanden, dass das hier ein guter Platz für ein Urlaubscamp wäre. Angeblich ist es deswegen zu einem furchtbaren Krach im Gemeinderat gekommen.«

»Kann ich mir gut vorstellen. Naturliebhaber gegen Profitjäger.«

Sally warf ihm einen verständnislosen Blick zu. Esmeralda Jones hätte ihn sofort verstanden, fuhr es ihm durch den Kopf, Sally wirkte recht einfältig, wenn sie etwas nicht verstand.

»Einige im Gemeinderat meinten, dass man das Camp nicht bauen solle, es würde die Landschaft ruinieren – die Küste hier ist ein Kleinod – und zu viel Gesindel anziehen. Leute wie Sie und mich, mein Bester. Andere wieder meinten, dass das Camp die Landschaft nicht ruinieren würde, sie fanden die Baupläne ausgezeichnet, die Wunderland eingereicht hatte, und es würde Arbeitsplätze schaffen, den Ladenbesitzern helfen und für Steuereinnahmen sorgen und so fort.«

»Und das waren bestimmt die örtlichen Bauunternehmer und Ladenbesitzer«, erwiderte Paul.

»Wie auch immer, der Gemeinderat war hin- und hergerissen ...«

»Oh Gott, das hört sich ja beinahe an wie etwas aus der Apostelgeschichte!«

»Ach, seien Sie doch still! Irgendeine Tussi aus London wurde herbeordert, um als Zeugin auszusagen, und man berief eine Art Ausschuss ein. Alle durften ihre Meinung sagen. Der Einsiedler war einer von ihnen. Er regte sich scheinbar mächtig über das Camp auf; sagte, es würde Sodom und Gomorrha aussehen lassen wie einen Strickwettbewerb unter alten Jungfern, und nur über seine Leiche, und all so was. Na ja, schließlich haben die gewonnen, die für das Camp waren. Wunderland hat den Park, einen Teil der Klippen und des Küstenvorlandes gekauft, und der arme alte Einsiedler wurde zwangsgeräumt. Und es bedurfte auch einiges an Anstrengung dazu. Doch der Einsiedler war ein sturer, alter Bursche, ganz wie du, mein Bester. Er hat sich auf dem nächstbesten Fleckchen niedergelassen, auf dem er sein Camp aufschlagen konnte ...«

»Zweifelsohne, um sein Recht auf eine Bleibe einzufordern.«

»In diesem Wald; und seitdem fällt er unangenehm auf.«

»Ach ja?«, fragte Paul nachdenklich.

»Oh ja. Beim ersten Sommercamp hat er überall auf der Straße hier Nägel verstreut, hat Teddy erzählt, sodass die Busse des Camps alle einen Platten hatten. Solche Sachen. Sie mussten schließlich eine einstweilige Verfügung, oder wie das heißt, gegen ihn erwirken. Das hat Eindruck auf ihn gemacht, und seitdem hat er nicht mehr viel von sich hören lassen, außer dass er hin und wieder aus dem Wald kommt und Grimassen schneidet, wenn er Wunderland-Gästen begegnet. Die Unternehmensleitung äußert sich nicht zu ihm, weil sie nicht viel mehr machen können. Als ich letztes Jahr hier war, wusste ich nicht mal, dass er überhaupt existiert. Der Kerl, dem das Land gehörte, besitzt immer noch den Wald, und er hat gesagt, er hätte nichts dagegen, dass der Einsiedler weiter dort wohnt. Wie gesagt, man hat nichts von ihm gehört, *bis zu dieser Woche.*«

Sally machte eine dramatische Pause. Die Stimmen der letzten Schatzsucher verloren sich in der Ferne, und außer immer wieder gedämpften Geräuschen aus dem Wald hinter der Straße war alles still.

»Aber das ist doch absurd, meine Liebe. Dieser Einsiedler hat von allen das beste Motiv, im Camp für Ärger zu sorgen, das stimmt. Aber denken Sie an in die Geschichte mit dem Untertauchen. Jemand hätte doch bemerkt, wenn ein großer, grauer Biber herumgeschwommen wäre.«

»Daran habe ich auch gedacht ...«

»Und dann sind da noch die grünen Plaketten, die jeder im Camp tragen muss. Die sollen doch sicherstellen, dass niemand unerlaubt den Grund und Boden Wunderlands betritt. Am Ende des Aufenthalts muss man sie wieder abgeben. Wie um alles in der Welt hätte er sich eine besorgen können?«

»Ach, das ist leicht. Die Leute verlieren sie manchmal. Vielleicht hat er irgendwo in der Nähe eine gefunden. Ich würde fast behaupten, dass er so erst auf die Idee gekommen ist, im Camp den Verrückten Hutmacher zu geben.«

»Und was ist mit seinem Bart?«

»Der ist falsch.«

»Aber ...«

»Jetzt lassen Sie mich ausreden! Er hat sich den Bart abrasiert, sich einen falschen gekauft und ist als derselbe alte Einsiedler wieder aufgetaucht. Wann immer er ins Camp gehen will, nimmt er den Bart ab, putzt sich etwas heraus und zieht sich ordentlich an.«

»Aber er muss ziemlich alt sein, wenn er schon einen grauen Bart hat. Ein so alter Mann würde im Camp auffallen.«

»Warum sollte er? Es sind einige ältere Leute hier. Und unter fünfhundert anderen wird er nicht besonders auffallen. Jeder bewegt sich hier frei, es herrscht eine lockere Atmosphäre, und niemand ist lange genug hier, um die anderen besonders gut kennenzulernen. Das Gleiche gilt für die Angestellten. Wer eine grüne Plakette trägt, gehört dazu.«

»Ja, da mag was dran sein. Aber er ist trotzdem ein *alter*

Mann. Und der wäre nicht stark genug, um Captain Wise unter Wasser zu ziehen.«

»Aber er ist ein Naturbursche. Wie schon gesagt, er lebt ein einfaches Leben. Ernährt sich von Eicheln und so was. Und Teddy sagt, dass er ein- bis zweimal die Woche die acht Meilen nach Applestock läuft und einen ganz Sack Vorräte zurückbringt.«

»Eicheln, oder was? Und wenn er regelmäßig nach Applestock läuft, dann ist er auch kein Einsiedler.«

»Aber er hat ganz schön Kraft.«

Das hysterische Gelächter eines Hähers schallte aus dem Wald herüber. Ein Marienkäfer krabbelte emsig Sallys blaues Hosenbein entlang. Paul beobachtete ihn nervös. Er bemühte sich, die Berührung von Sallys Hand auszublenden, die seine eigene streifte, ebenso wie das, was ihre Worte wirklich bedeuteten, indem er sich voll und ganz auf den Marienkäfer konzentrierte.

»Da ist vielleicht was dran. Das sollte man vielleicht Captain Wise mitteilen.«

»Eben. Allerdings werden wir, wenn möglich, erst noch ein bisschen mehr herausfinden.«

»Was soll das heißen?«

»Wir werden den Unterschlupf – oder wie auch immer man das nennt – des Einsiedlers finden und nach Hinweisen suchen.«

»Nein, verdammt, das können wir nicht machen. Was, wenn er da ist?«

»Falls er da ist, sagen wir einfach, dass wir uns verlaufen haben, und machen uns davon. Sie haben doch nicht etwa Angst vor dem alten Kauz, oder?«

»Nein, natürlich nicht«, erwiderte Paul etwas zu schnell.
»Also ich schon. Auch deswegen bin ich hier. Als ich heute Morgen den Umschlag mit dem ersten Hinweis aufgemacht habe, blieb mir fast das Herz stehen. Wissen Sie ... ach, ich habe keine Zeit für Erklärungen. Aber wenn man Angst hat, sollte man sich ihr immer gleich stellen. Und mit Ihnen fühle ich mich sicher.«

»Alles schön und gut«, versuchte Paul sich herauszureden, »aber ich habe eine Phobie vor unerlaubtem Betreten. Ich ...«

»Ach, kommen Sie schon. Der Wald gehört ihm schließlich nicht. Und all die Leute, die gerade unterwegs sind, haben ihn sicherlich schon vertrieben.«

Sally sprang über die Steinmauer, lief über die Straße und in den Wald. Paul folgte ihr verunsichert. Der Wald schloss sich – wie das Wälder so an sich haben – sofort wieder hinter ihnen und hüllte sie in eine tiefe, doch zugleich angespannte Stille, als ob Kräfte darin lauerten, im Augenblick noch harmlos, aber jeden Moment bereit anzugreifen, sollten sie sich gestört fühlen. Paul wurde das Gefühl nicht los, dass dies schon mal passiert war beziehungsweise wieder passieren würde. Jedes Blatt, jeder Sonnenfleck auf dem Waldboden wurde zu einer unbestimmten Bedrohung. Die Stille hier hatte etwas von Ewigkeit, Vergangenheit und Zukunft wurden bedeutungslos. Man wollte diese Stille durchbrechen, indem man sich geräuschvoll einen Weg durch das Dickicht bahnte. Sally hielt an und legte eine Hand auf seine Schulter, während er einen Zweig löste, der sich in ihrem Pullover verfangen hatte, und sie sagte, »Sie sind ganz blass. Sie scheinen wirklich Bammel zu haben.« Ihre Stimme klang kindlich, nicht verächtlich, sondern einfach neugierig.

»Ich hasse unerlaubtes Betreten«, antwortete er stur.

Der Wald war viel größer, als sie gedacht hatten. Überall gab es schmale überwachsene Pfade. Man lief und lief, ohne je ans Ziel zu gelangen. Um sie war der intensive Modergeruch von Vegetation, während sie vor sich ins Dunkel des Waldes spähten. Das Spiel von Sonnenlicht und Schatten schuf unzählige Trugbilder, die des Einsiedlers getarnter Unterschlupf hätten sein können.

»Ah, ich sinke ein!«, schrie Sally plötzlich. Paul griff unter ihre Arme und zog sie aus schwarzem Matsch.

»Das ist ein Sumpf. Passen Sie auf, wo Sie hintreten«, sagte er gereizt und spürte das Zittern in ihrem Körper, als sie sich für einen Moment gegen ihn lehnte.

»Schau, Paul! Schau!«

Sie zeigte auf die andere Seite der großen Pfütze, wo eindeutig ein Fußabdruck – nicht ihrer – zu erkennen war.

»Das ist er«, sagte sie. »Es kann nicht mehr weit sein. Ich springe über den Matsch.«

»Ich trage Sie. Oder vielleicht finden wir einen Weg außen herum.«

»Würden Sie mich tragen, Paul Schnüffler?«, fragte sie mit dieser kindlichen Stimme. »Wir würden zusammen versinken, und von uns wären nur noch zwei kleine arme Haarbüschel zu sehen. Wäre das nicht romantisch?«

»Das wäre furchtbar. Springen Sie lieber.«

Sie sprangen beide über die Matschpfütze, und Sally flüsterte, »Ist das nicht aufregend? Ich wollte schon immer für den Geheimdienst arbeiten. Eine hübsche Agentin, wie Mata Hari. Da, schau. Er hat eine Schlammspur hinterlassen. Und der Farn hier ist geknickt. Da entlang.«

Kurz darauf kamen sie an eine kleine Lichtung, auf der eine verwitterte Hütte stand, die Risse in der Wand mit Papier zugestopft, und das ramponierte Dach aus Teerpappe wurde von einem schief herausragenden Ofenrohr gekrönt. Vor ihren Augen wirkte der Unterschlupf nicht mehr düster und bedrohlich, sondern nur noch heruntergekommen und eher erbärmlich. Obwohl nichts darauf hindeutete, dass der Einsiedler nicht zu Hause war, ging Sally, ohne zu zögern, zur Vorderseite der Hütte und spähte durch die gebrochene Glasscheibe des einzigen Fensters.

Es war zu dunkel, um etwas zu erkennen. Sally drückte die Klinke nieder und rechnete damit, dass die Tür verschlossen war, doch sie öffnete sich sogleich mit einem Quietschen.

»Na, bitte!«, stieß Paul erleichtert hervor. »Wenn er irgendwelche finsteren Geheimnisse hätte, würde er mit Sicherheit die Tür verschlossen halten. Wir können also wieder gehen – Gott sei Dank.«

»Noch nicht. Wenn Sie Angst haben hereinzukommen, stehen Sie Schmiere.«

Paul stellte sich neben die Eingangstür, behielt besorgt den Wald im Auge und blickte von Zeit zu Zeit zu Sally, die in den wenigen Habseligkeiten des Einsiedlers – einem Bett aus Lumpen, alten Zeitungen und rostigen Kochutensilien – herumwühlte.

»Das hat keinen Zweck. Ich kann nichts finden. Puh, stinkt das alles!«

»Zufrieden?«

»Seien Sie kein Spielverderber!« Sally sah sich rasch in der Hütte um. Es gab eigentlich keinen Winkel, wo man etwas hätte verstecken können. Außer ... Sie steckte ihre Hand in einen Zwischenraum an der Zimmerdecke, wo das Ofenrohr verlief und zog sie wieder heraus, rußig und leer. Sie hatte sich strecken müssen und war auf Zehenspitzen auf dem Lehmfußboden gestanden, in der Mitte einer vom Feuer geschwärzten Stelle und bemerkte nun, dass der Boden sich dort etwas anders anfühlte. Sally kniete sich hin, scharrte in den Ascheresten, ertastete die Ziegel an der Feuerstelle, nahm sie heraus und holte ein Metallkästchen darunter hervor.

Sie hielt es ans Licht. Paul beäugte Sally unruhig. Sie öffnete das Kästchen und nahm einen Stapel vergilbter Zeitungsausschnitte heraus. Es waren Artikel aus der Lokalzeitung über die Kontroverse des Wunderland-Urlaubscamps. Sie blätterte ungeduldig darin herum. Darin stand nichts, was sie nicht schon wusste. Schließlich schüttelte sie den Stapel Zeitungsausschnitte, und einige Fotografien fielen heraus.

»Paul, schauen Sie her!«, sagte sie, »da!«

Es waren Luftaufnahmen, und eine davon zeigte detailliert und gestochen scharf die Gebäude, die Anlagen, den gesamten Grundriss Wunderlands.

VIII

»Nein«, sagte Sally kurz darauf. »Wir müssen sie zurücklegen, genauso, wie wir sie gefunden haben. Sonst ist er gewarnt.«

Jetzt hatte sie es mit der Angst bekommen, als hätte die Fotografie von Wunderland vor ihrem inneren Auge ein Bild entstehen lassen – ein graubärtiger Mann, der durch den Wald zu ihnen unterwegs war, ein durch und durch bösartiger

Verrückter Hutmacher. Sie legte die Truhe zurück in die Öffnung und bedeckte sie mit Asche und verbrannten Zweigen.

»Genauso, wie wir sie gefunden haben?«, fragte Paul. »Was ist mit den Fotografien? Sind sie in der richtigen Reihenfolge?«

»Ach, verdammt! Ich weiß nicht. Sie sind vorher alle herausgefallen. Hoffen wir, dass er es nicht merkt. Kommen Sie schon, Paul, ich hab Bammel.«

Sie sah sich ein letztes Mal in der Hütte um. Nachdem sie die Tür zugezogen hatten rannten sie in den Wald zurück. Sally nahm ihn bei der Hand – sie war schwarz vom Schornstein und der Asche und selbst in der hochsommerlichen Hitze eiskalt.

»Oh Gott, ich hoffe wir schaffen es, aus dem Wald zu kommen, ohne ihm zu begegnen.«

»Was ist los mit dir, Sally? Er würde nicht ... sch!«

Ein seltsam knarrendes, monotones Summen tönte durch die Bäume. Sie blieben wie angewurzelt am Rand des sumpfigen Wegstücks stehen. Hätten sie jetzt den Pfad verlassen, um sich durch das Unterholz zu schlagen, hätte der Lärm sie verraten. So müssen sich Hasen fühlen, dachte Paul, als die verlotterte, graubärtige Gestalt, gebeugt unter der Last eines schweren Sacks und summend wie ein rostiger Teekessel, sich auf sie zubewegte. Sie standen einander gegenüber. Immerhin war noch Sumpf zwischen ihnen.

»Guten Tag«, sagte Sally zittrig und verbarg ihre schmutzigen Händen auf dem Rücken.

»Wer sind Sie? Woher kommen Sie? Dieser Wald ist Privatgrund, wissen Sie das denn nicht?«

Die Worte kamen zögerlich, als würde der Einsiedler nur

selten mit jemandem sprechen. Die dunkel getönte Brille und der graue Bart ließen ihn aussehen wie eine grob gebastelte Puppe, die Kinder aus irgendwelchen Resten von einem verstaubten Dachboden zusammengestückelt haben.

»Wir haben uns verlaufen«, sagte Sally. »Können Sie uns sagen, wie wir am schnellsten ins Camp zurückkommen?«

»Das Urlaubscamp?«, krächzte die eingerostete Stimme. »Ihr seid vom Camp? Verschwindet! Ich sage, ihr sollt verschwinden!«

»Das werden wir, wenn Sie uns vorbeilassen.«

Sally tat so, als ob sie über den Sumpf springen wollte, was die alte Vogelscheuche nur noch mehr aufbrachte. Er ließ den Sack fallen und wedelte furchterregend mit den Armen auf und ab und wollte immer wieder auf sie zurennen, kam aber jedes Mal kurz vor dem Tümpel zum Stehen. Sally hielt es nicht mehr aus – diese Krähenstimme, diese flappenden, schwarzen Arme. Vielleicht würde er plötzlich abheben und über den Morast hinweg auf sie zugeflattert kommen. Sie drehte sich um und floh auf dem Weg, den sie gekommen waren, und Paul blieb ihr auf den Fersen …

Die Schnitzeljagd war noch nicht vorbei, als sie wieder nach Wunderland zurückkamen. Sally war auf dem Rückweg ungewöhnlich still gewesen, ihr Schweigen hinterließ bei ihm den Eindruck, als hätte er ihre Erwartungen nicht erfüllt und es sich mit ihr verdorben.

»Na ja, was hätten wir denn machen können?«, fragte er schließlich. »Ihn an Ort und Stelle festnehmen? Wir haben noch überhaupt keine Beweise.«

»Sie hätten wirklich nicht gleich wegrennen brauchen.«

»Sie sind doch auch weggerannt.«

»Das ist etwas anderes.«

»Ich verstehe. Frauen und Kinder zuerst. Ich hätte mich wohl auf ein Rückzugsgefecht einlassen sollen, was? Sie hätten ihren Teddy Wise mitnehmen sollen, dann hätten Sie ihren Helden gehabt«, erwiderte Paul verbittert.

»Ach, komm schon, lassen Sie es gut sein.«

Mit dem Gefühl, noch einmal davon gekommen zu sein, redete er sich das Erlebte kurz darauf im Büro des Direktors bei Esmeralda Jones von der Seele. Hier war endlich eine Frau, die ihr Leben nicht nach Verhaltensregeln ausrichtete, wie sie in Dreigroschenromanen beschrieben wurden – eine mondäne, intelligente Frau, definitiv nach seinem Geschmack.

»Diese Aufnahme des Camps ist natürlich vielsagend«, sagte er, ermutigt von ihrer ungeteilten Aufmerksamkeit und ihrem unvoreingenommenen Blick. »Und er sah auch, na ja, eher verkleidet aus. Der Bart hätte falsch sein können, wobei alle Bärte heutzutage falsch aussehen. Auf jeden Fall kann er sich nicht in diesen scheußlichen Lumpen im Camp herumtreiben, und wir haben sonst keine Kleidung in seiner Hütte gefunden.«

»Er könnte ohne Weiteres noch ein anderes Versteck haben, Paul. Nein, ich denke, wir sollten uns die Sache gründlich ansehen. Man kann es nicht leugnen – er hat das mit Abstand beste Motiv, auf das wir bisher gestoßen sind.«

»Wer?«, fragte Captain Wise, der mit einem Stapel Papiere unterm Arm hereinkam, gefolgt von seinem Bruder.

Paul lieferte eine kurze Zusammenfassung und fügte hinzu, »Die Streiche, die bisher gespielt wurden, scheinen zu einem halb wahnsinnigen, boshaften und eher kindischem alten Mann zu passen. Trotzdem glaube ich ...«

»Es käme uns entgegen, wenn diese Tollheiten von jemandem außerhalb des Camps begangen worden wären, meinen Sie nicht, Miss Jones? Ich frage mich, ob wir vielleicht in diese Richtung ein paar Andeutungen fallen lassen könnten. Es würde das Gruppengefühl stärken.«

»Reisen denn schon die ersten Gäste ab?«, fragte Paul.

»Es hat noch kein Exodus eingesetzt«, erwiderte Captain Wise ausweichend. »Ach, übrigens, der Verrückte Hutmacher hat einen Fragebogen ausgefüllt.«

»Was?«, stieß Paul hervor.

Captain Wise reichte ihm ein Blatt Papier. Es war in Großbuchstaben mit ›DER VERRÜCKTE HUTMACHER‹ unterschrieben, und die Antworten waren bedauerlicherweise eher albern:

F. vi   Ich bin Trotsky in Verkleidung.
F. vii   Natürlich, weil es die Sache aufregender macht, ihr einfältigen Tölpel.
F. viii Ruft das Militär, die Britische Marine, den Erzbischof von Canterbury und Old Moore, wenn ihr wollt, aber es wird euch nichts nützen.
F. ix   Miss Jones entführen.

»Damit mag er recht haben«, sagte Captain Wise und zeigte auf die letzte Frage. »Ich wüsste nicht, was im Camp mehr Chaos schaffen würde als das. Wir stellen Ihnen wohl lieber einen Leibwächter, Miss Jones.«

»Sie nehmen das doch nicht etwa ernst?«, fragte Paul.

»Du meine Güte, nein. Tatsächlich haben drei Leute unter dem Namen des Verrückten Hutmachers geantwortet. So ein Witz fällt nicht nur einem ein, das ist ansteckend.«

Teddy Wise, der in prächtigen weißen Flanellhosen auf dem Schreibtisch seines Bruders saß und mit einem Briefbeschwerer, einem Radiergummi und einem Golfball jonglierte, drehte sich rasch um.

»Ansteckend. Da habt ihr's. Das ist genau das, was ich die ganze Zeit gesagt habe. Irgendein verrückter Vogel spielt Streiche, und sofort wird viel Tamtam darum gemacht. Darauf denken ein paar andere Typen – vermutlich alle neurotisch –, Sie müssen mitmachen. Wie bei diesen Messerstechereien in Yorkshire vor ein paar Jahren. Ein Kerl sticht eine Hure ab, vielleicht aus gutem Grund, und dann hören mehrere andere Typen, die nichts damit zu tun haben, davon, schärfen ebenfalls die Klingen und zücken ihre Messer.«

Captain Wise klopfte sich mit seinem goldenen Bleistift gegen die Zähne, den Blick auf Paul gerichtet. »Was halten Sie von dieser Theorie, Perry?«

»Ich bin mir nicht sicher«, antwortete Paul zögernd. »Erst wurde eine Durchsage über die Lautsprecher gemacht und dann ein Zettel am Schwarzen Brett aufgehängt, das spricht gegen diese Theorie und legt nahe, dass nur eine Person hinter den Streichen steckt.«

»Ich weiß, ich bin nicht der Hellste«, sagte Teddy, »aber *wer* steckt dahinter? Der Lautsprecher-Typ taucht die Leute unter und steckt auch hinter dem ersten Vorfall mit dem Sirup ...«

»Und jemand anderes, der zufällig eine Dose Sirup dabei hat, entschließt sich dazu, das Klavier zu sabotieren?«, fragte Miss Jones sarkastisch.

»Also, na ja, Typ A dreht das Ding mit dem Klavier und den Tennisbällen, und dann legt Typ B mit dem Strychnin noch eins drauf ...«

»Von dem er zufällig einen Vorrat in seinem Koffer mitgebracht hat.«

»In Ordnung, in Ordnung. Ich gebe auf.« An der Tür hielt Teddy Wise noch einmal einen Moment inne. »Ich würde sagen, *falls* der Einsiedler der Verrückte Hutmacher ist und *falls* er Miss Thistlethwaite und Perry hier verdächtigt, dass sie ihm auf die Schliche gekommen sind, dann ... na, dann sehen die Dinge nicht so rosig aus für das Mädel, oder?«

»Dann sieh besser zu, dass du rauskommst und auf sie aufpasst, Teddy«, sagte sein Bruder abwesend. »Sag dem Personal, dass es unbedingt nach Leuten Ausschau halten soll, die in der Anlage nichts zu suchen haben. Besonders nach einem älteren Mann ohne Bart und mit rauer Stimme ...«

»... der auf den Namen Ebrahim der Einsiedler hört. Alles klar, Boss, dann setzen wir den mächtigen Apparat mal in Bewegung.«

»Miss Jones und ich sind die Fragebögen durchgegangen«, sagte Captain Wise, als hätte er die launige Bemerkung nicht gehört. »Wenn Sie sie gleich mitnehmen möchten ... Eine blühende Fantasie haben einige dieser Leute.«

»Soll ich Ihnen gleich Tee auf Ihr Chalet bringen lassen?«, erkundigte sich Miss Jones mit professionellem Blick.

»Vielen Dank.«

Zurück auf seinem Zimmer notierte sich Paul die Antworten auf den ersten Teil des Fragebogens. Die Stimmen zurückkehrender Schatzsucher drangen an sein Ohr:

»Ich bin so schmutzig geworden, als ich versucht habe ...«

»Hatten Sie auch den Hinweis mit dem Fahnenmast? Ich weiß wirklich nicht, wie sie sich diese Sachen einfallen lassen.«

»Es war nicht fair. Gertie und Bob hatten einen viel einfacheren ...«

»Na ja, irgendjemand musste ja gewinnen.«

»Meine Freundin ist von irgendetwas gebissen worden.«

»Vermutlich eine Natter, und das hat ihr die Stimmung ruiniert.«

»Hör auf, bitte, du zwickst mich ...«

»Sally ist mit diesem Gentleman mit den Umfragen losgegangen. Glaubst du ...?«

Die Stimmen erstarben, und Paul konnte wieder ungestört arbeiten. Eine Stunde später hatte er die Ergebnisse der ersten fünf Fragen in einer Tabelle zusammengefasst. Dreihunderteinundsiebzig Fragebögen waren abgegeben worden, eine ordentliche Anzahl, wenn man die ganze Ablenkung berücksichtigte, die die Gäste gehabt hatten. Paul lehnte sich zurück und sah sich das Ergebnis noch einmal an. Er bemerkte interessiert, dass als Gründe dafür, weshalb die Gäste ein Urlaubscamp einer gewöhnlichen Ferienanlage vorzogen, in nahezu gleichen Teilen ›Leute kennenlernen‹, ›Erschwinglicher Luxus‹ und ›Neue Erfahrung‹ angegeben worden waren. Zudem dachten 39 %, dass ihr Zuhause und ihre gewohnte Arbeitsumgebung sie aufgrund des Luxus in Wunderland nicht mehr zufrieden stellen würden. Nur 11 % hatten das Bedürfnis, allein zu sein, und 83 % gefiel es, dass ihr Freizeitvergnügen durchorganisiert war wie hier in Wunderland.

Ausnahmsweise tat er sich schwer damit, sich auf das Zahlenwerk zu konzentrieren. Eine unerklärliche Schwermütigkeit, eine diffuse Unzufriedenheit überkam ihn – die Prozentsätze und die sorgfältig ausgearbeiteten Pläne für die Ermittlung schienen ihm nun ein Greifen nach Strohhalmen und ohne jede Substanz zu sein. Doch war dieser unwirkliche Mikrokosmos, der ihn umgab, überhaupt von Substanz? Wie konnte man ein so instabiles, unberechenbares Leben kartieren? Es waren fünfhundert Personen in diesem Camp, und keine blieb lange genug, um alltägliche Gewohnheiten anzunehmen; sie waren alle Moleküle, die von einem Freizeitvergnügen zum nächsten drifteten, sich mit anderen Teilchen zusammentaten, nur um sich dann wieder abzulösen und weiterzudriften. Die älteren Leute und die, die mit Kindern gekommen waren, waren noch regelmäßiger zusammen anzutreffen, aber für die Mehrheit war das Camp wie ein riesiger Kindergeburtstag, auf dem man mit allen gleichermaßen herumtollte, oft ohne den Namen des gegenwärtigen Spielkameraden zu kennen, während die Spiele von einigen wenigen, eher undurchsichtigen Erwachsenen organisiert und beaufsichtigt wurden.

Das war es auch, was nicht nur seine eigenen Nachforschungen so schwierig gestaltete, sondern auch die Bemühungen der Direktion, den Verrückten Hutmacher in die Finger zu bekommen. Er empfand Ungeduld, ja beinahe Verachtung für das Ausgangsmaterial seiner Studie. Solch ein Gefühl, das wusste er, war eine Todsünde für jeden, der sich mit Umfragen beschäftigte. Er hielt nichts von dem organisierten Freizeitvergnügen an einer Eliteschule, aber durchaus etwas von ›Freizeitgestaltung für die Massen‹ in einem Urlaubscamp. Doch die Ungeduld wollte sich nicht auflösen. Der Puritaner in ihm ärgerte sich über den Anblick von Menschenmengen, die sich leichtsinnig vergnügten. Zuerst hatte er Gefallen daran gefunden, außerhalb von allem zu stehen – die neutrale, leidenschaftslose Maschine, die alles beobachtete. Mittlerweile fühlte er sich jedoch ausgeschlossen, eine Gestalt, die missgünstig um einen magischen Kreis herumschlich.

Es klopfte an der Tür, und Sally Thistlethwaite kam herein.

»Hallo«, sagte sie und warf einen neugierigen Blick auf seine Notizbücher. »Das Genie bei der Arbeit.«

»Hallo.«

»Was ist los? Sie machen ein Gesicht wie sieben Tage Regenwetter. Kommen Sie und machen Sie bei einem Spiel mit.«

»Ich bin beschäftigt.«

»Ich vermute mal, das bedeutet, dass Sie die Jones erwarten.«

»Vermuten Sie, was Sie wollen.«

»Probleme mit den Hausaufgaben?«, fragte sie und linste über seine Schulter.

»Seien Sie nicht so kindisch.«

Sally machte auf dem Absatz kehrt und schlug die Tür hinter sich zu. Er hörte sie Teddy Wises Namen rufen. Augenblicklich wurde er von Panik gepackt: Sie würden zusammen zurückkommen, um ihn zu hänseln. Er erinnerte sich an Vorfälle aus seiner Schulzeit; oder vielleicht würde sie diesen Idioten auf ihn ansetzen. Er stahl sich hastig aus seiner Hütte und ging in Richtung Hauptgebäude.

Wütend auf sich selbst und die Welt lief er durch die verschiedenen Spielzimmer. In einem fand gerade ein Tischtennisturnier statt, in einem anderen spielte Mr Thistlethwaite Billard beziehungsweise segnete er mit hieratischen Gesten den Anstoß seines Gegners. In einem dritten waren mehrere Gruppen junger Leute geräuschvoll mit einem Flipperautomat, Pfeilwurfspiel und Münzenschnipsen beschäftigt. Paul sah ihnen eine Weile zu, wobei er sich vage bewusst war, dass seine semi-offizielle Position im Camp, die er durch seine Umfrage erhalten hatte, ihn aus ihrem Kreis ausschloss. Sie lächelten ihm zwar freundlich zu, aber gleichzeitig wirkten sie etwas befangen, als ob er ihre vergnügten Gespräche aufzeichnen und ihren Spaß als Dokumentarsendung in die ganze Welt ausstrahlen würde.

Paul ging wieder hinaus, an den Tennisplätzen vorbei und zum Vergnügungspark. Das war noch so eines dieser Projekte der Wunderland-Direktoren gewesen, um alle anderen Urlaubscamps zu übertreffen. Besonders bei Kindern war der Vergnügungspark sehr beliebt, es gab Rutschen, Autoscooter, ein Karussell, eine Wurfbude, Schaukeln und noch einige andere Attraktionen. Momentan war es jedoch relativ leer, gerade erst hatte der Sechs-Uhr-Gong zum Abendessen der Kinder geläutet. Eine Gruppe Erwachsener stand am Schießstand, und ihr gellendes Gelächter zeugte von ihrem Vergnügen.

Paul trat hinzu und stellte fest, dass Mr Morley der Grund für ihre Belustigung war. Neben dem üblichen Scheibenschießen bot der Schießstand für einen Penny ein noch größeres Spektakel: ein grellbuntes Dschungelpanorama, hinter dem Löwen, Tiger, Giraffen, Nashörner und Wildschweine aus Pappe zum Vorschein kamen und mit ruckartigen Bewegungen daran vorbeizogen. Albert Morley zielte mit einem Winchester Repetiergewehr Kaliber .22 und angestrengt zusammengekniffenen Augen auf die Pappfauna und versuchte, Treffer zu landen. Der Jäger hatte jedoch außergewöhnliches Pech, denn das Wild schien immer zu springen, kurz bevor er einen Schuss abfeuerte. Allerdings war es zweifelhaft, ob er getroffen hätte, wären die Tiere stillgestanden; seine Angewohnheit, mit fest verschlossenen Augen den Abzug zu drücken, war großer Treffsicherheit nicht unbedingt zuträglich.

Paul hatte schon bald den Grund für diese verblüffende Voraussicht des Großwilds herausgefunden. Jedes Mal, wenn Albert zum Schuss ansetzte, spähte die Gruppe verholen zur einen Seite des Schießstands. Dort stand Teddy Wise und beobachtete aufmerksam Mr Morleys Abzugsfinger. Sobald er sich krümmte, riss Teddy an einem Hebel, mit dem er die Papptiere bediente. Mr Morley war ein sehr bedächtiger Schütze; er hatte seinen Penny schon verschossen, und Teddy manipulierte die Tiere vor der Dschungelkulisse, indem er einen Hebel bediente, der normalerweise verriegelt war.

Schon komisch, dachte Paul, während er die Darbietung mit Abneigung verfolgte, dass jede Belustigung auf Kosten von jemandem irgendwann böswillig wird. Am Anfang war es reiner Spaß gewesen. Teddy hatte wahrscheinlich den Hebel entsperrt und ihn in einem Anflug von Großzügigkeit betätigt, damit Albert noch ein paar Schüsse abfeuern konnte, nachdem sein Penny verbraucht war. Doch die Menge hatte ihn gesehen, ihn heimlich angestachelt, und Teddy hatte Applaus noch nie widerstehen können. Nun lachte man auf eine Weise, die weniger angenehm war. Selbst Teddy sah eher schuldbewusst aus, als Mr Morley aufhörte zu schießen, und ihm die anderen erklärten, wieso er nicht getroffen hatte.

Albert Morley zog sich gut aus der Affäre. Er blickte zwischen Teddy und den anderen hin und her, blinzelte unsicher, errötete und neigte ein paarmal auf diese merkwürdige Weise, die ihm zu eigen war, seinen Kopf. Dann strahlte er in die

Runde und erklärte, dass er kein besonders guter Schütze sei und vielleicht erst Schießübungen hätte machen sollen, bevor er sich als Großwildjäger versuchte. Ja, man konnte sich immer darauf verlassen, dass Mr Morley alles gut aufnahm, dass er einen Spaß quasi wieder unschuldig werden lassen konnte. Er nahm ein anderes Gewehr und ging hinüber zum Scheibenschießen. Teddy Wise, der sich aufgrund seines unbedachten Streiches zweifellos etwas schämte, nahm sich seiner an und zeigte ihm, wie man zielte und wie man den Abzug betätigte, ohne dabei die Waffe herumzureißen. Bevor er ging, bemerkte Paul, dass Albert trotzdem immer nur den äußersten Rand der Scheibe traf.

Auf dem Rückweg zum Hauptgebäude traf er die beiden Mädchen, die bei dem Konzert neben ihm gesessen hatten. Phyllis Arnold sah noch hilfloser und ungesünder aus als beim letzten Mal. Ihre Freundin Janice musste sie vorwärts schieben und für sie sprechen.

»Ach, Mr Perry, verzeihen Sie den Überfall«, sagte sie atemlos, »aber ich glaube Phyll... Miss Arnold sollte einen Arzt aufsuchen.«

»Aber es gibt doch den für das Camp zuständigen Arzt. Sie finden ihn ...«

Janice Mears zog ihn beiseite und ließ ihre Freundin auf dem Kiesweg stehen, die trübselig ihre Hände in die weiten Ärmel ihres Tennisanzugs gesteckt hatte.

»Ich weiß«, erwiderte sie. »Aber sie ist so dickköpfig. Sie gehört irgendeiner Sekte an. Ich dachte mir, dass Sie es vielleicht schaffen, sie zu überzeugen. Sie mag Sie sehr gern, wissen Sie?«

Ach Gott!, dachte Paul. Das ist absurd. Warum hat sie sich

nicht einfach mit dem Buchklub der Linken zufriedengegeben.

»Was stimmt nicht mit ihr?«, fragte er.

»Sie hat Blasen. Riesenblasen. Komm mal her, Phyllis. Zeig Mr Perry deine Blasen.«

Das Mädchen errötete heftig, kam zu ihnen, zog die Hände aus den Ärmeln und streckte sie vor sich hin. Auf ihren Unterarmen waren mehrere Blasen, beinahe so groß wie Golfbälle, zu sehen.

»Großer Gott!«, stieß Paul schockiert hervor. »Wie im Himmel ist das passiert? Seit wann haben Sie die?«

Das Mädchen brach in Tränen aus. Ihre Freundin antwortete für sie.

»Sie waren auf einmal da, kurz nachdem sie von der Schnitzeljagd zurückgekommen ist.«

»Sie haben nicht zufällig mit Senfgas herumexperimentiert?«, fragte Paul leichthin.

»Aber natürlich nicht, Mr Perry«, erwiderte Phyllis Arnold. »Wie kommen Sie darauf?«

»Sie sehen ganz danach aus. Sie müssen sich verbrannt haben. Ein Petroleumkocher oder so etwas?«

»Aber ich habe mich nicht verbrannt. Sie waren auf einmal da.«

»Wie auch immer, der Arzt wird sich darum kümmern. Sollen wir gleich zu ihm gehen?«

»Ich würde lieber nicht zum Arzt gehen, trotzdem vielen Dank«, erwiderte Miss Arnold störrisch, mit einem verlegenen Ausdruck von Selbstkasteiung.

Paul überlegte rasch. »Ich kann Sie verstehen. Ihre Überzeugungen sind zu respektieren. Aber ich denke, Sie sollten den Arzt einen Blick darauf werfen lassen. Es handelt sich hier eventuell um etwas Ansteckendes, und das sollten wir von Anfang an beobachten. Denken Sie an all die anderen Leute im Camp. Sie müssen sich ja nicht behandeln lassen, wenn Sie nicht möchten.«

Das Mädchen akzeptierte diese simple Argumentation. Sie litt augenscheinlich unter Schmerzen, als sie gemeinsam zum Chalet des Arztes gingen.

»Das ist Miss Arnold«, sagte Paul, als Doktor Holford die Tür öffnete. »Wir dachten ...«

»Ja«, fiel ihm Janice Mears ins Wort. »Sie hat ganz furchtbare Blasen. Mr Perry meint, sie kommen von Senfgas.«

»Machen Sie sich nicht lächerlich. Ich habe nur Spaß gemacht.« Paul fühlte sich sichtlich unwohl. Der junge Arzt warf ihm einen kühlen, abschätzenden Blick zu, bat sie herein und untersuchte den Unterarm des Mädchens.

»Hmm«, sagte er schließlich. »Sehen übel aus, die Dinger. Aber kein Grund, sich Sorgen zu machen. Wir lassen einfach die Flüssigkeit ab und legen einen trockenen Verband an.«

Als er sah, dass Miss Arnold protestieren wollte, ging Paul zur Tür. Er wollte nicht in eine Diskussion über Sekten verwickelt werden.

»Wenn Sie später noch einmal hereinschauen könnten, Perry, vielleicht in einer Viertelstunde?«, sagte der Arzt leise, ohne aufzusehen.

»Sicher.«

Fünfzehn Minuten später fand Paul sich wieder bei dem Arzt ein. Phyllis Arnold und ihre Freundin waren bereits gegangen. Dr. Holford bot ihm ein Getränk und eine Zigarette an und kam sofort zum Punkt.

»Woher sind Sie mit der Wirkung von Senfgas vertraut, wenn ich fragen darf?«

»Ein Freund von mir in Cambridge, ein Chemiker, hat Experimente damit gemacht und etwas davon auf die Haut bekommen. Aber Sie denken doch nicht etwa wirklich ...«

»Diese Blasen sind mir ein Rätsel, wenn ich ehrlich sein soll. Fakt ist, dass sie tatsächlich aussehen wie Blasen, die von Senfgas hervorgerufen werden. Das ist natürlich absurd, aber das Mädchen hat keine Erklärung dafür. ›Sie waren auf einmal da‹, sagt sie. Ich würde keinen Gedanken daran verschwenden, wenn sich nicht diese Vorfälle im Camp zugetragen hätten.«

»Aber man müsste das Zeug doch sprühen. Wie soll das gehen.«

»Innerhalb des Camps vielleicht. Doch vergessen Sie nicht die Schnitzeljagd.«

»Irgendwo auf dem Weg hätte mehr als eine Person etwas davon abbekommen.«

»Dessen bin ich mir sehr wohl bewusst.« Wie viele andere in seinem Beruf missbilligte Dr. Holford Laien, die sich dessen Mysterium nähern wollten. In einem etwas distanzierteren Ton fuhr er fort. »Es war übrigens nicht besonders intelligent von Ihnen, vor den zwei jungen Damen Senfgas zu erwähnen. Ich habe mein Möglichstes getan, um diese Idee als lächerlich abzutun, andernfalls wüsste jetzt das gesamte Camp Bescheid.«

Das war auch bald der Fall. Es hätte einer Person mit mehr Willensstärke als Miss Janice Mears bedurft, um so eine Neuigkeit nicht auszuplaudern. Sobald sie Phyllis Arnold überzeugt hatte, sich hinzulegen, suchte sie ihren momentanen Freund auf und erzählte ihm alles. Nach einer halben Stunde kursierten zahlreiche Gerüchte in Wunderland, und beinahe das gesamte Camp wusste, dass der Verrückte Hutmacher wieder zugeschlagen hatte – diesmal mit Giftgas. Die Liste der Verletzten wuchs rasch an, von einem Mädchen mit Blasen, zu einem Dutzend, zwanzig, fünfzig, alle an der Schwelle des Todes. Der Abendtau fiel, doch seine Heilkräfte wirkten heute nicht – ein andersartiger, ein giftiger Tau beschäftigte die Leute. Sie begutachteten einander misstrauisch und untersuchten verstohlen die eigene Haut, wie Menschen in einer von der Seuche geplagten Stadt.

Zur gleichen Zeit rief Mr Thistlethwaite alle Mitglieder des Sportkomitees zusammen, die er finden konnte, und ging mit ihnen zum Büro des Direktors. Captain Wise, der die Gerüchte bereits gehört hatte, war genauso bestürzt wie alle anderen. Die Senfgas-Theorie würde zweifellos bald widerlegt werden, aber in der Zwischenzeit war der Schaden längst angerichtet. Waren sie nicht der Meinung, dass es an der Zeit sei, die Polizei einzuschalten? Miss Jones gab zu bedenken, dass das die allgemeine Panik noch verschlimmern würde, aber ein ratloser und gereizter Captain Wise fuhr ihr über den Mund.

Nach einer längeren, hitzigen, aber fruchtlosen Diskussion ergriff Mr Thistlethwaite das Wort. Man sollte einen Kompromiss eingehen, verkündete er gewichtig. Sie wollten doch nicht die Aufmerksamkeit der Öffentlichkeit auf sich ziehen, was bei einer polizeilichen Intervention fraglos der Fall wäre. Allerdings könne man angesichts dieser Bedrohung, die so verheerend für die Gemeinschaft war, auch nicht länger untätig bleiben; ein Privatdetektiv müsse hinzugezogen werden.

Wie der Zufall es wollte, hatte er selbst einen solchen unter seinen Kunden: ein gründlicher Gentleman – das verstehe sich von selbst – und ein brillanter Ermittler, einer der Allerbesten. Ein Mr Strangeways. Mr Thistlethwaite könnte ihn vielleicht davon überzeugen, den Fall anzunehmen, wenn er denn momentan nicht anderweitig beschäftigt sei. Das Komitee befürwortete diese Entscheidung, und kurz darauf führte Miss Jones ein Ferngespräch mit London.

Teil II

MR THISTLETHWAITE NIMMT MASS

IX

Am nächsten Morgen nach dem Frühstück nahm Mr Thistlethwaite Paul Perry zur Seite. Sie gingen hinüber zum Bowlingrasen, wo einige ältere Gäste bereits ihre Drinks nahmen, und setzten sich auf eine erhöhte Rasenfläche. Mr Thistlethwaite war in Gedanken, hatte aber offenbar keine Eile, diese zu teilen. Die gemächlichen Bewegungen der Spieler, ihre beiläufigen Flachsereien sowie das Sonnenlicht des noch jungen Morgens – die gesamte Umgebung wie auch Mr Thistlethwaites wohlbekleidete Fülle verhießen *otium cum dignitate*.

»Was für eine Erleichterung, Sir, dass der Kostümball gestern Abend ohne Zwischenfälle vonstatten ging.«

»In der Tat.«

»Gut gespielt, Sir! Schöner Wurf! Wissen Sie, Mr Perry, ich sage immer, dass Bowling ein für England typisches Spiel ist, denn es erfordert absolute Geduld, gute Stimmung, Voraussicht und harmlose Rivalität. Es ist außerdem – korrigieren Sie mich, wenn ich falschliege – der einzige nationale Zeitvertreib, dem noch nicht der Makel des Berufssports anhaftet.«

»Was ist mit Polo?«

»Sir, ich sprach von demokratischem Zeitvertreib«, erwiderte Mr Thistlethwaite einigermaßen streng. »Polo ist das

Spiel des reichen Mannes, auch wenn es das nicht unbedingt schlechter macht. Viele Gentlemen meiner Klientel frönen diesem Sport – hart, aber herzlich – ein wahrlich mannhaftes Spiel. Doch nicht zugänglich für die Massen und daher nicht als typisch englischer Sport zu klassifizieren. Oh nein, Sir.«

»Ich nehme an, Bowls ist beispielhaft für unseren Nationalcharakter«, bekräftigte Paul diese Schönfärberei. »Aus Vorurteilen eine Tugend machen, zum einen, und unser Ziel über Umwege erreichen: Ausländer nennen das die ›britische Scheinheiligkeit‹. Aber wir wissen es besser: Wir nennen es Bowls.«

»Sie nehmen mich auf den Arm, Sir, wie ich sehe«, gab Mr Thistlethwaite gutgelaunt zurück. »Ach ja, wer könnte in Anbetracht dieser unschuldigen Szene vermuten, dass über ihr der Schatten des Todes liegt?«

»Allerdings«, Paul sah seinen Begleiter an und bemerkte, dass dessen Gesicht tatsächlich einen eher trübsinnigen Ausdruck angenommen hatte. »Aber Sie denken doch wohl nicht wirklich, dass dieser Verrückte Hutmacher …«

»Der Todesengel schwebt vielleicht schon über uns, Sir. Wir müssen dafür sorgen, dass er sich nicht zu uns herunterschwingt.«

»Das klingt, als bräuchten wir eher ein Luftabwehrgeschütz als einen Ermittler.«

Mr Thistlethwaite tat dies mit einer freundlichen Geste ab – eine Geste, die von Albert Morley, der auf der anderen Seite des Bowlinggrüns vorbeilief, als eine feierliche Einladung missinterpretiert wurde. Er kam zu ihnen, wackelte sorgenvoll ein- oder zweimal mit dem Kopf und setzte sich ein Stück abseits ins Gras. Es war typisch für seine Unentschlossenheit, dass er sich weder nahe genug setzte, um miteinbezogen zu werden, noch weit genug weg, als dass sie ihn hätten ignorieren können.

Mr Thistlethwaite beäugte den kleinen Mann einen Moment gedankenverloren und wandte sich dann an Paul.

»Wir sprachen gerade vom Tod, Sir«, unkte er. Mr Morley zuckte zusammen und drehte seinen Kopf zur Seite wie ein scheuendes Pferd.

»Tod«, fuhr Mr Thistlethwaite fort, »der größte Demagoge, den es gibt. Hm. Nun, Sir, Sie sind in genauer Beobachtung geschult und im Vorteil, wenn es darum geht, die psychologischen Reaktionen sowie die generelle Stimmung und Moral einer Gemeinschaft abzuschätzen. Würden Sie sagen, dass es hier bei uns seit gestern eine spürbare Veränderung gegeben hat?«

»Na ja, ich glaube, dass die Leute sich der Panik, in die sie gestern Abend geraten sind, etwas schämen. Und wenn Menschen diese Art von Erleichterung und Demütigung erfahren, neigen sie dazu, ihren Ärger an jemand anderem auszulassen.«

»Ganz genau. Eine scharfsinnige Beobachtung, wenn ich das so sagen darf. Die Menschen suchen nach einem Opfer, einem Sündenbock. Bitte fahren Sie fort.«

»Es herrscht merklich mehr Zusammenhalt. Der *Esprit de corps* erhebt sein hässliches Haupt.«

»Ich würde es vielleicht anders formulieren, aber nichtsdestotrotz stimmt es. Die Präsenz eines Staatsfeindes in unserer Mitte, die erst leichte Verärgerung und Neugier hervorrief, dann Feindseligkeit und Verdächtigungen, hat uns nun in eine dritte Phase gebracht. Diejenigen, die am lautesten geschrien haben, dass die Campleitung etwas unternehmen solle und ihre Ineffizienz angeprangert haben, sind nun die ersten« – Mr Thistlethwaite billigte seine umgangssprachliche Formulierung mit einem gutmütigen Nicken – »die ersten, die angelaufen kommen. Nehmen wir Miss Gardiner. Captain Wise – habe ich läuten hören – kann sich kaum noch retten vor Hilfsangeboten. Abgesehen davon sieht es die Mehrheit der Gäste, die sich scharenweise hätte verabschieden beziehungsweise ausstempeln können, wie der junge Mr Wise sich ausdrücken würde, mittlerweile als eine Frage der Ehre an, hierzubleiben und sich dem Feind zu stellen. Es möge sich der hüten«, schloss Mr Thistlethwaite, »der mit dem Feuer spielt.«

»Schweifen wir nicht eher weit vom Thema Tod ab?«, fragte Paul.

Sein Begleiter verfolgte mit den Blicken eine gerade geworfene Bowls-Kugel, die perfekt ausgerichtet war, das Grün hinaufrollte, um die anderen Kugeln herum und schließlich den Jack leicht berührte und dort liegenblieb.

»Sir«, sagte er, »wie weit wir auch abschweifen, dem Tod entkommen wir nicht. Aber lassen Sie uns zum Thema zurückkehren. Meine Argumentation lässt folgenden Schluss zu: Nehmen wir einmal an, dass die Gräueltaten des Verrückten Hutmachers dazu gedacht waren, die Gäste zu demoralisieren und so dem Unternehmen Wunderland zu schaden. Dieses Ziel ist eklatant verfehlt worden, und der Übeltäter sollte dies mittlerweile auch bemerkt haben. Daher könnten wir damit rechnen, dass die Feindseligkeiten ein Ende haben, vor allem da öffentlich gemacht wurde, dass die Campleitung einen Ermittler einbestellt hat.«

»Na also, da werden alle ziemlich erleichtert sein.«

Mr Thistlethwaite hob drohend einen Finger. »Aber diese Hypothese kann auch falsch sein. Es besteht die Möglichkeit, dass diese Schandtaten letztendlich nur einer einzigen Person galten.«

»Oh, aber ich wollte noch sagen ...«, protestierte Albert Morley, der vor Ungeduld angefangen hatte zu zappeln.

»Erlauben Sie mir, meinen Gedankengang weiterzuverfolgen. Nehmen wir außerdem an, dass ich ein persönliches Motiv habe, Sie umzubringen, Mr Morley ...«

Albert starrte ihn an, bleich und wie gebannt vor Entsetzen.

»... oder vice versa«, schloss Mr Thistlethwaite. »Es wäre doch ein Leichtes, zufällig ausgewählten Opfern eine Reihe von Streichen zu spielen, und dann, wenn eine humorige Atmosphäre geschaffen wurde, das wirkliche Opfer anzugreifen. Nur ein weiterer Streich, allerdings einer, der unglücklicherweise zu weit ging. Geschickt getarnt, würde gar nicht erst der Verdacht aufkommen, dass es sich um vorsätzlichen Mord handelt. Was meinen Sie, Mr Morley?«

»Schon möglich. Aber die Sache mit dem Motiv ... Ich meine, wie kann man je herausfinden ...?«

»Genau«, sagte Paul, »unter fünfhundert Leuten diejenigen zu finden, die ein Motiv hätten, jemanden umzubringen, wäre eine Heidenarbeit.«

»Viele von ihnen können wir ausschließen, Sir. Man kann davon ausgehen, dass der Gauner seinen Plan bereits ausgearbeitet hatte, bevor er nach Wunderland kam. Das bedeutet, dass sein zukünftiges Opfer nicht jemand ist, den er erst hier kennengelernt hat, sondern eine Person, die ihm aus seinem Alltag bekannt ist.«

»Wenn wir also herausfinden könnten, welche der Gäste sich kannten, bevor sie hierherkamen, würde sich die Suche nach dem Verbrecher und seinem Opfer auf diesen Personenkreis beschränken?«

»Ganz genau. Vielleicht gehören sie zur gleichen Familie. Die meisten Morde geschehen aus Besitzgier. Angenommen X ermordet Y, um von seinem Testament zu profitieren, so ist das Motiv normalerweise nur allzu offensichtlich - die Polizei muss sich einfach bloß im Kreis der Familie umsehen. Doch ein scheinbarer Unfalltod, als Ergebnis eines misslungenen Streiches als Teil von einer ganzen Serie von Streichen und in einer großen Gemeinschaft vollzogen, würde solch ein Motiv äußerst effektiv verbergen.«

»Da haben Sie recht. Aber ich verstehe immer noch nicht, wie wir herausfinden sollen, welche der Gäste - abgesehen von jenen, welche mit ihren Familien angereist sind - auf Ihre Beschreibung passen.«

»Hier kommen Ihre eigenen Dienste ins Spiel, Mr Perry. Sie bekleiden eine semi-offizielle Position hier, was sie in die Lage versetzt, Fragen zu stellen, ohne in das Privatleben der Leute einzudringen. Außerdem wäre da noch Ihr Fragebogen, auf dem die Gäste ihre Namen und Adressen eintragen sollten. Eine Untersuchung dieser Adressen würde wenigstens vorläufige Ergebnisse liefern.«

Sie beschlossen, sofort mit der Arbeit an den Fragebögen zu beginnen, obwohl Paul insgeheim überzeugt war, dass die Ermittlungen sich dadurch nur geringfügig eingrenzen lassen würden. Mr Thistlethwaite hatte sich indes so sehr auf diese Theorie versteift, dass er einem dieser durchschnittlichen, vertrauenerweckenden Männer mit Hängebacken ähnelte, unter dessen Foto in der Zeitung man lesen konnte »Hauptkommissar ..., einer der fünf Verantwortlichen der Ermittlungen«. Nur die Melone fehlte noch.

Während sie mit den Fragebögen beschäftigt waren, wurde Sally, die beim Sonnenbaden am Strand war, von einem Mann angesprochen, der sich zwanglos, wie in Wunderland üblich, zu ihr setzte. Sie lag auf dem Bauch, spielte mit den Zehen in dem weichen Sand und schenkte ihm anfangs keine große Beachtung. Er sah aus wie einer der typischen, älteren Gäste, in grauen Flanellhosen, Sakko und offenem Hemd, mit einem dieser alterslosen Gesichter, dessen Falten und graue Haare im Widerspruch zu den scharf geschnittenen Zügen und dem wachsamen Ausdruck standen. Auch seine Stimme war angenehm – tief, väterlich und irgendwie beruhigend. Später, als ihre Mutter sie nachsichtig dafür tadelte, wie sie sich ihm gegenüber verhalten hatte, konnte Sally nur erwidern, dass er einen absolut harmlosen Eindruck gemacht hatte.

Die beiden hatten sich einige Minuten unbeschwert unterhalten, bis Sally sagte, »Seien Sie so freundlich und cremen Sie mir den Rücken mit dem Sonnenöl hier ein.«

»Sie sehen nicht so aus, als würden Sie es brauchen.«

»Oh doch. Ich soll in dem Kabarett morgen eine Südsee-Schönheit spielen.«

Während der Fremde das Öl einrieb, wandte sich die Unterhaltung dem Verrückten Hutmacher zu. Er hatte nicht gewusst, dass sie das erste Opfer des Übeltäters gewesen war. Das musste eine furchtbare Erfahrung gewesen sein, so untergetaucht zu werden. Wie hatte sie sich dabei gefühlt?

Sally plapperte fröhlich weiter. Sie sprachen über die anderen Taten des Verrückten Hutmachers und welche Auswirkungen sie auf die Gäste gehabt hatten. Dann stand der Fremde auf, wischte sich die Hände an einem schmutzigen Taschentuch ab und ging davon. Als sie aufsah, um ihm für seine Hilfe zu danken, nahm sie unbewusst etwas wahr, das ihr erst später, als der Mann bereits oben auf den Klippen angekommen war, vollends klar wurde.

Er hatte keine der Identifikations-Plaketten getragen wie in Wunderland üblich. Das war es gewesen.

Aber er war keine Ausnahme. Am Strand wurde sie von vielen Leuten nicht getragen. Er war indes nicht schwimmen gewesen, hatte kein Handtuch oder Badekleidung bei sich gehabt. Jetzt mach dich nicht lächerlich. Ja, er war ein älterer, grauhaariger Mann, der mit Bedacht gesprochen hatte, doch die Stimme des Einsiedlers klang wesentlich anders – heiser, belegt. Aber man konnte seine Stimme auch verstellen. Angenommen es war der Einsiedler, der Verrückte Hutmacher gewesen. Er hat dir nichts angetan, du armer, nervöser Einfaltspinsel. Er war sehr nett und freundlich. Er hat sogar ...

Sallys Blick fiel auf die Flasche mit dem Sonnenöl, die noch dort stand, wo er sie im Sand hingestellt hatte. Ihr wurde abwechselnd heiß und kalt, als würde sie draußen im Meer abwechselnd durch kühlere und wärmere Strömungen schwimmen. Sie fühlte sich einer Ohnmacht nahe und beim Gedanken an das andere Mädchen mit den Blasen hätte sie schreien mögen. Blasen. Senfgas, hatte es geheißen, bis Captain Wise in einer Rede die Leute angeprangert hatte, die solch ein lächerliches Gerücht verbreiteten. Aber innerhalb weniger Stunden konnte man seine Gedanken nun einmal nicht von diesem Gerücht befreien.

Oh Gott, dachte sie und hielt die Flasche hoch in dem verzweifelten Versuch, sich daran zu erinnern, wie voll sie vorhin noch gewesen war. Oh Gott, wenn es nun was anderes war, das er mir auf den Rücken getan hat, etwas aus einer anderen Flasche?

Sie erschauderte. Sie konnte wieder seine Hand spüren, die sanft, aber beharrlich ihren Rücken eingerieben hatte, die Hand dieses furchtbaren, alten Mannes im Wald, sein Armwedeln, der Verrückte Hutmacher, der Hunde vergiftete.

Augenblicklich wappnete sie sich gegen die Panik, die in ihr aufstieg. Man rieb Leute nicht mit Senfgas ein; und wenn es Säure – Schwefelsäure oder so etwas – gewesen wäre, dann hätte sie sofort ein Brennen gespürt, und außerdem hätte er sich selbst die Hand verätzt. Aber trotzdem, es hätte immer noch der Verrückte Hutmacher sein können, den es zurück an den Schauplatz seines Verbrechens gezogen hatte. Er hatte keine Plakette getragen und angefangen über diesen Witzbold zu sprechen und das auf eine so seltsam interessierte, ja wissbegierige Weise, als ob er die Streiche nicht selbst gesehen hätte und sich an dem Bericht eines Augenzeugen ergötzen wollte.

Sally sprang auf, lief ins Wasser und schwamm hinaus zu Teddy Wise, der auf einem der Flöße saß. Atemlos erzählte sie ihm, was sich zugetragen hatte. Sofort kam Leben in seine müden Augen. Sie beeilten sich, zurück ans Ufer zu kommen, warfen sich ihre Bademäntel um die Schultern und kletterten den steilen Pfad hinauf. Sally hatte keine klare Vorstellung davon, wie sie den Unbekannten unter all den Menschen und Gebäuden in Wunderland finden sollten, aber mit Teddys riesigen Schritten mithalten zu müssen, ermutigte sie.

Als sie sich dem Hauptgebäude und den Freizeitanlagen

näherten, stellten sie fest, dass es doch ein großer Unterschied war, ob man durch eine Ansammlung von Fremden rannte oder durch eine Menschenmenge in Krisenstimmung. Es war kein Durchkommen, die Gäste Wunderlands scharten sich sofort um die beiden, um Hilfe anzubieten oder Fragen zu stellen, sobald sie Teddy und Sally rennen sahen. Schließlich mussten sie einhalten, und auf Teddys Vorschlag hin beschrieb Sally den Mann vom Strand. Die Gäste schwärmten aus, um ihn zu suchen.

»Hör mal, Teddy«, sagte sie. »Falls es der Verrückte Hutmacher war und er wirklich herumläuft, um sich zu erkundigen, was die Leute von seinen Späßen halten, wird er vielleicht auch mit der Frau sprechen, deren Hund er vergiftet hat oder mit dem Mädchen mit den Blasen. Schnell! Wen sollen wir zuerst suchen?«

Sie entschieden sich für Phyllis Arnold, der der Arzt Bettruhe in ihrer Unterkunft verordnet hatte. Es war die richtige Entscheidung. Als sie sich dem Chalet näherten, sah Sally, wie der Unbekannte gerade herauskam, und sie war sofort überzeugt von seiner Schuld; denn sobald er sie gesehen hatte und noch bevor Teddy ihm zurufen konnte, er solle stehenbleiben, machte er sich auf und davon und rannte den Weg zwischen den Chalets hinunter.

»Schau nach, ob es ihr gut geht«, rief Teddy und zeigte hektisch auf Phyllis Arnolds Chalet. Sally gehorchte ihm widerwillig. Das Mädchen lag auf dem Sofa und sah elend aus, aber kein bisschen erstaunt.

»Wieso schreien alle so?«, fragte sie.

»Ach, das ist nur irgendjemand«, erwiderte Sally vage. Es würde nichts helfen, das Mädchen noch mehr zu beunruhigen.

»Sie sind ganz außer Atem, Miss.«

»Ich bin gerannt.« Trotz ihrer jungen Jahre wusste Sally instinktiv, dass die Wahrheit gelegentlich weitaus trügerischer sein kann als jede Lüge. »Ich dachte mir, ich schaue vorbei, um nachzusehen, wie es Ihnen geht.«

»Sehr freundlich von Ihnen. Nicht, dass ich krank wäre, wohlgemerkt. Nicht, was Sie als krank bezeichnen würden. Das ist alles Ansichtssache, denken Sie nicht?« Miss Arnold zog die Decke über ihre Arme. »Trotzdem sage ich immer, dass man nie weiß, wie mitfühlend die Leute sind, bis es einem schlecht geht. Man muss sich nur die Arbeiterklasse ansehen, wie dort die Leute einander helfen. So viele Leute haben sich heute Morgen nach mir erkundigt. Kurz bevor Sie gekommen sind, war ein Gentleman da – er war so freundlich –, der mich gefragt hat, wie das alles passiert ist, und meine Narben, also meine Arme, sehen wollte.«

»Haben Sie sie ihm gezeigt?«

»Ich wollte nicht, verstehen Sie, meine Liebe? Aber er war so freundlich, dass es einfach zu unhöflich gewesen wäre. Also habe ich ihn den Verband abnehmen lassen.«

»Ach ja?« Sallys Herzschlag schien einen Moment auszusetzen. »Hat er … etwas gemacht«?

»Etwas gemacht? Er war äußerst respektvoll. Ich würde einem Mann niemals erlauben, sich etwas herauszunehmen.«

»Hat er sie berührt? Die Narben?«

»Nein, er hat sie sich nur angesehen. Das war alles. Wieso?«

»Ach, nichts. Ist das da auf dem Tisch der Verband? Sollten Sie ihn nicht wieder anlegen? Lassen Sie mich das machen. Eine gute Übung in Erster Hilfe.«

»Nein, meine Liebe, aber trotzdem vielen Dank. Ich darf

nicht nochmal so schwach werden. Das ist alles Ansichtssache, verstehen Sie?«

»Sie meinen, die Blasen waren gar nicht da?«

»Nicht ganz. Aber wenn ich daran glaube, dass ich gesund bin und genug Glauben habe, dann werde ich auch gesund sein.«

»Aber könnten Sie nicht den Verband wieder anlegen und das trotzdem glauben ...?«

»Sie verstehen nicht, meine Liebe«, erwiderte Miss Arnold mit nervtötender Eindringlichkeit. In diesem Augenblick tauchte Teddy Wise auf, erkundigte sich nach der Kranken und nahm Sally mit nach draußen. Der Unbekannte sei ihm entwischt, sagte er, und zwischen den Bäumen hindurchgerannt, über die Steinmauer geklettert und auf einem Motorrad davongefahren. Teddy hatte das Nummernschild nicht erkennen können, und bis er sein eigenes Auto aus der Garage des Camps geholt hätte, um die Verfolgung aufzunehmen, wäre der Kerl schon über alle Berge gewesen. Sally erzählte ihm, weshalb der Fremde in Miss Arnolds Hütte gewesen war.

»Falls dieser Bursche der Einsiedler und der Verrückte Hutmacher ist«, sagte Teddy, »dann lässt sich nur schwer sagen, was er vorgehabt hat. Er hätte schon mit mehr Sirup herumrennen müssen, oder was auch immer sein nächster schmutziger Trick ist, anstatt sich mit seinen Opfern auszutauschen.«

»Aber wer hätte es sonst sein können? Warum ist er weggerannt?«

»Ich habe keinen Schimmer. Wahrscheinlich war ihm die ganze Aufregung zu viel. Weißt du irgendwas über diesen Ermittler, den dein Vater empfohlen hat?«

»Nein, keine Ahnung.«

»Für mich sind private Ermittler nichts anderes als hinterhältige Quälgeister, die gerade groß genug sind, um durch Schlüssellöcher zu spähen. Aber der hier wird wohl ein Meister seines Fachs sein – Adleraugen, Achtzylindergehirn und der ganze Zirkus. Na ja, wird er alles brauchen.«

»Ich wünschte wirklich, ich hätte eine Ahnung, was dir so im Kopf herumgeht.« Sally überraschte sich selbst mit dieser Aussage. Teddy ließ sein entwaffnend bescheidenes Lächeln aufblitzen.

»Überhaupt nichts, wenn du es genau wissen willst. Aber nicht weitersagen.«

Das war höfliche, aber bestimmte Warnung, dass sie sich auf dünnes Eis begab, wurde ihr klar. Sie war verärgert und zugleich verwundert. Sie sagte, »Für dich ist alles ein Spiel.«

»Na ja, auf etwas anderes verstehe ich mich nicht.« Er warf ihr einen defensiven Blick zu – ein wenig argwöhnisch, aber trotzdem immer noch gutgelaunt, wie ein Boxtrainer, dessen Schüler einen unerwartet schweren Treffer gelandet hat.

»Aber du kannst doch nicht dein ganzes Leben lang Spiele spielen.«

»Darüber kann ich mir immer noch Gedanken machen, wenn ich altersschwache Aufschläge serviere, ein Sportlerherz und Senkfüße habe, holde Maid.«

Sally konnte der Versuchung nicht widerstehen, seinen Panzer aus guter Laune zu durchbrechen – ihn zu hänseln hatte etwas wunderbar Verwegenes. Er war so stark und gutaussehend. Sie wünschte sich beinahe, dass er ihr endlich Grenzen aufzeigte.

»Aber du willst doch bestimmt vorwärtskommen und etwas aus dir machen«, sagte sie. »Etwas Besseres als Schlagball mit krummbeinigen Mädchen zu spielen. Du musst doch Ambitionen haben.«

»Oh, Ambitionen überlasse ich Mortimer. Ein hohes Tier in der Familie muss reichen. Aber woher diese plötzlichen Sorgen um meine Zukunft?«

»Mir fällt es schwer mitanzusehen, wenn Leute nichts aus sich machen.«

»Das Leben ist ernst oder der Ernst des Lebens, so was? Hört sich ganz danach an, als hätte dich jemand einer Gehirnwäsche unterzogen. Unser Mr Perry etwa?«

»Unsinn. Immerhin nimmt er seine Arbeit wenigstens ernst.«

»Ach, und ich etwa nicht? Der Verantwortliche für die Spiele ist die emsigste kleine Arbeiterbiene im ganzen Stock. Immer wach, immer zur Stelle, um über Schwierigkeiten hinwegzuhelfen. Der wegweisende Lichtstrahl Wunderlands. Das erinnert mich daran, dass ich heute Morgen das Tennisturnier leiten soll. Aber jetzt muss ich mich trollen und meinem Bruderherz noch von der düsteren Gestalt berichten, die wir davongejagt haben. Immer beschäftigt. Ein selbstloses Leben im Dienste der Allgemeinheit. Adieu, Sally.«

Sie musste es wohl dabei belassen. Als sie zum schwarzen Brett spazierte, um nachzusehen, um wie viel Uhr sie in dem Turnier spielen sollte, ging Sally in sich. Der Schreck, den sie diesen Morgen bekommen hatte, dazu diese unnatürliche Atmosphäre von Verunsicherung, die der Verrückte Hutmacher in Wunderland verbreitete, sorgten für Ernüchterung. Gegenwärtig konnte sie jedenfalls weder sich selbst noch andere für bare Münze nehmen. Dieser Urlaub war irgendwie merkwürdig, und er war von Anfang an merkwürdig gewesen. Von dem Moment an, als Paul Perry im Zug mit ihnen gesprochen hatte und sie mit einer Distanziertheit behandelt hatte, die ihr noch bei keinem anderen jungen Mann begegnet war. Ich könnte ihn trotzdem für mich gewinnen, dachte sie bei sich. Und ich könnte Teddy für mich gewinnen, allerdings nicht so leicht. Ich frage mich, wie dieser Nigel Strangeways wohl sein wird? Ich habe Daddy nicht einmal gefragt, ob er verheiratet ist. Ich bin nicht mehr die Alte.

X

Nigel Strangeways kam mit klarem, wenn auch relativ leerem Kopf in Wunderland an. Das kurze Telefongespräch mit Mr Thistlethwaite hatte ihm nicht viel mehr verraten, als dass sich seltsame Dinge im Camp zugetragen hatten. Dem Anschein nach spielte irgendjemand Streiche, doch Mr Thistlethwaite hatte dunkle Hintergründe und turbulente Verwicklungen durchscheinen lassen. Nigel hatte nicht einmal Zeit gehabt, vor seinem Aufbruch Erkundigungen über diese Wunderland GmbH einzuziehen, und hatte nicht die leiseste Ahnung, was man sich unter einem Urlaubscamp vorzustellen hatte.

Er war zweifellos nicht auf die weitläufigen, hollywoodgleichen Anlagen gefasst, die sich ihm darboten, als das Auto auf den Parkplatz fuhr. Man hatte einen Angestellten geschickt, um ihn vom Bahnhof abzuholen, aber Nigel war während der Fahrt mit seinen Gedanken woanders gewesen und hatte kaum Fragen gestellt. Um genau zu sein, machte er sich Sorgen um seinen Anzug. Das Thema Kleidung beherrschte seine Gedanken normalerweise nicht übermäßig, doch wenn man Mr Thistlethwaite gegenübertreten musste, für den Kleider sehr wohl Leute machten, bereute man, dass man nicht mehr Geld für Bügelpresse, Reinigung und Kleiderbügel ausgegeben hatte.

Die grauen Flanellhosen mit Nadelstreifen, die er trug, waren zwar von Mr Thistlethwaite selbst angefertigt worden, allerdings mehrere Jahre zuvor, und Nigel hatte sich seitdem angewöhnt, Konfektionskleidung zu tragen. Hatte ihm Mr Thistlethwaite diesen Verrat verziehen? Falls nicht, konnte Nigel sich auf etwas gefasst machen. Obwohl es schon mehr als zwölf Jahre zurücklag, dass Nigel als unerfahrener Student schüchtern das Etablissement Thistlethwaites betreten hatte, blieb seine Ehrfurcht vor dem massigen Mann unvermindert. Er erschauderte leicht, als er an diese Begebenheit zurückdachte. Es war das erste und letzte Mal gewesen, dass er es gewagt hatte, Mr Thistlethwaites Urteil infrage zu stellen. Es war um Knöpfe gegangen. Nigel hatte an dem Straßenanzug, den Mr Thistlethwaite sich bereit erklärt hatte, für ihn anzufertigen, nur zwei Knöpfe haben wollen. Mr Thistlethwaite hatte ihn darauf hingewiesen, dass ein Gentleman nicht länger nur zwei Knöpfe trug – drei war die korrekte Anzahl. Mit unüberlegtem und fatalem Trotz hatte Nigel auf zwei bestanden, woraufhin Mr Thistlethwaite sich zu seiner vollen Größe aufgerichtet hatte, bis er wie eine zürnende Gottheit das Allerheiligste, seine Anprobe, ausfüllte und verkündete, »Wenn Sie insistieren, Sir, dann bekommen Sie zwei Knöpfe. Ich kann allerdings nur sagen«, und hier nahm seine Stimme den eisigen Ton tiefer Abscheu an, »ich kann nur sagen, dass Sie damit äußerst lächerlich aussehen werden.«

Nigel hatte augenblicklich kapituliert und nie wieder eine Kontroverse mit dem Schneider angestoßen. Doch der Vorfall hatte ihn unwiederbringlich traumatisiert. Als er nun aus dem Auto stieg und kurzsichtig in das gewaltige Atrium Wunderlands spähte, spürte er, wie die alte Wunde wieder aufriss.

Mr Thistlethwaite erwartete ihn drinnen. Mit der Miene eines altgedienten Staatsmannes, der sein Gegenüber auf einer Friedenskonferenz empfängt, kam er mit ausgestreckter Hand auf Nigel zu.

»Es ist mir wahrlich ein Vergnügen«, donnerte er. »Wenn auch unter unglücklichen Umständen.«

»Ich hoffe, es geht Ihnen gut, Mr Thistlethwaite.«

»Vielen Dank, Sir. Ich befinde mich bei bester Gesundheit.« Mr Thistlethwaite trat ein wenig zurück, Nigels Hand dabei immer noch fest in seiner. »Ich glaube, wir hatten die Ehre, einen Anzug für Sie anzufertigen.«

»Ja. Äh, ja. Hat sich sehr gut gehalten, meinen Sie nicht?«

Mr Thistlethwaite strich eine kleine Falte unter dem Kragen glatt. »Ein guter Anzug, Sir, bleibt Aristokrat bis zum Ende, sage ich immer.«

Aus Respekt vor diesem Diktum verharrten sie einen Moment in Schweigen. Dann dirigierte ihn Mr Thistlethwaite nach oben in das Büro des Direktors.

»Captain Wise«, sagte er auf der Treppe, »wird Sie von der Situation *au fait* setzen. Sie werden feststellen, dass er ein umgänglicher Gentleman ist, auch wenn wir es nicht billigen können, dass ehemalige Offiziere, unabhängig von den zweifellos unschätzbaren Diensten, die sie ihrem Land in der Stunde der Not erwiesen haben, ihre militärischen Titel als Zivilisten beibehalten. In einer freien Demokratie wie der unseren ist nichts erwünscht, das den Beigeschmack eines stehenden Heeres trägt.«

Nigel unterließ es, die Logik dieser bemerkenswerten Äußerung infrage zu stellen. Kurz darauf saß er in Captain Wises bestem Sessel und lauschte einem Bericht von den Vorfällen. Mr Thistlethwaite hatte sich taktvoll zurückgezogen, doch Miss Jones war dageblieben und ergänzte, wenn nötig, die Aussage ihres Arbeitgebers, indem sie von ihren eigenen Notizen ablas. Die zwei arbeiteten offenkundig so gut zusammen, dass Nigel überrascht war, als Captain Wise die Sekretärin wegen einer Nichtigkeit plötzlich scharf angriff. Wise erwähnte, dass er die Gäste am Vorabend von Nigels Kommen in Kenntnis gesetzt hatte.

»Sie haben ihnen gesagt, dass ich privater Ermittler bin?«

»Ja.«

»Das hätten Sie besser unterlassen, wenn Sie erlauben. Das wird meine Tätigkeit unweigerlich etwas erschweren, besonders da Sie möchten, dass die Nachforschungen so diskret wie möglich ablaufen und ohne den Alltag im Camp groß zu stören.«

»Dasselbe Argument habe ich auch angebracht, wenn Sie sich erinnern, Captain Wise«, bemerkte Miss Jones knapp, aber respektvoll.

Da ging Mortimer Wise auf sie los. »Würden Sie sich freundlicherweise daran erinnern, dass Sie für Ihre Dienste als Sekretärin bezahlt werden, und nicht als Assistentin der

Campleitung!«, bellte er. »Wenn ich Ihren Rat hören möchte, frage ich Sie.«

Miss Jones schockierter Gesichtsausdruck und die Art und Weise, mit der Nigel seine Zehenspitzen begutachtete, machten ihm wohl klar, dass er eine Grenze überschritten hatte. Er entschuldigte sich, allerdings nur bei Nigel.

»Tut mir leid, Strangeways. Mir verdirbt diese Angelegenheit die Laune, so viel ist mal klar. Ich weiß Ihre Meinung zu schätzen, aber bedenken Sie meine schwierige Lage. Die Gäste sind äußerst beunruhigt über das, was sie meine Untätigkeit nennen. Ich hätte wohl die Polizei einschalten sollen, aber das wäre außerordentlich unerfreulich für die Wunderland GmbH. Natürlich arbeiten wir bereits unauffällig daran, treffen Sicherheitsmaßnahmen und so weiter; aber wir wollten ein Signal setzen.«

»Und mich zum Prügelknaben machen, um das Geschrei der Öffentlichkeit verstummen zu lassen?«, schlug Nigel milde lächelnd vor.

»Das auch«, gab Captain Wise zu. »Aber natürlich habe ich vollstes Vertrauen, dass Sie unser kleines Problem lösen werden. Es wird wahrscheinlich nicht allzu schwierig sein. Ich selbst bin leider nicht zum Ermittler gemacht.«

»Sie sagen, Sie haben Vorsichtsmaßnahmen getroffen ...«

»Ja. Meine Angestellten patrouillieren jetzt nachts um die Chalets und behalten das Gebäude hier im Auge. Außerdem sind wir sehr vorsichtig mit ... na ja, zum Beispiel haben unsere weiblichen Gäste für heute Abend eine Kabarettshow vorbereitet. Das Personal wechselt sich bei der Bewachung der Konzerthalle und der Garderobenräume ab, wo die Kostüme und Requisiten aufbewahrt werden.«

»Dann haben Sie absolutes Vertrauen in Ihre Angestellten? Mir ist aufgefallen, dass Sie das Personal nicht erwähnten, als Sie angedeutet haben, dass diese Schandtaten womöglich der Versuch von jemandem seien, der der Wunderland GmbH oder Ihrer Position darin Schaden zufügen will. Falls irgendjemand Groll hegt, dann doch höchstwahrscheinlich einer von ihnen.«

»Das könnte man meinen, das sehe ich auch so. Tatsache ist jedoch, dass unsere Angestellten überaus zufrieden sind, und das ist nicht nur werbewirksame Augenwischerei. Sie sind gut bezahlt, die Arbeitszeiten sind fair, und niemandem ist gekündigt worden oder irgendetwas in die Richtung. Ich glaube nicht, dass jemand einen Groll gegen das Unternehmen hegt. Gegen mich persönlich – na ja, das kann ich schlecht beurteilen. Aber Sie haben die uneingeschränkte Befugnis, das Personal zu befragen, und ich denke nicht, dass Sie irgendeine Beschwerde – ob aus erster oder zweiter Hand – darüber hören werden, wie ich die Angestellten behandele.«

»Captain Wise ist sehr beliebt bei den Angestellten des Camps«, mischte sich Miss Jones ein. Nigel war erstaunt über den Kontrast zwischen ihren intelligenten Augen und der Sinnlichkeit ihrer Lippen. Wenn ich Captain Wise wäre, dachte er, würde ich mir schwertun, sie als bloße Büromaschine zu behandeln. Aber vielleicht tut er das ja nicht.

»Angenommen, Sie haben recht«, sagte er, »dann haben wir die Wahl zwischen einem der Gäste und diesem Einsiedler-Fritzen. Wir wissen, dass der Einsiedler einen Groll gegen die Wunderland GmbH hegt, und es gibt bestimmte Anzeichen dafür – die Luftaufnahme, der Unbekannte, der heute Morgen aufgetaucht ist –, dass er möglicherweise im Camp war. Wenn es einer der Gäste ist, besteht die Chance, dass diese Taten arglose Streiche sind oder das Werk von jemandem, der eine Schraube locker hat. Sie haben ja bereits Erkundigungen bei Ihrer Hauptniederlassung eingezogen und herausgefunden, dass keiner der Gäste je bei dem Unternehmen angestellt war – außer, natürlich, jemand ist unter falschem Namen hier. Auf jeden Fall gibt es die Wunderland GmbH erst seit drei Jahren, und innerhalb so einer kurzen Zeitspanne sollte es ein Leichtes sein nachzuverfolgen, ob jemand mit dem Unternehmen auf Kriegsfuß steht.

Captain Wise nickte. »Ja, das fasst die Situation gut zusammen.« Er warf einen Blick auf seine Armbanduhr – ein feines, goldenes, eher feminin anmutendes Ding – und schlug vor, einen Aperitif einzunehmen. Miss Jones nahm ihre Hornbrille ab, ging zu einer glänzenden Vitrine an der Wand, von der Nigel angenommen hatte, sie sei eine Musiktruhe, öffnete sie und brachte eine Hausbar zum Vorschein. Ohne die Brille hatte sie sich unmittelbar von der vertrauenswürdigen Sekretärin zu einer charmanten Gastgeberin gewandelt. Sie hantierte derart anmutig mit den Cocktails, dass man hätte annehmen können, sie habe in ihrem Leben noch keinen Tag Arbeit verrichtet.

»Man behandelt Sie hier sehr gut«, bemerkte Nigel. »Getränke gratis, eine Hausbar – oder haben Sie die Bar anbringen lassen?«

»Nein. Vom Unternehmen gestellt. Wir bekommen den ein oder anderen Bonus.«

Miss Jones öffnete einen Aktenschrank und nahm einen Stapel Papiere heraus. »Hier ist etwas Material, das Ihnen vielleicht von Nutzen sein könnte, Mr Strangeways. Eine

Stellungnahme zu den Maßnahmen, die wir nach dem ersten Streich getroffen haben; eine Liste der Leute, die an dem Tag am Strand waren, in der Reihenfolge, in der sie ihn verlassen haben; und Notizen zu Leuten, die zu den Zeiten bei Mahlzeiten nicht anwesend waren, als die Übergriffe eventuell vorbereitet wurden. Letztere sind leider nicht besonders hilfreich, da sie sehr lückenhaft sind – wir hätten diese Befragungen nicht weiterverfolgen können, ohne die Gäste zu verärgern.«

Der Duft eines ungewöhnlichen, subtilen Parfüms umwehte Nigel, als sie sich mit den Papieren über seine Schulter lehnte. Er steckte sie in die Tasche und nahm einen Schluck von dem hervorragenden Cocktail.

»Ich nehme an, Sie haben noch keinen konkreten Verdacht«, sagte er.

»Nein. Ich muss sagen, ich glaube nicht, dass es einer der Gäste ist. Der Einsiedler scheint momentan die beste Spur zu sein. Haben Sie die Kopien der Zeitungsausschnitte hier, Miss Jones?«

Die Sekretärin nahm einige Durchschläge aus der Schublade und reichte sie ihm.

»Das ist das Dossier zu der Kontroverse, die der Bau des Urlaubscamps ausgelöst hat. Hier finden Sie die Zeugenaussage des Einsiedlers sowie einige Zeilen zu seinem Privatleben. Sein bürgerlicher Name ist anscheinend Philip Grebble, aber er wird von allen nur noch Old Ishmael genannt. Und hier haben wir eine Fotografie – aufgenommen zur Zeit der Kontroverse –, die Miss Jones irgendwo ausgegraben hat.

»Grundgütiger«, murmelte Nigel, während er das Foto betrachtete. »War sein Bart grau? Nein –«

»Das war er, so wie ich ihn in seinem Leben gesehen habe, silbergrau««, beendete Miss Jones das Zitat ordentlich.

»Und die mit Sirup überzogenen Tennisbälle. ›Die alte Zier seiner Wangen ist schon gebraucht, Bälle damit zu stopfen.‹«

»Damit kann ich leider nicht mithalten«, sagte Miss Jones lächelnd.

»Aus ›Viel Lärm um Nichts‹.«

Captain Wise warf ihnen einen ungeduldigen Blick zu. »Nun, vielleicht können Sie mir verraten, was für ein Schauspiel Sie aufführen möchten, Strangeways. Wenn ich Ihnen irgendwie behilflich sein kann ...«

»Ja, natürlich.« Nigel starrte immer noch verträumt auf die Fotografie. »›Nun, möge dir Jupiter das nächste Mal, dass er Haare übrig hat, einen Bart zukommen lassen.‹ Ich sollte mir wohl erstmal Ishmael etwas genauer ansehen. Haben Sie eine Karte von der Gegend hier? Und ich würde mir gerne die Strecke der Schnitzeljagd ansehen.«

»Ich werde meinen Bruder bitten, Sie zu begleiten. Er ist der Verantwortliche für die Spiele und hat die Hinweise arrangiert.«

»Sie meinen, er hat sie sich ausgedacht?«

»Nein. Er hat sie an den verschiedenen Orten versteckt. Miss Jones hat sie verfasst. Sie hat einen Hang zur Literatur.«

»Sie scheint ein Ausbund an Tugend zu sein«, sagte Nigel galant. »Übrigens, wieso haben Sie einen der Hinweise so nahe am Unterschlupf des Einsiedlers versteckt? Haben Sie dadurch nicht erst Unannehmlichkeiten herausgefordert?«

Captain Wise machte einen merklich betroffenen Eindruck. Es war das erste Mal, dass er am eigenen Leib erfuhr, wie unumwunden sich Nigel auf Schwachstellen stürzte. Miss Jones kam ihm zur Hilfe.

»Ich fürchte, das war meine Idee. Old Ishmael ist ein ziemlicher Plagegeist. Sie können das auch in dem Bericht nachlesen, den ich Ihnen gegeben habe. Ich dachte mir, dass, wenn wir ein paar Gäste ein wenig am Rand des Walds herumstöbern lassen, er sich vielleicht auf und davon macht. Er mag es nicht, wenn man ihn in seiner Ruhe stört. Es war eine Art Gegenangriff – eine dumme Idee, vermutlich.«

»Weshalb wollen Sie die Strecke der Schnitzeljagd ablaufen?«, fragte Captain Wise.

»Um herauszufinden, wie das Mädchen die Blasen bekommen hat. Vermutlich ist es dort passiert und nicht im Camp, denn es ist ja niemand sonst betroffen.«

»Aber Sie glauben doch sicher nicht, dass Senfgas im Spiel war? Das wäre absurd. Sie macht generell keinen besonders gesunden Eindruck, und Dr. Holford hat herausgefunden, dass sie öfter Probleme mit der Haut hat.«

»Mhm. Trotzdem. Blasen sind mehr als ein übliches Hautproblem. Es muss ein ziemlich starker Reizstoff dafür verantwortlich sein.« Nigel platzierte sein Cocktailglas prekär auf der Armlehne seines Sessels. »Wer hat die Theorie mit dem Senfgas überhaupt verbreitet?«

»Ach, Sie wissen ja, wie Gerüchte entstehen«, erwiderte Captain Wise langsam. Er wirkte verlegen. Er will instinktiv seine Klientel schützen, dachte Nigel. »Mr Strangeways muss nur Dr. Holford fragen ...«, warf Miss Jones ein.

»Ich denke, für den Moment brauche ich Sie nicht mehr, Miss Jones«, sagte der Direktor kühl. »Sie müssen das Programm für heute Abend noch vervielfältigen.«

Miss Jones errötete, reckte ihr Kinn und verließ das Zimmer. Captain Wise sah Nigel entschuldigend an.

»Ich muss das Mädchen etwas zügeln. Sie ist natürlich unersetzlich, aber manchmal nutzt sie das aus. Was war Ihre Frage? Ach, genau, wegen des Gerüchts. Also, tatsächlich war es ein junger Bursche namens Perry, der hier Urlaub macht – er führt eine Umfrage im Camp durch –, der als erster Senfgas zur Sprache gebracht hat. Taktlos von ihm, aber das war auch schon alles. Bedauerlicherweise hat das Mädchen eine Freundin, die Perrys Bemerkung zufällig mitangehört hat, und ich fürchte, sie hat sie sofort in Umlauf gebracht.«

»Ich verstehe. Gut. Erzählen Sie mir von Ihrem Mr Perry.«

Captain Wise berichtete von dem Fragebogen und erwähnte auch, dass Paul Bekanntschaft mit Mr Thistlethwaite geschlossen hatte. »Aber ich kann mir nicht vorstellen, dass dieser junge Mann hinter all dem steckt«, endete er.

»Die Psyche von jemandem, der solche Streiche spielt, ist oft recht seltsam.«

»Ja«, erwiderte Captain Wise trocken. »Miss Gardiner erinnert uns immer wieder daran. Sie ist eine Lehrerin, die hier Urlaub macht.«

»Möglicherweise wird sich herausstellen, dass Miss Arnolds Blasen überhaupt nichts mit dem Fall zu tun haben. Aber eventuell ist der Verrückte Hutmacher so geistesgegenwärtig, dass er sich diesen Vorfall zunutze macht und den Eindruck verbreitet, es handele sich um einen seiner Streiche. Was würde sich besser eignen, Panik zu schüren, als ein Gerücht über Giftgas?«

»Alles schön und gut, aber wir haben nicht einmal einen Ansatz für ein Handlungsmotiv ...«

In diesem Moment läutete der Gong zum Mittagessen.
»Ich habe veranlasst, dass Sie Ihre Mahlzeiten mit den Gästen einnehmen. Ich nehme an, Sie ziehen das vor?«
»Danke, ja. Sie selbst essen nicht mit den Gästen?«
»In der Regel nicht. Man muss überaus vorsichtig sein, niemandem den Vorzug zu geben. Wenn ich eine Art Kapitänstisch hätte ...«

Einige Minuten später stellte Mr Thistlethwaite Nigel den anderen Leuten an ihrem Tisch vor – seiner Frau und Sally, Paul Perry und Albert Morley. Mr Thistlethwaites Tochter sagte Nigel zu. Ein wenig überdreht vielleicht, doch das war nach den Ereignissen in den vergangen zwei Tagen nicht anders zu erwarten. Er fragte sich, was hinter ihrer Haltung gegenüber dem jungen Perry steckte. Immer wieder zog sie ihn erbarmungslos auf, hörte plötzlich auf und beobachtete ihn unauffällig und unschlüssig verstohlen von der Seite. Auch Nigel machte sich diskret ein Bild von dem jungen Mann, der das Gerücht über das Senfgas in die Welt gesetzt hatte. Dunkel, reizbar, mit ein wenig hervortretenden Augen, die Spur eines Akzents aus den Midlands oder auch aus dem Norden, gelegentlich ein mürrischer Gesichtsausdruck (Konzentration? Befangenheit? Streitsucht? Wiederkehrende Kopfschmerzen?), ernst, kaum Sinn für Humor, vielleicht etwas selbstgefällig, mit einem ziemlich harten Kern, auch wenn das auf den ersten Blick nicht so wirkte, möglicherweise rachsüchtig – Nigel zählte in Gedanken seine Eindrücke auf.

Der Gegenstand seiner Beobachtung lehnte sich plötzlich über den Tisch und sagte zu ihm:

»Ich dachte immer, Amateurermittler gibt es nur in Büchern.«

Es war keine besonders elegante Gesprächseröffnung, aber Nigel vermutete, dass es weniger als Beleidigung gedacht, sondern eher charakteristisch für eine Person war, die versuchte, einen selbstbewussten Eindruck zu machen, indem sie Fremden gegenüber ungehobelt und überheblich auftrat. Er erwiderte gelassen, »Oh, aber nicht doch. Es gibt sie auch im echten Leben. Ich bin allerdings kein Amateur; ich werde bezahlt.«

»Nach Stunden oder Ergebnissen?«

»Das hängt ganz vom Kunden ab. Normalerweise verlange ich einen Honorarvorschuss plus Spesen.«

»Und was für Leute kommen zu Ihnen? Solche, die Angst davor haben, die Polizei einzuschalten?«

»Manchmal. Es kann auch eine Person sein, die von der Polizei verdächtigt wird, oder jemand, der verhaftet wurde und dessen Freunde an seine Unschuld glauben.«

»Was passiert, wenn Sie engagiert werden, um jemandes Unschuld zu beweisen, und sich dann aber dessen Schuld herausstellt?«

»Ich nehme keine Aufträge an, um jemandes Unschuld zu beweisen. Ich mache meine Arbeit, um die Wahrheit ans Licht zu bringen. Falls die Wahrheit sich gegen jemanden stellt, ist das sein Problem.«

»Das muss ein wunderbares Gefühl sein«, mischte sich Mr Morley ein, »für die Unschuld eines Mannes zu kämpfen, die dunkelsten Winkel der menschlichen Natur zu erforschen ...«

»Vor allem, wenn man ein schönes, dickes Honorar dafür einstreicht«, sagte Paul Perry und ließ ein nervöses Grinsen aufblitzen.

Nigel war niemand, der so etwas unkommentiert ließ. Den Blick ruhig auf Paul gerichtet, fragte er, »Bin ich derjenige, den Sie missbilligen, oder sind es Privatdetektive im Allgemeinen?«

»Ich missbillige überhaupt nichts. Ich bin nur an den Fakten interessiert.«

»Ich auch, zufälligerweise. Und einer der ersten Fakten, die mir in diesem Fall begegnen, ist, dass Sie offensichtlich ausfällig sind. Daraus lassen sich mehrere Schlüsse ziehen. Wir könnten daraus zum Beispiel schließen«, fuhr Nigel in einem überaus sachlichen Tonfall fort, »dass Sie grundsätzlich eine ungehobelte Person sind; oder, dass etwas Sie verunsichert hat und es an dem erstbesten Menschen auslassen, der Ihnen begegnet. Oder, dass Sie irgendeinen Grund haben, sich vor mir zu fürchten, und mit dem Versuch, sich Ihre Angst nicht anmerken zu lassen, eben diese Angst verraten. Oder vielleicht haben Sie einfach etwas gegessen, dass Ihnen nicht bekommen ist.«

»Herrje!«, murmelte Sally Thistlethwaite und starrte Nigel mit aufgerissenen Augen an. »Jemand sollte einen Krankenwagen rufen.«

»Nichtsdestotrotz«, fügte Nigel hinzu, »unter Ihren Bemerkungen war eine, die sich als relativ aufschlussreich herausstellen könnte.«

XI

Nach dem Mittagessen unterhielt sich Nigel kurz mit Dr. Holford und ging dann mit Teddy Wise los, um die Strecke der Schnitzeljagd abzulaufen. Miss Arnolds Partner hierbei war Mr Easton gewesen, der lebhafte junge Mann im Sportkomitee, der vorgeschlagen hatte, dass die Direktion einen Wettbewerb zur Überführung des Verrückten Hutmachers organisieren solle. Auf Nigels Vorschlag begleitete Mr Easton die beiden, damit sie genau dieselbe Strecke nahmen.

»Was genau suchen Sie, Mr Strangeways?«, fragte der junge Mann, während sie zu dem Ort gingen, an dem der erste Hinweis versteckt worden war.

»Um ehrlich zu sein, bin ich mir nicht so sicher. Aber Dr. Holford hat sich vergewissert, dass Miss Arnold ihre Verletzungen nicht auf dem Gelände des Camps davontragen konnte, die Blasen entstanden erst nach der Schnitzeljagd. Sie hat nicht erwähnt, dass sie gestochen wurde?«

Sie kamen zu dem Versteck mit dem ersten Hinweis. Er hatte sich in den aufgerollten Flaggenleinen eines Fahnenmastes befunden, der auf einer leichten Anhöhe ungefähr dreihundertfünfzig Meter westlich des Hauptgebäudes stand.

»Der hier war leicht«, kommentierte Mr Easton:

»Wunderland weht
Im Baldachinblau:
Wo Seile sich winden,
Komm und schau.‹

Nicht gerade Shakespeare, oder, Mr Strangeways?«

»Könnte man so sagen«, erwiderte Nigel und betrachtete die grüne, schlaff herabhängende Flagge über ihnen, auf der in weißen Buchstaben ›Wunderland‹ geschrieben stand. »Aber der Reim erfüllt seinen Zweck. Captain Wise hat beim Dichten vermutlich seinen Spaß.«

»Mein Bruder übernimmt das nicht, er kann mit Gedichten nichts anfangen. Esmeralda, seine Sekretärin, denkt sie sich aus.«

»Natürlich, das hat er mir ja erzählt. Jetzt fällt es mir wieder ein«, sagte Nigel, der sich natürlich noch erinnerte. Er untersuchte die aufgerollten Flaggenleinen und den Fahnenmast. »Kein uns unbekanntes Gift hier, soweit ich sehen kann. Gehen Sie voran, Mr Easton.«

Der nächste Streckenabschnitt führte sie aus den Anlagen des Camps hinaus und weiter die Klippen entlang nach Westen. Das Johlen der Badenden hallte zu ihnen herauf, hing schwer und idyllisch in der Sommerluft und zog durch das wilde Gestrüpp des Abhangs.

»Schlechtes Wetter für den Verrückten Hutmacher«, sagte Mr Easton.

»Wieso?«

»Na ja, bei Regen wären die Leute drinnen und würden sich gegenseitig auf die Nerven gehen.«

»Stimmt«, erwiderte Nigel, dem die aufgeweckte, vernünftige Art des jungen Mannes gefiel. »Doch Pan war ein Gott der freien Natur und sorgte für Aufruhr.«

»Denken Sie, dass es hier um Aufruhr geht? Warum macht er dann nicht etwas Radikaleres? Brandstiftung im Camp? Die Chalets würden brennen wie Zunder.«

»He!«, rief Teddy Wise gutgelaunt, »bringen Sie ihn bloß nicht auf dumme Ideen!«

»Er hat mittlerweile relativ viele zur Auswahl, Mr Wise. Die Hälfte der Leute im Camp redet nur noch davon, was er wohl als Nächstes tun wird.«

»Ist man besorgt? Oder einfach interessiert?«, fragte Nigel.

»Na ja, Sie wissen ja, wie es sich mit der Öffentlichkeit verhält. Man will auf seine Kosten kommen und schließt Wetten auf seinen nächsten Schachzug ab. Im Urlaub hat man doch gerne ein bisschen Aufregung – das liefert einem Gesprächsstoff, wenn man wieder zur Arbeit muss. Allerdings glaube ich nicht, dass viele der jetzigen Gäste noch einmal Urlaub in Wunderland machen – vor allem die älteren und die mit Kindern. Sie haben zwar nicht unbedingt Angst, aber jeder hat seine Grenzen.«

Es dauerte etwas, bis sie das Versteck des zweiten Hinweises gefunden hatten. Teddy Wise wusste natürlich, wo es war, aber Nigel wollte, dass Mr Easton es von alleine wiederfand, so wie er während der Schnitzeljagd vorgegangen war. Dazu mussten sie eine Standortbestimmung vornehmen, indem sie die weit entfernte Mole des Hafens von Applestock anpeilten sowie den gerade noch sichtbaren Giebel des weißen Wunderland-Gebäudes, einen nördlich gelegenen Kirchturm und einen Stechginsterstrauch nahe der Klippen. Nigels Sehvermögen war nicht gut genug, um diese Punkte auszumachen, doch Mr Easton, der einen fortlaufenden Kommentar zu seinen Bewegungen abgab, sagte ihm, dass es sich um die östliche Mauer des Kriegshafens handelte.

Auch hier war nichts zu finden, und so gingen sie weiter Richtung Inland zum dritten Versteck. Es war nicht schwer zu finden – der Hinweis führte sie einen schmalen Weg hinunter, durch ein Tor, auf dem in roter Farbe ›Vorsicht vor dem Stier‹ geschrieben und durchgestrichen war, und auf eine rechteckige Weide hinaus. Mr Easton hatte sich jedoch scheinbar geirrt.

»Es sieht anders aus«, murmelte er, als sie um die Hecke herumgingen, die das Feld von dem Weg abgrenzte. »Nicht, dass ich Petersilie erkennen würde, wenn sie nicht auf Fischbällchen serviert wird. Miss Arnold kennt sich glücklicherweise gut mit Pflanzen aus.«

»Petersilie?«

»Zumindest hielt sie die Pflanze für Petersilie. Ich weiß nicht. Jetzt ist sie weg. Hat sie jemand an der Böschung hier zurückgeschnitten?«

»Möglich«, sagte Nigel. »Finden Sie den Platz wieder, an dem Sie den Hinweis versteckt haben, Wise?«

»Hm, er sollte hier irgendwo sein. In einem großen, nicht so ansehnlichen Busch mit weißen Blüten. Von wegen Petersilie, Easton. Auf jeden Fall steht die Pflanze nicht mehr hier.«

»Vermutlich eine Art Doldengewächs«, sagte Nigel. »Falls hier jemand seit gestern das Gestrüpp zurückgeschnitten hat, arbeitet er wahrscheinlich noch in der Nähe. Kann ihn irgendjemand sehen?«

Teddy Wise wippte unentschlossen auf den Zehenspitzen. »Ich will dem Steuermann nicht reinreden, aber führt uns das hier irgendwo hin? Ein unschuldige Wildblume verursacht doch keine Blasen, oder?«

»Ich glaube nicht, dass diese Art Doldengewächs – also die Borstendolde – giftig ist. Aber Wasserschierling und Gefleckter Schierling, die zur Familie der Doldenblütler gehören, sind das zweifelsohne. Außerdem gibt es noch Bärenklau – Bauern halten ihn oft für Schierling, aber er ist angeblich harmlos. Sie können dieses Gewächs nicht ein wenig genauer beschreiben?«

Teddy war jedoch kein wesentlich besserer Botaniker als der junge Easton. Nigel stand unschlüssig an der Böschung, als ganz in der Nähe ein scharfes Klicken ertönte und ein kräftiger Fluch.

»Das muss er sein. Hat mit seiner Hippe gegen einen Stein geschlagen«, rief Nigel aus. Sie gingen zur anderen Seite des Feldes und wieder auf den Weg, der sich hier vorbeischlängelte. Ein alter Mann, dessen Gelenke vor Rheumatismus krachten, bückte sich gerade nach einem Schleifstein. Als Nigel ihn ansprach, richtete er sich mit äußerster Behutsamkeit auf, ganz so als ob jede plötzliche Bewegung seinen Körper entzweibrechen ließe. Er musterte die drei mit einem ziemlich feindseligen Blick.

»Diese verdammten Steine«, kommentierte er ohne Vorrede. »Welcher von euch jungen Burschen hat Steine auf meine Böschung gelegt? Ihr solltet euch was schämen.«

Nigel wies jeglichen Sabotageakt von sich, aber der Alte blieb offensichtlich skeptisch.

»Sie säen Unkraut zwischen den Weizen«, fuhr er düster fort. »Sie kommen wie der Feind in der Nacht. Ich werd es ausroden, und dann können sie was erleben. Hab meine Klinge verbogen, wisst ihr. Werd ihre Köpfe mit den Steinen da einschlagen.«

»Haben Sie das Gestrüpp neben dem Feld dort drüben heute Morgen zurückgeschnitten?«, fragte Nigel.

»Und wenn schon?«, erwiderte der alte Mann argwöhnisch.

»Seid ihr von diesem verdammten Milchverband? Wir brauchen eure Regeln und Vorschriften nicht, um uns um unsere Kühe zu kümmern.«

»Keine Sorge, Pops. Wir sind von dem Urlaubscamp«, sagte Teddy.

»Urlaubscamp? Pah!« Der alte Mann spuckte kräftig auf seinen Schleifstein und begann, seine Hippe zu schleifen. »Heiden. Rennen splitternackt über die Felder. Könnte meinen, wir sind in Afrika«, brummte er.

»Das bringt nichts. Der ist uns keine Hilfe«, sagte Teddy.

Nigel gab jedoch nicht auf. »Na ja, wir sind doch ganz anständig angezogen, oder? Als sie die Büsche zurückgeschnitten haben …«

»Der Herr schlug ihn mit bösen Geschwüren von der Fußsohle an bis auf seinen Scheitel«, zitierte der Alte reißerisch, aber fehlerhaft.

»*Wie bitte?*«, rief Nigel aus.

»Hast du mich nicht wie Milch hingegossen und wie Käse gerinnen lassen?« Er kicherte heiser. »Das wird sie lehren, sich im Angesicht des Herrn nicht zu entblößen.«

Nach einer längeren Unterhaltung, die selbst die Geduld des gebeutelten Hiob auf die Probe gestellt hätte, verstand Nigel schließlich, worauf der alte Mann hinauswollte. Seinen Angaben zufolge war die, wie er sie nannte, Hundspetersilie gerade zu dieser Jahreszeit, wenn sie zu blühen begann, überaus giftig. Er selbst hatte zwar nie Schaden davon genommen, aber wenn er die Böschung zur Blütezeit zurückschnitt, trug er stets Lederhandschuhe und achtete darauf, auch seine Beine zu schützen. Er erinnerte sich an den Fall eines jungen Fräuleins vor ungefähr fünfzig Jahren, die etwas blühende Petersilie gepflückt hatte und eine Woche später unter Qualen gestorben war, was er bis ins kleinste Detail schilderte.

Nigel fragte, ob er ihnen diese Hundspetersilie zeigen könne. Der Alte leistete seiner Bitte Folge, und Nigel wickelte sich ein Taschentuch um die Hand, zog die Pflanze aus der Erde, reichte sie Mr Easton und bat ihn, sie sofort zu Dr. Holford zu bringen. Dann nahm er Teddy Wise beiseite und fragte ihn, ob er zum Brimscombe-Hof gehen könne, wo der alte Mann arbeitete, um sich zu erkundigen, wie verlässlich dessen Informationen waren.

Nachdem er sich so seiner zwei Begleiter entledigt hatte, konnte Nigel ungehindert einige Fragen stellen, die er in ihrer Anwesenheit nicht hatte erörtern wollen. Wenn er nicht gerade auf biblischen Pfaden wandelte, ließ der alte Mann eine beachtliche Gerissenheit hervorblitzen. Nein, noch niemand aus dem Urlaubscamp hatte mit ihm bezüglich der Hundspetersilie gesprochen, aber hier auf dem Land war es allgemein bekannt, dass dieses Zeug pro Jahr ungefähr eine Woche lang gefährlich war. Nigel lenkte die Unterhaltung auf Old Ishmael. »Der hat nen Sparren, aber tut niemandem was zuleide«, war das Urteil. Nigel erkundigte sich, ob irgendjemand aus dem Camp in letzter Zeit besonderes Interesse an dem Einsiedler gezeigt hätte oder ob Letzterer von seiner üblichen Lebensweise abgewichen sei. Der alte Mann beantwortete jede dieser Fragen mit Nein. Aber er erinnerte sich daran, dass vor etwas über einem Jahr ein Gentleman zu Besuch auf dem Brimscombe-Hof gewesen war, der allerlei Fragen zu dem Einsiedler gestellt hatte.

Als er sicher war, dass er Teddy Wise nicht mehr auf dem Hof antreffen würde, machte Nigel sich auf den Weg dorthin, um den Bauern zu befragen. Ein Freund von ihm, sagte er, sei hier letztes Jahr zu Besuch gewesen. Da er selbst gerade in der Gegend war, habe er sich gedacht, er könne den Hof besichtigen, denn er sei für seine Familie auf der Suche nach einer Urlaubsunterkunft für das kommende Jahr. Bauer Swetenham, ein fröhlicher, kleinäugiger, untersetzter Mann, überredete ihn zu einem Glas Cider. Er und seine bessere Hälfte hatten gerne Kinder zu Besuch, solange sie die Tore nicht offenstehen ließen oder das Vieh ärgerten. Nicht dass ihr letzter Besucher, Mr Strangeways Freund, seine Familie mitgebracht hätte. Das war ein ruhiger, anständiger Kerl gewesen; beobachtete gerne Vögel und nahm die meisten Tage sein Fernglas mit zu den Klippen raus. Ja, er hatte sich auch sehr für Old Ishmael interessiert. Wollte eigentlich in dem Wald da drüben Vögel beobachten gehen, aber Mr Swetenham habe ihm gesagt, dass der Einsiedler es nicht mochte, wenn Leute in seinem Wald herumliefen. Er hatte dem Besucher, Mr Black, vorgeschlagen, dass er an einem Mittwoch oder Samstag im *Mariner's Compass* in Applestock vorbeischauen solle. An diesen Tagen sei Old Ishmael immer da, und auch etwas milder gestimmt als üblich, sodass er Mr Black vielleicht erlauben würde, in seinen Wald zu gehen.

Danach kam Nigel auf Wunderland zu sprechen. Er erwähnte die Schnitzeljagd und deutete an, dass es sehr freundlich von Mr Swetenham gewesen sei, sie auf seinem Land stattfinden zu lassen. Der Bauer zwinkerte verschwörerisch. »Sie kaufen eine Menge Milch von mir. Ich will die Einnahmen nicht verlieren, wenn Sie verstehen, was ich meine. Trotzdem war ich etwas überrascht, als der junge Mr Wise – er war gerade erst hier – mir geschrieben und mich gefragt hat, ob er einen Hinweis auf einem meiner Felder verstecken könne. Normalerweise entfernen sie sich bei diesen Schnitzeljagden nicht so weit von den Anlagen des Camps – zumindest nicht, dass ich wüsste.«

»Ich nehme an, Sie haben ihm gesagt, wo auf Ihrem Land er die Hinweise verstecken könne, sodass die Gäste keinen Schaden anrichten?«

»Nein. Er hat das Long-Bottom-Feld vorgeschlagen. Ich habe diese Woche kein Vieh dort, also war ich einverstanden.«

»Ich glaube nicht, dass man Sie noch einmal stören wird. Einer der Gäste, eine junge Dame, hat sich bei der Schnitzeljagd schlimme Blasen geholt. Wir haben ...«

Der Bauer lachte fröhlich. »Ob Sie es glauben oder nicht, Sir. Der junge Mr Wise hat gerade mit mir darüber gesprochen. Hat sich angehört, was Joe Varley zu sagen hatte. Einer meiner Arbeiter. Er hat einen Spleen, wenn es um Hundspetersilie geht. Hier in der Gegend erzählt man sich, dass das Zeug giftig ist, wenn es anfängt zu blühen, aber ich habe noch nie jemanden getroffen – auch kein Tier –, dem es geschadet hat.«

Nigel verabschiedete sich von dem Bauern und ging zurück nach Wunderland. Dort suchte er nach dem Abendessen das Gespräch mit Dr. Holford. Der Arzt hatte die Pflanze untersucht, die Mr Easton ihm gebracht hatte, einige der dicken Stängel entzweigebrochen und den Saft auf seinem Unterarm ausgedrückt. Nun wartete er, was sich daraus entwickeln würde.

»Ich glaube allerdings nicht, dass irgendetwas dabei herauskommt«, sagte er. »Ich habe einige der anderen Leute untersucht, die bei der Schnitzeljagd dabei waren und vermutlich in der Hundspetersilie nach dem Hinweis gesucht haben, aber bei keinem von ihnen haben sich Blasen gebildet. Ich werde jedoch etwas von dem Zeug zur Analyse ins Labor schicken.«

»Leider hat der Alte das Gestrüpp in dem Feld, in dem der Hinweis versteckt war, komplett zurückgeschnitten. Er hatte einen Haufen Grünschnitt, ungefähr eineinhalb Meter hoch – das hätte ich schlecht alles mitnehmen können, um herauszufinden, ob man etwas daran verändert hat.«

»Das wäre sowieso zwecklos gewesen. Hätte man Gift auf diese Pflanzen gesprüht, dann wäre mehr als eine Person betroffen gewesen. Miss Arnold hatte schlicht eine ungewöhnliche Reaktion auf diese bestimmte Pflanze.«

»Ja, das dachte ich mir auch. Der Alte hat eine Geschichte um irgendein Mädchen gesponnen, das vor Jahren an den Folgen gestorben ist.«

»Gestorben? Man sollte kaum ... Ich werde Miss Arnold für eine Weile beobachten. Dummes Mädchen. Sie hatte den Verband abgenommen, als ich vor dem Mittagessen zu ihr gegangen bin. Ich wünschte, ich hätte meine ganzen Bücher hier. Natürlich gibt es ungewöhnliche Fälle bezüglich jeder Art von Substanz, aber ich würde gerne nachschlagen, ob jemals ein ähnlicher Fall dokumentiert wurde. Das wäre Stoff für einen interessanten Artikel im *Lancet*. Aber entschuldigen Sie die Fachsimpelei. Wie wirkt sich das jetzt auf Ihre Ermittlungen aus?«

»Das hängt davon ab, ob Miss Arnold schon einmal so eine Reaktion gezeigt hat und ob irgendjemand hier davon gewusst haben könnte.«

»Ich glaube, das kann ich beantworten. Ich habe mich erkundigt, ob sie je solche Blasen hatte, und sie hat verneint. Natürlich gehört sie dieser Sekte an und würde das sicher nicht zugeben ...«

»... was sie zu einer eher unglaubwürdigen Zeugin macht. Easton sagte, sie sei Botanikerin, und man sollte meinen, dass jeder, der sich ernsthaft für Botanik interessiert, früher oder später mit diesen Pflanzen in Berührung kommt.«

»Aber, mein lieber Freund«, sagte der Arzt, »Ihnen ist bewusst, auf was Ihre Argumentation hinausläuft? Falls bekannt war, dass Miss Arnold diese eigentümliche Reaktion zeigt, dann wären die einzigen Leute, die sich das zunutze hätten machen können ...«

»Genau. Miss Jones hat die Hinweise verfasst, und Captain Wise und sein Bruder haben sicherlich dabei geholfen zu überlegen, wo sie letzten Endes versteckt werden sollten. Wie ich eben erst herausgefunden habe, hat Teddy Wise den Bauern, auf dessen Land Miss Arnold sich die Verletzung zugezogen hat, um Erlaubnis gebeten, dort einen Hinweis zu verstecken. Er fragte ausdrücklich nach Long Bottom, einem Feld, auf dem das Zeug wächst.«

Dr. Holford war offensichtlich hin- und hergerissen zwischen Neugier und seinen halboffiziellen Verpflichtungen gegenüber der Direktion. Bald schon hatte die Neugier gesiegt. »Aber welches Motiv könnte auch nur einer der drei haben, Miss Arnold zu schaden?«, fragte er leicht schockiert.

»Oh, zum Motiv bin ich noch nicht vorgedrungen. Selbstverständlich ist das vom Standpunkt des Kriminellen aus gesehen der Ursprung des Verbrechens, was aber den Ermittler betrifft, so ist es bloß das Tüpfelchen auf dem i. Theoretisch könnte ich Ihnen mehrere mögliche Motive nennen. Das offensichtlichste wäre, dass einer der Wise-Brüder oder Miss Jones oder eine Kombination aus den dreien der Verrückte Hutmacher ist.«

Dr. Holford hielt sich an den Armlehnen seines Stuhls fest, lehnte sich zurück und starrte Nigel an.

»Aber das ist doch absurd. Sie sägen am Ast, auf dem sie sitzen, wenn sie das Camp so in Verruf bringen. Sie können doch nicht ernsthaft ...«

Er sah auf ulkige Weise besorgt aus. Er überlegt gerade, dachte Nigel, welche Auswirkungen es auf seine Karriere haben könnte, wenn er offiziell – sei es auch bloß entfernt und zufällig – mit einem derartigen Skandal in Verbindung gebracht wird.

»Das ist rein hypothetisch«, sagte er. »Ich habe gegenwärtig keinen Grund anzunehmen, dass einer von ihnen dem Camp Schaden zufügen will.« Er konnte nicht widerstehen, schelmisch hinzuzufügen, »Aber natürlich wäre es möglich, dass Edward Wise seinen Bruder um dessen Position beneidet. Man weiß ja nie.«

»Reden Sie immer so offen über Ihre Verdächtigen – und *mit* Ihren Verdächtigen? Ich schätze, wir alle gehören in diese Kategorie«, erwiderte der Arzt nach einer kurzen Pause langsam. »Ich dachte immer, Detektive behalten ihre Meinung für sich oder geben sich damit zufrieden, ein paar kryptische Bemerkungen einzuwerfen.«

»Wie Ärzte?«, fragte Nigel mit liebenswürdigem Grinsen. »Ich kann übertrieben kryptisch sein, wenn ich will. Aber Offenheit zahlt sich oftmals aus. Zum einen ist sie ansteckend. Wenn man freimütig mit jemandem redet, nimmt derjenige an, dass man ihn unmöglich verdächtigen kann, und so wird er ein wenig unvorsichtig.«

»Das sieht nicht gut aus für mich«, sagte Dr. Holford, wobei er nicht vollends entspannt wirkte. »Drehen Sie mich gerade durch die Mangel?«

»Na ja, Sie müssen schon zugeben, es ist wesentlich wahrscheinlicher, dass ein Arzt Strychnin zu seiner Verfügung hat als ein Laie.«

»Also wirklich! Wenn Sie andeuten wollen, ich hätte den Hund dieser Frau vergiftet ...« Jetzt war der junge Mann beleidigt. Sein Protest wurde allerdings von einem geräuschvollen Streit draußen vor dem Chalet unterbrochen. Nigel öffnete die Tür, machte einen kleinen Schritt nach vorn, blieb dann stehen und bedeutete Dr. Holford, sich nicht einzumischen.

Draußen standen Sally Thistlethwaite und Paul Perry, starrten einander wütend an und hatten die angespannte Körperhaltung von Leuten, deren Streit zu eskalieren droht.

»Sie haben mich ausgelacht«, sagte sie.

»Nichts dergleichen. Obwohl dieser lächerliche Aufzug, in dem Sie hier herumstolzieren, wirklich jeden zum Lachen bringen würde.«

Paul zupfte an ihrem Überwurf und brachte eine Brassière und einen kurzen Rock aus falschem Gras zum Vorschein, in dem Sally eben noch den Tanz der Südseeschönheiten für das Kabarett geprobt hatte.

»Verdammt, fassen Sie mich nicht an! Sie haben mich ausgelacht. Sie und diese Jones, ihr habt die Köpfe zusammengesteckt und gekichert. Ich hab Sie genau gesehen. Wer hat Sie überhaupt eingeladen? Wahrscheinlich wieder herumgeschnüffelt wie immer?«

»Miss Jones meinte, ich kann kommen und zusehen. Leute zu beobachten gehört übrigens zu meiner Arbeit.«

»Von wegen Arbeit! Sie sind doch nur auf eine Gratisvorstellung nackter Beine aus. Ich hoffe, sie war ganz nach Ihrem Geschmack.«

»Wenn es Sie beruhigt: Sie haben nicht lächerlicher ausgesehen als der Rest der Truppe.«

»Also haben Sie beide mich ausgelacht.«

»Ich habe Miss Jones gegenüber lediglich bemerkt, dass man nicht einmal auf den entlegensten Hebriden eine solche Vorführung zu sehen bekommt.«

»Wie witzig, leider versteht den Witz nur niemand.«

»Sie ganz offensichtlich nicht. Es geht um die Neuen Hebriden im Pazifischen Ozean. Miss Jones und ich haben uns zufälligerweise über den Initiationsritus der Inselbevölkerung dort unterhalten, bevor wir hereingekommen sind. Zufrieden?«

»Ich nehme an, Sie verbringen viel Zeit damit, sich zusammen mit der Jones über mich lustig zu machen? Die zwei kleinen Intellektuellen, die sich einen Spaß daraus machen, andere auszulachen.«

»Ich sage es Ihnen nochmal. Wir haben nicht speziell *Sie* ausgelacht. Es war einfach dieser Anblick von all diesen einfachen Schönheiten, die tun, als wären sie Eingeborene. Sie denken immer, alle beobachten Sie, Sie sind so unsicher, dass es Ihnen nicht einmal in den Sinn kommt, dass wir interessantere Gesprächsthemen haben könnten als Sie. Bei diesem vulgären Kostüm kann ich Ihre Unsicherheit allerdings verstehen.«

Aha, das ist es also, dachte Nigel. Im gleichen Moment

schlug Sally Paul ins Gesicht, dass es hallte wie ein Pistolenschuss. Er starrte sie einen Augenblick an, amüsiert, beinahe flehend. Dann verdunkelte sich sein Gesicht, er packte sie an den Schultern und begann, sie wie wild zu schütteln. Die beiden rangen kurz miteinander, bis Teddy Wise angerannt kam und Paul beiseiteschubste.

»Hat er Sie belästigt?«, fragte Teddy. »Mein Bruder hat gesagt, ich soll auf Sie aufpassen, und anscheinend ist das auch nötig.«

»Er hat behauptet, mein Kostüm für das Kabarett sei unanständig. Also habe ich ihm eine runtergehauen, und dann ist er auf mich losgegangen.«

»Ach ja, ist das so?«, wandte sich Teddy an Paul. »Und was genau geht Sie das an, wenn ich fragen darf?«

»Spiel dich nicht so auf. Sally hat angefangen an mir herumzumäkeln. Lächerlicherweise bildet sie sich ein, dass ...«

»Ich glaube, du entschuldigst dich besser bei Miss Thistlethwaite«, unterbrach ihn Teddy drohend, »oder ich sehe mich gezwungen, dir Manieren beizubringen.«

Sallys Augen blickten dunkel und ängstlich, doch zugleich fasziniert und seltsam erwartungsvoll unter ihren verstrubbelten Haaren hervor. Mit leicht zitternder Stimme erwiderte Paul, »Du weißt schon, dass du nicht dafür bezahlt wirst, Gäste zu verprügeln.«

»Nur zu wahr. Aber ich mache es auch ohne Bezahlung, wenn du dich nicht sofort entschuldigst, du Wicht.«

Paul warf Sally einen verzweifelten Blick zu, doch sie sah ihn nur kühl an. Er gab sich geschlagen und stieß mit vor Kränkung bebender Stimme hervor, »Na gut. Ich entschuldige mich. Du kannst deinen hörigen Schläger zurückpfeifen, Sally.«

»Das genügt bei Weitem nicht«, sagte Teddy. »Du musst es freundlich sagen, sonst ...«

»Halt die Klappe, Teddy!« Sallys Stimme brach, und sie rief, »Ach, ich hasse euch alle beide«, und sie begann zu weinen.

»Na, ja«, sagte Teddy unangenehm berührt. Er sah sich nach einer Rettung aus dieser peinlichen Lage um und erblickte Nigel, der in der Tür zur Hütte des Arztes stand. Teddy schien etwas auf der Zunge zu liegen, aber er trollte sich schließlich mit hängenden Schultern.

»Es tut mir leid, Sally.« Pauls Stimme klang ungeheuer niedergeschlagen. Die junge Frau ging davon, ohne ihn anzusehen. Nigel empfand Mitgefühl für Perrys Verlorenheit, das er aber natürlich nicht äußern konnte. Paul Perry befand sich in einer Stimmung, in der jedwedes Mitgefühl eine Zumutung gewesen wäre. Stattdessen trat Nigel zu ihm und fragte in geschäftsmäßigem Ton, als ob er nicht gerade Zeuge dieser Szene gewesen wäre, ob Perry vielleicht eine halbe Stunde Zeit hätte, um sich die Fragebögen anzusehen, die er mit Mr Thistlethwaite bearbeitet hatte.

Nigels freundliche, doch unpersönliche Art ließ die Reserviertheit vom Mittag zwischen ihnen schwinden. Sie gingen zusammen die Fragebögen durch, und Paul zeigte ihm ein Liste mit den Namen der Gäste, deren Wohnorte im selben Gebiet lagen. Danach besprachen sie die Ereignisse, die seit Nigels Ankunft im Camp vorgefallen waren, wobei Nigel Pauls Bericht von seiner Begegnung mit dem Einsiedler während der Schnitzeljagd sowie seiner Zusammenarbeit mit der Campleitung besondere Aufmerksamkeit zukommen ließ. Paul konnte sich sehr gut an Details erinnern, sodass Nigel sich ein klares Bild von all den Geschehnissen machen konnte, in die der junge Mann verwickelt gewesen war. Paul war ein geschulter Beobachter, doch möglicherweise war er auch der Übeltäter, dann würden später, wenn Nigel sich alles noch einmal gründlich ansah, Ungereimtheiten auftreten.

»Ich bin mir nicht sicher, ob das hier weiterhilft«, sagte Paul, nachdem sie den Fall besprochen hatten. »Das ist das Notizbuch, in dem ich mir den Klatsch und Tratsch, der mir zu Ohren kommt, notiere. Für eine Umfrage über den Alltag im Camp ist das alles unbrauchbar, da dieser Verrückte Hutmacher den Großteil der Gespräche dominiert. Aber vielleicht gibt es Ihnen den ein oder anderen Denkanstoß.«

»Vielen Dank. Das könnte genau das Richtige sein.«

»Ach, übrigens«, sagte Paul abrupt, »es tut mir leid, dass ich Sie beim Mittagessen so angegangen habe. Ich weiß auch nicht warum – na ja, vermutlich liegen die Nerven etwas blank. Die Streiche ergeben alle keinen Sinn, als wäre ein Verrückter am Werk.«

»Vielleicht jemand mit Schizophrenie? Das wäre eine Möglichkeit.«

»Man kann nur hoffen, dass er damit aufhört, jetzt, wo Sie hier sind. Der Kerl überlegt es sich eventuell doch noch anders.«

»Ja. Außer es handelt sich um jemand mit Schizophrenie. Wenn die linke Hand nicht weiß, was die rechte tut ...«

»Ich glaube, es ist fast Zeit fürs Abendessen. Zu Ehren des Kabaretts heute Abend sollte ich wahrscheinlich einen Anzug tragen ...«

Die Kabarettvorführung der Frauen wurde einvernehmlich zu einem der größten Triumphe der Woche gekürt. Viele der Darsteller und Darstellerinnen waren zu Hause in Laienspielgruppen aktiv oder Amateuropernsänger; es gab eine professionelle Komödiantin, einen Minnesänger (wenn man so etwas mochte) und Gäste, die lange genug im Camp gewesen waren, um zu proben und den ein oder anderen Sketch aufzuführen. Die Tanzgruppe der Südseeschönheiten dagegen machte den Mangel an künstlerischer Professionalität mit Lebendigkeit und Melodienreichtum wett. Es bedurfte allerdings auch keiner herausragenden Leistungen, um den Erfolg dieser kleinen Einlage zu garantieren. Das Publikum hatte erwartet, dass es einen Querschuss seitens des Verrückten Hutmachers geben würde, und war entsprechend angespannt. Als es immer wahrscheinlicher schien, dass alles glatt laufen würde, löste sich die Nervosität in kollektiver Erleichterung auf.

Nach der Vorstellung lud Captain Wise Nigel in seine Privatunterkunft ein. Nigel erstattete taktvoll Bericht zu den Ereignissen des Nachmittags und vermittelte absichtlich den Eindruck, dass er sich immer noch unschlüssig war – was auch der Wahrheit entsprach –, ob es sich bei Phyllis Arnolds Verletzungen um einen Unfall handelte. Er bewegte sich hier auf dünnem Eis, dem Direktor würde sicherlich auffallen, dass alle, die die Hinweise verfasst hatten, verdächtig waren, falls es sich um eine vorsätzliche Tat handelte. Captain Wise jedoch ging nonchalant darüber hinweg. Er drängte Nigel dazu, noch ein Getränk zu nehmen, und begleitete ihn sogar zu seinem Chalet zurück.

Als der Direktor sich verabschiedete, setzte Nigel sich auf das Bett, um seine Schuhe auszuziehen. Im nächsten Moment sprang er wieder auf und stieß einen Schrei aus, der Captain Wise herumfahren ließ.

»Da ist etwas in meinem Bett!«

Er riss die Laken zurück, und der Körper eines Hasen kam zum Vorschein – eines toten Hasen.

»Himmel hilf!«, stieß Captain Wise hervor. »Was zum Teufel ... schon wieder der Verrückte Hutmacher!«

»Sie sagen es.« Nigel interessierte sich wesentlich mehr für den Direktor als für den Hasen.

»Also, ich werd nicht mehr! Ganz schön dreist, der Bursche. Und ausgerechnet in *Ihrem* Bett.« Seine Lippen kräuselten sich zu einem feinen Lächeln. »Das ist eine gezielte Provokation, Mr Strangeways. Trotzdem kann ich nicht umhin, froh zu sein, dass er sich ihr Bett ausgesucht hat und nicht eines der anderen Gäste. Denen wurde mittlerweile schon so einiges zugemutet ...«

Aber Captain Wise hatte sich zu früh gefreut. Er wurde von einem unterdrückten Schrei aus dem Nebenchalet unterbrochen. Sie rannten hinaus und sahen, wie ein Mädchen nach draußen kam und vorsichtig eine tote Ratte am Schwanz emporhielt. Der Tumult lockte mehrere andere Gäste an, und man durchsuchte die Betten.

Alles in allem war es wohl das bizarrste Schauspiel, das Nigel je mitverfolgt hatte. Die bunte Lichterkette leuchtete immer noch über dem Weg zwischen den Chalets und spendete gerade genug Licht, um die groteske Sammlung an Kadavern zu beleuchten, die einer nach dem anderen aus den benachbarten Chalets getragen wurde. Sie lagen aufgereiht auf der Erde, und der Gestank von Verwesung machte sich breit. Es handelte sich um zwei Amseln, ein Wiesel, einen Häher, drei Elstern und ein paar unförmige Knäuel aus Federn und Fell, die bis zur Unkenntlichkeit verfault und verschrumpelt waren. Um diese armseligen Überreste hatte sich eine kleine, aber ständig wachsende Gruppe von Gästen versammelt, die von Gerüchten angelockt worden waren. Sie standen im Großen und Ganzen schweigend, mit gerümpften Nasen, und wenn sie sprachen, dann flüsternd und hinter vorgehaltener Hand. Ein paar der Frauen trugen immer noch ihre Kabarettkostüme.

Nigel blickte auf die toten Kreaturen, und schon bald fiel ihm ein, woran sie ihn erinnerten – an die Kadaver, wie man sie am ›Galgen‹ von Wildhütern sah, als Warnung an andere Marodeure im Wald. Im Wald ...

XII

Als er am nächsten Morgen um acht Uhr erwachte, nahm Nigels Geist den Faden der Geschehnisse der letzten Nacht sofort wieder auf. Der Verrückte Hutmacher musste seine letzte Aktion minutiös geplant haben, überlegte er. Er hatte die Tiere entweder zur Essenszeit oder während des Kabaretts in die verschiedenen Betten geschmuggelt, sonst hätten die Gäste den Gestank davor bemerkt. Und er konnte darauf zählen, dass die Ermittlungen durch die späte Stunde verzögert würden, da Captain Wise und Nigel Strangeways um diese Uhrzeit nicht überall im Camp Erkundigungen einziehen konnten.

Er hatte also wieder zugeschlagen. Nachdem der Direktor in der Nacht dafür gesorgt hatte, dass alle Gäste mit frischer Bettwäsche versorgt worden waren, hatte er sich energisch gegen Nigels Vorschlag ausgesprochen, sofort mit der Befragung der Besucher zu beginnen. »Das würden sie sich nicht gefallen lassen«, sagte er. Und Nigel musste zugeben, dass das nur vernünftig war. Außerdem zahlte Wise für seine Dienste und konnte damit auch bestimmen.

Nachdem die Gruppe von Schaulustigen sich zerstreut und einer der Angestellten die Kadaver beseitigt hatte, war Nigel auf den ersten Anhaltspunkt gestoßen. Captain Wise kommentierte zufälligerweise die Ähnlichkeit zwischen den Kadavern und den verschiedenen toten Tieren, die man am Galgen eines Wildhüters hängen sieht.

»Also ist es Ihnen auch aufgefallen?«, fragte Nigel. »Es könnte sich lohnen, Perry zu fragen, ob er solch einen Galgen irgendwo im Wald des Einsiedlers gesehen hat.«

»Na ja, wir könnten es versuchen«, hatte der Direktor zweifelnd erwidert. »Allerdings steht der Wald nicht unter Schutz, soweit ich weiß, also gibt es dort wahrscheinlich auch keinen Wildhüter.«

Die zwei waren zu Pauls Chalet gegangen, und Captain Wise hatte ans Fenster geklopft. Paul war noch wach und kopierte die Aufzeichnungen aus einem Notizbuch in ein anderes. Nigel erzählte ihm, was passiert war, doch Paul gab an, dass er in Old Ishmaels Wald keinen Galgen gesehen hätte. Während sie sich durch das offene Fenster unterhielten, berührte Nigel mit dem Fuß einen Gegenstand unter dem Chalet, das auf Ziegelsteinen aufgebockt ungefähr dreißig Zentimeter über dem Boden stand. Er bückte sich langsam und hob ihn auf. Ein Stück Draht, dünn und leicht rostig und knapp zwei Meter lang, an dem die Überreste einer dunklen Substanz klebten.

»Scheußlicher Müll«, sagte der Direktor, nahm ihm den Draht ab und warf ihn in einen Abfalleimer in der Nähe. »Manche Menschen sind einfach unverbesserlich.« Er kratzte sich nervös am Naserücken. Im nächsten Moment roch er an seinen Fingern.

»Ich habe doch keines dieser toten Viecher angefasst, oder?«, sagte er. »Irgendwie hat sich scheinbar der Geruch an meinen Fingern festgesetzt.«

Er und Nigel gingen mit dem gleichen Gedanken zu dem Abfalleimer. Nigel nahm den Draht heraus, roch daran und hielt ihn gegen das Licht, um die daran klebenden Partikel zu untersuchen.

»Na bitte«, sagte er schließlich, »hier haben wir den Galgen.«

Paul Perry blickte immer noch aus der Hütte heraus, die Ellbogen auf das Fenstersims gestützt.

»Wieso zur Hölle hat dieser Bursche das Teil hiergelassen?«, fragte er jetzt mit einem Unterton von trotziger Nervosität.

»Vielleicht wurde er von einem Angestellten bemerkt, nachdem er die Kadaver versteckt hatte, ist in diese Richtung geflohen und dachte sich, dass er wohl besser den Draht loswerden sollte.«

»Ich erkundige mich sofort, wer während des Kabaretts und des Essens Dienst hier bei den Chalets hatte«, sagte Captain Wise.

Während seiner Abwesenheit machte sich eine gewisse Befangenheit zwischen Nigel und Paul Perry breit. Schließlich platzte der junge Mann heraus, »Verdammt nochmal, wenn ich es gewesen wäre, dann hätte ich wohl kaum den Draht unter meinem Chalet versteckt, oder? Zumindest hätte ich ihn irgendwo anders hingebracht, sobald die Luft rein war.«

»Davon gehe ich aus«, erwiderte Nigel unverbindlich.

In diesem Augenblick kam Captain Wise zurück. Einer der Angestellten, Jameson, hatte früher am Abend die Chalets im Auge behalten und eine Gestalt bemerkt, die zur Rückseite von Nigels Unterkunft gegangen war, als die Kabarettshow lief. Aus der Ferne hatte er angenommen, dass es Nigel war und daher nichts unternommen, außer ein »Guten Abend« hinterherzurufen. Daraufhin war die Gestalt verschwunden.

»Hat er gesehen, in welche Richtung?«, fragte Nigel.

»Na ja, tatsächlich in diese Richtung hier«, erwiderte der Direktor etwas zögerlich.

»Sagen Sie es ruhig! Ich muss es gewesen sein.« Paul Perry bemühte sich um einen humorigen Tonfall.

Nigel hatte sich Captain Wises Taschenlampe geliehen und leuchtete damit unter die Hütte.

»Wieso hat er bloß den Draht zurücklassen und nicht auch den Sack?«, murmelte er, während er im Staub kniete.

»Sack?«

»Er muss die Kadaver ja irgendwie transportiert haben. Er wird kaum mit einem Draht im Camp herummarschieren.«

Paul Perry beugte sich aus dem Fenster und griff nach dem Draht in Nigels Hand. Captain Wise machte instinktiv einen Schritt nach vorn, wie um dieses wichtige Beweisstück zu retten, hielt dann aber inne. Er und Nigel starrten in Pauls Gesicht, auf das – außer das schummrige Licht täuschte sie – ein sehr merkwürdiger Ausdruck getreten war.

»Nun gut, Strangeways, ich mach mich dann mal auf. Hier

haben Sie den Hut auf«, sagte Captain Wise letztendlich und versuchte, mit einem unverbindlichen Tonfall seine Unschlüssigkeit zu verbergen. »Gute Nacht. Gute Nacht, Perry.«

Als er außer Hörweite war, legte Paul die Karten auf den Tisch. In seiner Stimme lagen nicht länger Trotz und Nervosität, sondern nur noch der eindringliche Appell eines Kindes, das von seiner Mutter vor einem Schmerz gerettet werden will, den es nicht versteht.

»Vielleicht bin ich es gewesen«, sagte er, spielte mit dem Draht in seiner Hand und starrte ihn an, als ob er versuchte, sich zu erinnern, ob er ihn schon einmal gesehen hatte. »Ein Schizophrener, meinten Sie. Daran hatte ich zu Anfang auch gedacht. Aber wie kann ich wissen, ob nicht ich es bin, der die gespaltene Persönlichkeit hat? Angenommen, ich habe all diese furchtbaren, dummen Dinge getan ... Mein anderes Ich? ... Als ich in Cambridge war, hatte ich einmal einen Nervenzusammenbruch. Überarbeitung. Seitdem lebe ich in ständiger Angst ...«

Als er am nächsten Morgen im Bett lag, dachte Nigel über den Fund des Drahts sowie über Pauls Bekenntnis nach. Es gibt drei mögliche Erklärungen dafür, schloss er. Entweder war Paul in der Tat schizophren und der Verrückte Hutmacher seine zweite Persönlichkeit, oder Paul war zurechnungsfähig, hatte diese Streiche aus einem anderen, noch unbekannten Grund gespielt und die Theorie mit der Schizophrenie nur aufgestellt, um sich zu schützen, als er sah, dass die Suche so nah bei seinem Chalet stattfand; oder jemand anderes hatte den Draht unter sein Chalet gelegt, um den Verdacht auf ihn zu lenken.

Doch wenn das der Fall war, wieso war nur der Draht zurückgelassen worden? Warum nicht auch der Sack? Gut, nur den Draht zu verstecken war subtiler. Falls Perry als Übeltäter hingestellt werden sollte, könnte X argumentieren, dass Perry natürlich so etwas Großes und Belastendes wie den Sack unter seinem Chalet nie versteckt hätte. Oder aber es war etwas an dem Sack – oder was es auch immer für ein Behältnis gewesen war – das X belasten würde. Ja, das war die Antwort auf die Frage. Wieso war Perry nicht zur selben Zeit und am selben Ort den Draht und den Sack losgeworden? Ach nein, doch nicht. Angenommen Perry hatte die Tierkadaver verteilt und den Angestellten rufen hören, war in Panik geraten, zu seinem Chalet gerannt und hatte sich darunter versteckt, in dem Glauben, der Angestellte würde ihn verfolgen? Er hätte nicht gewagt, sich allzu lange zu verstecken, denn er hatte sich wahrscheinlich ein Alibi zurechtgelegt, das irgendwie mit dem Kabarett zu tun hatte, und hätte daher so schnell wie möglich zur Konzerthalle zurückgemusst. In der Eile, sich des Sacks zu entledigen, hatte er das Stück Draht übersehen. Vielleicht war es auch von ihm unbemerkt aus dem Sack gefallen, nachdem er die Kadaver abgelegt hatte.

Diese Darstellung würde zu den Fakten passen, vorausgesetzt, dass Perry seine Anwesenheit in der Konzerthalle während der gesamten Kabarettshow nicht nachweisen konnte. Aber was, wenn er der Verrückte Hutmacher war? Wie hätte er am Sonntagmorgen den Zettel aufhängen können, wenn er doch einer der Letzten gewesen war, die den Badestrand verlassen hatten? Hätte er sich unbemerkt davonschleichen können, um nach zwölf Uhr, als die Sekretärin ihre Bekanntmachungen aufgehängt hatte, zum Schwarzen Brett und wieder ungesehen an den Strand zu gelangen? Nigel studierte den

Zettel, auf dem Teddy Wise die ungefähren Zeiten notiert hatte, zu denen die Leute untergetaucht worden waren. Sally Thistlethwaite, 11:15 Uhr; Albert Morley 11:30; Mortimer Wise 12:15. Kurz nachdem Mortimer Wise untergetaucht wurde, kehrten die Badegäste zurück nach Wunderland, und Teddy hatte sich die Nummern und Namen auf ihren Plaketten notiert, als sie den Strand verließen. Das ließ gerade genug Zeit für den Verrückten Hutmacher, nach zwölf Uhr seinen Zettel aufzuhängen und zurückzukehren, um Captain Wise unterzutauchen. Aber es hätte ihn doch sicherlich jemand sehen müssen, wie er den Klippenpfad entlanglief?

Nigel seufzte gereizt. Warum hatte die Campleitung nicht umfangreichere Befragungen durchgeführt? Mittlerweile war so viel Zeit vergangen, dass man den Erinnerungen der Leute nicht mehr trauen konnte. Selbstverständlich hatte Captain Wise zu dem Zeitpunkt nicht wissen können, wie weit sich die Aktionen des Verrückten Hutmachers ausdehnen würden, und er hatte äußerst taktvoll mit den Gästen umgehen müssen. Aber trotzdem ...

Es klopfte an Nigels Tür, und die Campleitung in Person von Captain Wise höchstselbst stand davor. Er konnte seine Entrüstung kaum verbergen.

»Sehen Sie sich das an. Das wird es uns so richtig vermasseln«, rief er und warf eine Ausgabe der *Daily Post* auf Nigels Bett. Auf einer Seite prangte die Schlagzeile:

SKANDAL IM URLAUBSCAMP
MALICE IN WUNDERLAND
Wer ist der Verrückte Hutmacher?

»Wie zum Teufel haben sie davon erfahren? Kann mir das jemand erklären? Wir haben jede erdenkliche Vorsichtsmaßnahme getroffen, damit es nicht an die Öffentlichkeit gelangt. Ich habe sogar einen Appell an die Gäste gerichtet. Ich kann nicht glauben, dass einer von ihnen ... Der oberste Geschäftsführer hat mich gerade angerufen und mich fertiggemacht.«

»Dann haben Sie wohl einen Journalisten im Camp.«

»Aber ich habe ausdrücklich Anweisung gegeben, dass niemand von der Presse hereingelassen werden darf, ohne zuerst zu mir zu kommen.«

»Sie bräuchten eine ganze Kompanie an Wachleuten, um die Presse von hier fernzuhalten. Nein, es wird sich herausstellen, dass es dieser Kerl war, der gestern Morgen vom Grundstück gejagt worden ist. Er hat sich scheinbar länger mit Miss Thistlethwaite und den anderen Opfern des Verrückten Hutmachers unterhalten.«

»Donner und Doria! Ja, sie haben wahrscheinlich recht! Ich rufe sofort bei der *Daily Post* an und erkundige mich. Ich wünschte, wir könnten sie für Verleumdung drankriegen. Aber diese großen Zeitungen wissen sich heutzutage nur zu gut zu helfen.« Captain Wise ging zur Tür, aber ein nachträglicher Einfall ließ ihn abrupt stehenbleiben. »Von wem stammt dieser Artikel eigentlich?«

»Hier heißt es ›von unserem lokalen Korrespondenten‹«, las Nigel vor.

»Die Lokalzeitung hier ist die *Applestock Gazette*.«

»... Die *Gazette* schickt einen Reporter, und der gibt alles weiter an die *Daily Post* oder irgendeine Nachrichtenagentur. Ich muss schon sagen, wer auch immer diesen Artikel geschrieben hat, hat ganze Arbeit geleistet.«

»Einen Moment mal. Wollen Sie behaupten, dass einer der Gäste sich wichtig gemacht hat? Aber aus welchem Grund?«

»Vielleicht hat man ihm Geld angeboten. Möglicherweise war es auch der Verrückte Hutmacher selbst, der die Presse verständigt hat. Jetzt sind jedenfalls alle Augen und Ohren auf ihn gerichtet, falls das sein Ziel war.«

»Und gleichzeitig geht die Wunderland GmbH vor die Hunde«, sagte Captain Wise kläglich. »Ich kümmere mich sofort um dieses Schmierblatt.«

»Ich würde bis nach dem Frühstück warten. Der Herausgeber wird wahrscheinlich nicht vor zehn Uhr ins Büro kommen.«

An diesem Morgen war beim Frühstück die Aufregung groß. Jeder, der die Ausgabe der *Daily Post* bei sich trug, wurde von anderen Gästen bestürmt. Das Interesse war das gleiche wie bei einem Fußballspiel, das man am Vortag verfolgt hatte. Selbst Mr Thistlethwaite ließ den Blick immer wieder von seiner Ausgabe der *Times* zur *Daily Post* seiner Frau wandern. Am nächsten Tisch machte Miss Gardiner triumphierend darauf aufmerksam, wie zutreffend ihre psychologische Analyse des Übeltäters gewesen war. »Ein ausgeprägter, aber unterdrückter Drang nach Zurschaustellung ist charakteristisch für solche Menschen«, wiederholte sie. »Lassen Sie sich das gesagt sein – es war der Verrückte Hutmacher höchstpersönlich, der diese Informationen an die Zeitung weitergegeben hat. Darum ging es ihm von Anfang an – Bestätigung zu erhalten und sich selbst in der Zeitung zu sehen.«

»Wie ich sehe, werde ich ebenfalls erwähnt«, sagte Mr Morley stolz. »Ich muss mir eine Ausgabe kaufen. Kann ich den

Kollegen im Büro zeigen. Schlecht für das Camp, allerdings, sehr schlecht. Denken Sie nicht auch, Mr Perry?«

»Finden Sie? Ich hätte gedacht, für einen Ort wie diesen ist jedwede Art von Aufmerksamkeit besser als gar keine.«

»Oh, aber nicht doch, wenn ich Ihnen denn widersprechen darf. Als Geschäftsmann kann ich Ihnen versichern, dass ...«

»Ich finde interessant«, unterbrach Paul, »dass jeder hier die Geschichte als eine Art persönlichen Erfolg sieht. Und, nebenbei bemerkt, diese allgemeine Annahme, dass die Presse gleich Gott allwissend sei – alle nehmen den Artikel als gegeben hin. Keiner fragt sich, wie die Zeitung überhaupt von allem erfahren hat.«

»Ich wette, es war dieser Mann, der mir am Strand den Rücken mit Sonnenöl eingerieben hat«, rief Sally. »Ich habe mich schon gefragt, wieso er mir all diese Fragen gestellt hat, und in dem Artikel stehen ein paar Dinge, die ich gesagt habe – beinahe wortwörtlich.«

»Es würde mich nicht überraschen, wenn Sie recht haben«, sagte Nigel.

»Aber das beantwortet nicht die Frage, ob ...«, setzte Paul an.

»Ach, ich bin einfach froh, dass es nicht der Verrückte Hutmacher war! Ich habe ständig damit gerechnet, dass sich auf meinem Rücken Blasen bilden.«

»Was natürlich den Südsee-Effekt verdorben hätte.«

»Hat dir unsere Vorstellung gestern Abend gefallen? Ich fand, es lief wesentlich besser als in der Probe.« Sally lächelte ihn an. Es war offensichtlich ein Friedensangebot.

»Ich war nicht anwesend. Einmal hat mir gereicht«, erwiderte Paul kalt. Sallys Mundwinkel zuckten wie nach einer

Ohrfeige. Dann beherrschte sie sich und antwortete in einem Tonfall, der dem seinen glich, »Das ist merkwürdig, mein Bester. Ich hätte gedacht, du und deine Miss Jones würden die Gelegenheit wahrnehmen, sich auf Kosten anderer zu amüsieren.«

»Wir haben stattdessen ein wenig frische Luft geschnappt. Ach ja, da sich Strangeways ständig nach Alibis umhört, sollte ich vielleicht darauf hinweisen, dass Miss Jones sich kurz entfernt hat und ich für ungefähr zehn Minuten alleine war.«

»Sie haben diese Zeit nicht etwa damit verbracht, Tierkadaver in den Betten der Gäste zu verteilen, nehme ich an?«, fragte Nigel gleichermaßen unverfroren.

»Zufällig nicht. Ich habe nur eine Zigarette geraucht und den schönen Abend genossen. Ich dachte mir, ich würde das mehr genießen, als der Fleischbeschau in der Konzerthalle beizuwohnen. Offensichtlich ein Fehler.«

Paul Perry wischte sich den Mund ab, stand auf und verließ den Tisch.

»Was ist er doch für ein Scheusal«, murmelte Sally und belog sich damit selbst. »Ich habe dasselbe Kostüm getragen wie die anderen. Außerdem laufen alle im Camp so herum.«

»So spärlich sie auch sein mag«, erklärte ihr Vater, »die moderne Damenbekleidung besitzt die Vorzüge, aufrichtig und hygienisch unbedenklich zu sein. Ich wäre der Letzte, der die moderne junge Frau aus Gründen der Unanständigkeit zensieren würde.«

Bald nach dem Frühstück begab sich Nigel zum Büro des Direktors. Esmeralda Jones bestätigte ihm, dass sie zusammen mit Paul Perry vor Beginn des Auftritts der Südseeschönheiten die Konzerthalle verlassen hatte und dann von einem der Angestellten zum Telefon gerufen worden war. Doch könne man daraus keine endgültigen Schlüsse ziehen, denn direkt nach der Kabarettshow hatte es zur Pause geläutet, und ein Großteil des Publikums war an die frische Luft gegangen. Auch der Angestellte, der die Chalets im Auge behalten hatte, konnte nicht mit absoluter Sicherheit den Zeitpunkt benennen, zu dem er die Gestalt aus Nigels Hütte hatte kommen sehen. Er konnte lediglich angeben, dass es irgendwann zwischen 9:30 Uhr und 10 Uhr gewesen war, und dieses Zeitfenster war groß genug für die Pause als auch die Südseenummer.

Während dieser Unterhaltung blätterte ein bedrückter und unentschlossener Captain Wise in den Dokumenten auf seinem Schreibtisch. Nigel schlug vor, die *Applestock Gazette* anzurufen und, nachdem Miss Jones die Verbindung hergestellt hatte, erwartete er, dass Captain Wise das Gespräch übernehmen würde. Der Direktor jedoch deutete auf das Telefon und sagte, »Das erledigen besser Sie, Strangeways. Ich bezweifle, dass ich ruhig bleibe, wenn ich mit diesen Leuten rede.«

Nigel nahm das Telefon und ließ sich mit dem Herausgeber verbinden. Er nannte seinen Namen, gab an, dass er ein Privatdetektiv sei, der von der Geschäftsführung Wunderlands engagiert worden sei, und bat darum, mit dem Reporter zu reden, den die *Gazette* gestern Morgen in das Urlaubscamp geschickt hatte. Der Herausgeber war anfangs eher misstrauisch. Ja, lenkte er dann ein, seine Zeitung gehöre dem Verlag der *Daily Post*. Möglicherweise habe einer seiner Reporter die Geschichte weitergeleitet. Falls Mr Strangeways im Laufe des Vormittags in sein Büro kommen könnte, wäre er vielleicht in der Lage, ihm weiterzuhelfen.

»So weit so gut. Könnte mich jemand fahren? Miss Thistlethwaite sollte mitkommen, um den Reporter zu identifizieren, falls nötig. Und mittwochs trifft man außerdem Old Ishmael im *Mariner's Compass* an.«

Miss Jones hob ihre sorgfältig nachgezogenen Augenbrauen. »Sie denken doch nicht immer noch, dass er ...?«

»Ein Einsiedler, der Bars besucht, interessiert mich. Das scheint mir etwas widersprüchlich. Besuchen viele der Gäste Applestock?«

»Wenn sie einen Ausflug machen, dann dorthin. Aber die meisten ziehen es vor, im Camp oder in der Nähe zu bleiben, vor allem, wenn sie nur für eine Woche hier sind.«

»Wollen Sie andeuten, dass einer von ihnen ein Komplize dieses Einsiedlers sein könnte?«, fragte Captain Wise.

»Oh, ich möchte noch keine Theorien aufstellen. Es gibt so viele ungelöste Fragen in diesem Fall, die ich gerne erst klären möchte.«

Captain Wise entsandte eine der Wunderland-Hostessen, um Nigel nach Applestock zu fahren. Und so verließen Nigel, Sally und Mr Thistlethwaite in dem Lagonda des Direktors das Camp. Nach einer Viertelstunde Fahrt entlang der Küste gelangten sie auf einen Hügel, von dessen Kuppe aus sie unter ihnen Applestock erkennen konnten. Die Altstadt – zusammengedrängte Häuser mit roten Ziegeldächern am Wasser – bildete den Kern. Westlich gelegen waren die Hafenanlagen, Warenlager und die Mole des Militärhafens. Eine moderne Strandpromenade erstreckte sich nach Osten, und an den Hügeln lagen verstreut Häuser, Bungalows und

Läden – ein Zeichen des Wohlstands, den die Stadt dank des Marinestützpunkts erfuhr.

Vor dem Gebäude der *Applestock Gazette* stieg Nigel aus, nahm Sally mit hinein und wurde zum Büro des Herausgebers gebracht. Mr Ainsley war ein hochgewachsener Mann, mit bedächtigen Bewegungen und scharfen Augen. Nachdem er einige Minuten vorsichtig mit Nigel geplänkelt und sich überzeugt hatte, dass sein Besucher nicht mit feindlichen Absichten gekommen war, ließ er seinen Chefreporter, Mr Leeson, kommen. Mr Leeson kam lässig ins Zimmer, Pfeife im Mund, und richtete einen prüfenden Blick auf Sally, die in ihm sofort den Fremden vom Badestrand erkannte.

»Wie geht es mit der Bräune voran, Miss Thistlethwaite?«, fragte er.

Im Büro herrschte eine zwanglose Atmosphäre, die Nigel vorkam wie ein frischer Wind im Vergleich zu der Steifheit, die in gewissen, ihm bekannten Londoner Redaktionsräumen herrschte. Mr Ainsley starrte nachdenklich die Decke an, während Nigel seine Fragen stellte. Ja, Mr Leeson hatte die Geschichte an die *Daily Post* weitergeleitet. Er hatte auf einen Telefonanruf am Abend zuvor reagiert und war nach Wunderland gefahren.

»Wer hat Sie angerufen?«

»Es wurden keine Namen genannt. Eine männliche Stimme, würde ich sagen.«

»Irgendwie verstellt?«

»Er hat weder gequäkt noch Kauderwelsch gesprochen. Er sagte lediglich, dass jemand im Camp Schabernack treibt, und gab mir die Namen der Opfer. Er hat irgendetwas von einem Verrückten Hutmacher erzählt – ich dachte erst, es wäre ein Scherz, aber da ich am nächsten Morgen nichts vorhatte, bin ich mal hingefahren. Die Geschichte war den Dauerlauf vom Gelände wert.«

»Hat jemand von den befragten Gästen Sie verdächtigt, von der Presse zu sein?«

Mr Leeson gab leicht gekränkt zu, dass eines der Opfer, Albert Morley, ihn gefragt hatte, ob er von der Presse sei. Nigel gab sich damit zufrieden und kam auf Old Ishmael zu sprechen.

»Wussten Sie irgendetwas über ihn, abgesehen von den Kontroversen über das Urlaubscamp, in die er verwickelt gewesen war?«

»Wir wissen stets, was in Applestock und Umgebung vor sich geht«, sagte der Herausgeber süffisant. »Was genau möchten Sie über den alten Eremiten wissen?«

»Zum Beispiel, ob er fliegt?«

Sally erschrak, denn sie erinnerte sich nur zu genau an die krähenartig flappenden Arme der Gestalt, die sie im Wald angetroffen hatten. Der Herausgeber war ebenfalls verblüfft.

»Fliegen?«, fragte er. »Soweit ich weiß, ist er kein Zauberer.«

»Was ich meine, ist, ob er hier in der Gegend Reisen mit dem Flugzeug unternommen hat?«

»Heiliges Kanonenrohr! Nein, er ist strikt gegen so neumodische Erfindungen wie Flugzeuge!«

»Kann man Luftaufnahmen von dem Bezirk hier – Wunderland, Applestock und so fort – kaufen?«

»Ja. Nur nicht vom Hafen, natürlich. Zivilflugzeuge dürfen mittlerweile nicht mehr darüber hinwegfliegen.«

»Hat er seine Gewohnheiten im letzten Jahr irgendwie geändert?«

»Na ja, er kommt öfter nach Applestock. Früher nur zweimal pro Woche, Mittwoch und Freitag – man konnte die Uhr nach ihm stellen. In letzter Zeit habe ich ihn gelegentlich auch an anderen Tagen gesehen. Aber niemand beachtet ihn. Er ist ein örtliches Wahrzeichen und gehört dazu.«

Nigel dankte dem Herausgeber für die Informationen und verließ zusammen mit Sally das Gebäude. Mit ihrem Vater machten sie sich auf den Weg durch die schmalen Straßen der Altstadt und erreichten nach fünf Minuten den *Mariner's Compass*. Es war ein alter Pub, vor Kurzem erst renoviert und in eine pompöse Lokalität mit viel Messing und glasierten Ziegeln verwandelt. Sie betraten den Pub durch einen Nebenraum und bestellten Getränke. Wenn man den Kopf reckte, konnte man hinter einer Trennwand die Schankstube erkennen. Mehrere Matrosen und Deckoffiziere saßen an runden Tischen oder auf den hochlehnigen Sitzbänken aus Eiche, die die Modernisierung des Pubs überlebt hatten. In einer Ecke, auf einer der Sitzbänke saß Old Ishmael, neben ihm auf dem Boden ein großer Sack. Vor ihm stand ein Bierkrug, und er schien in eine Art Stumpfsinn verfallen zu sein; hin und wieder machte er mit dem Mund schmatzende Geräusche, und wie in Trance fixierten seine Augen eine grelle Zigarettenwerbung an der gegenüberliegenden Wand. Er war eine exzentrische Erscheinung: zerlumpt, graubärtig, in müßiger Kontemplation oder vielleicht auch bloß ins Leere stierend.

»Soll ich hingehen und ihn am Bart ziehen?«, flüsterte Sally. »Wenn ich ihn abreißen kann, wissen wir, dass er der Verrückte Hutmacher ist.«

»Sie werden ganz bestimmt nichts dergleichen tun«, antwortete Nigel mit Nachdruck. »Außerdem lässt sich ein wirklich guter, falscher Bart nicht so leicht abreißen. Hautkleber, liebes Kind.«

Er fing ein Gespräch mit dem Wirt an. Der Mann erzählte ihm, das im *Mariner's Compass* hauptsächlich Seeleute verkehrten. Hin und wieder kamen auch Urlauber, aber der Pub war eine etwas zu ruppige Umgebung für sie, besonders an einem Samstagabend.

»Wie ich sehe, ist Old Ishmael hier.«

»Ja. Er ist präzise wie ein Uhrwerk. Kommt Mittwoch und Samstag. Bestellt sein Bier und sitzt manchmal stundenlang da. Die Burschen hier wollen ihn hin und wieder einladen, aber er nimmt nie an.«

»Unterhält er sich je mit anderen Gästen? Ich frage mich nur, weshalb er herkommt, wenn er nicht besonders gesellig ist und auch nicht viel trinkt.«

»So wie er alleine da oben im Wald haust, braucht er vermutlich ab und an ein wenig Gesellschaft. Mich würde das ja wahnsinnig machen. Nein, das einzige Mal, dass ich gesehen habe, wie er für etwas anderes als einen Schluck Bier seinen Mund aufmacht, war im letzten Jahr. War wohl ziemlich genau um diese Zeit. Ein Gentleman, der bei Swetenham – das ist der Hof hinter dem Wunderland-Camp – zu Gast war, hat es geschafft, ihn zum Reden zu bringen. Keine Ahnung, wie. Verdammtes Wunder, wenn Sie mich fragen, entschuldigen Sie, Miss. Ja, die beiden haben sich großartig verstanden.«

»Worüber haben sie gesprochen?«

»Weiß ich nicht genau. Ich hab gehört, wie sie über das Urlaubscamp geredet haben. Der Alte ist zwangsgeräumt worden, als es gebaut wurde, wissen Sie. Ich glaube, der Kerl hat sich bei Old Ishmael eingeschmeichelt, indem er über das Camp geschimpft hat.«

Sally linste wieder über die Trennwand. Der Einsiedler war immer noch in seiner Trance versunken. Mechanisch griff seine Hand nach dem Bierkrug. Sein Blick blieb auch beim Trinken auf die gegenüberliegende Wand oder in eine unbestimmte Ferne gerichtet. Mit zitternder Hand stellte er den Bierkrug wieder auf den Tisch. Sally überkam ein Gefühl der Abscheu, als ob sie ein im Schlaf zuckendes Monster beobachten würde. Plötzlich öffnete sich die Schwingtür des Pubs, und eine Gruppe lachender Matrosen kam lärmend herein. Sie unterhielten sich über Hunderennen. Einer von ihnen, ein schweinsäugiger Kerl in der Uniform eines Schiffsingenieurs, bestellte eine Runde für alle. Er klang, als wäre dies nicht der erste Pub, den er an diesem Morgen besuchte.

»Hast du nen Tipp für Reading am Samstag, Kumpel?«, fragte ihn einer seiner Begleiter.

»Reading? Da läuft n Hund, der nicht mal verlieren könnt, wenn man ihm Rollschuhe anzieht. Hat das Rennen in der Tasche. In der Tasche, sag ich dir.«

»Wie heißt er, Kumpel?«

»Blue Blanket«, rief der Mann. »Setz dein Geld auf Blue Blanket, und du musst nie mehr zur See. Wird dir n Vermögen machen. Ey, Old Ishmael da drüben hört nich zu. Setz dein Geld auf Blue Blanket, Ishmael, und kauf dir nen neuen Anzug.«

»Er is taub, Kumpel. Kann dich nich hören.«

»Ich schreib's ihm auf. Was Gutes nie für dich behalten, so bin ich, so is Nobby.«

Der Mann holte ein Stück Papier aus seiner Hosentasche, schrieb etwas auf und drückte es dem Einsiedler in die Hand. Ishmael blickte leicht auf und erblickte Sallys Gesicht hinter dem seines Wohltäters. Ein außergewöhnlicher Krächzer entfuhr seiner Kehle, und im nächsten Moment hatte er seinen Sack gepackt und verschwand aus der Tür.

»Jessas, da isser weg, Old Ishmael!«

»Is wohl in Eile, ne Wette zu platzieren!«

»Oh, ganz schön unartig, in seinem Alter noch zu wetten!«

Sally drehte sich mit bleichem Gesicht zu Nigel, der neben ihr stand. Der Einsiedler hatte ihr nur einen einzigen Blick zugeworfen, aber das hatte ihr gereicht.

»Haben Sie gesehen ...?«, begann sie.

»Ja. Ich habe so einiges gesehen. Lassen Sie uns gehen.«

Sie gingen zurück zum Auto. Als sie Applestock verließen, räusperte sich Mr Thistlethwaite, der auf dem Rücksitz neben Nigel saß, und sagte, »Ein äußerst bedeutsames Interview, denken Sie nicht, Sir?«

»In der Tat. Haben Sie mittlerweile eine Theorie?«

Mr Thistlethwaite machte einen würdevollen Hüpfer, als der Lagonda über eine Furche fuhr.

»Eine alternative Theorie«, korrigierte er. »Ich hatte bisher angenommen, diese Schandtaten seien zugleich Vorbereitung und Ablenkungsmanöver für ein Verbrechen von fatalerem Charakter. Noch lasse ich nicht gänzlich von dieser Theorie ab. Aber der Wortwechsel zwischen dem Einsiedler und dem unbekannten Besucher – und ich meine nicht den Seemann, der sich mit solch grobem Mangel an *Savoir-faire* und gebräuchlicher *Politesse* gezeigt hat – ist einer interessanten Interpretation höchst zuträglich.«

»Sie meinen, dass der Besucher sich aus irgendeinem Grund mit Ishmael verschworen haben könnte?«

»Das haben Sie richtig erfasst, Sir.« Mr Thistlethwaite strahlte und blickte dann außerordentlich scharfsinnig drein. »Weshalb hat der Einsiedler, ein notorischer Misanthrop, so rasch Bekanntschaft mit einem Fremden geknüpft? Der Wirt hat sie über das Urlaubscamp sprechen hören. Das ist unsere Lösung, sage ich. Beide hatten ihre Gründe – unterschiedliche Gründe, möglicherweise –, dem Camp übelzuwollen. Sie kommen überein. Sie setzen ihren Plan um. Und diese Woche haben wir die Ergebnisse ihrer Machenschaften erfahren.«

»Welchen Gründe hatte dieser andere Kerl, denken Sie? Welche Rolle spielt er? Wenn er sich die Unterstützung des Einsiedlers gesichert hat, dann wohl deshalb, weil er nicht alles allein ausführen konnte – oder zumindest nicht ohne Beihilfe. Das wiederum impliziert, dass der Einsiedler selbst einige der Taten begangen hat. Können Sie sich vorstellen, dass der alte Sack Knochen sich als Wunderland-Gast verkleidet und Leute im Meer untergetaucht hat? Und all das andere?«

»Nun gut, Sir. So gesehen …« Mr Thistlethwaite sah aus wie ein begossener Pudel. Sally allerdings, die vom Vordersitz aus zugehört hatte, drehte sich um und sagte, »Ich kann mir das sehr wohl vorstellen. Dieser schreckliche alte Mann wirkt irgendwie unaufrichtig. Er kann sein Äußeres wahrscheinlich viel leichter verändern, als ihr denkt. Er ist irgendwie – ich weiß nicht, wie ich das Gefühl beschreiben soll – irgendwie künstlich, als ob er aus Pferdehaar und Pergament und alten Fußmatten zusammengebastelt wäre.«

»Ja«, sagte Mr Thistlethwaite und begann, sich wieder

für die Detektivarbeit zu erwärmen, »und der Grund für die Komplizenschaft des anderen Kerls – na ja, es gibt nun mal mehrere konkurrierende Urlaubscamps, die froh wären, wenn Wunderland aus dem Rennen wäre. Dieser Mann könnte ein Agent der Konkurrenz sein. Oder geht meine Fantasie mit mir durch, Sir, ergibt das alles keinen Sinn?«

»Nein«, erwiderte Nigel langsam. »Es ist nicht unmöglich. Vielleicht ist da etwas dran.«

XIII

Nigel wies die Fahrerin an, auf dem Rückweg bei Mr Swetenhams Hof anzuhalten. Dort angekommen, verriet er den wahren Grund für seine Anwesenheit in Wunderland und zog weitere Erkundigungen über den mysteriösen Besucher des Vorjahres ein. Der Bauer konnte ihm nur wenig weiterhelfen. Der Besucher, ein Mr Charles Black, hatte während seines Aufenthalts zweifellos den Klatsch über Ishmael und seine Auseinandersetzung mit Wunderland zu hören bekommen. Er hatte sich zwar in das Besucherbuch eingetragen, aber als Adresse nur ›London‹ angegeben. Er war ein reservierter Gentleman, erinnerte sich der Bauer, aber im Großen und Ganzen umgänglich und sehr diskret. Nigel fragte Mr Swetenham, ob er zufällig eine Fotografie von ihm habe.

»Komisch, dass Sie fragen. Meine Älteste hat einmal unbemerkt ein Foto von ihm gemacht. Als sie es ihm gezeigt hat, war er außer sich. Wollte es ihr zuerst abkaufen – auch das Negativ, glaub ich. Dann hat er halb im Spaß gedroht, es zu zerreißen, und gemeint, er wäre viel zu hässlich. Am Ende hat er sie versprechen lassen, dass sie es nicht herumzeigt. Ich schätze mal, sie hat es immer noch. Sie hatte sich ein bisschen in ihn verguckt, das ist so sicher wie das Amen in der Kirche.«

Nigel überredete den Bauer, ihn den Schnappschuss und das Besucherbuch mitnehmen zu lassen – er würde beides so bald wie möglich wieder zurückbringen. Bei der Unterschrift hatte der Besucher womöglich seine Handschrift verstellt, und es war nicht besonders wahrscheinlich, dass Charles Black sein richtiger Name war, aber die Aufnahme, die einen älteren, robust wirkenden, grauhaarigen Mann im Halbprofil zeigte, konnte wenigstens nicht lügen.

Zurück im Camp zeigte Nigel die Fotografie kommentarlos zuerst den Brüdern Wise und Miss Jones. Keiner von ihnen erkannte den Mann. Daraufhin fragte er Captain Wise, ob eines der konkurrierenden Urlaubscamps hinter den Vorfällen in Wunderland stecken könne. Der Direktor überlegte eine Weile, bevor er antwortete.

»Nicht unmöglich, aber sehr unwahrscheinlich«, erwiderte er schließlich. »Die Leute von Beale wetzen die Messer, das simmt. Wir haben sie ganz schön in den Sack gesteckt. Aber ich kann einfach nicht glauben, dass sie so drastische Maßnahmen ergreifen würden – sie wären ruiniert, wenn das herauskäme.«

»Ich würde heute Nachmittag gerne ihr Personal befragen, wenn es sich einrichten ließe. Jeden, der in den Gebäuden und auf dem Gelände arbeitet. Einzeln.«

»Das ist ziemlich viel verlangt. Aber wir können es arrangieren, denke ich. Sie möchten sich diesbezüglich vielleicht gleich mit Miss Jones besprechen?«

Nigel ging mit der Sekretärin in ihr Büro, das direkt neben dem Zimmer des Direktors lag. Sie holte ein riesiges Diagramm hervor, auf dem die Arbeitszeiten aller Angestellten eingetragen waren, und errechnete rasch einen Zeitplan, nach dem Nigel die Interviews führen konnte. Ihr Blick für Details war erstaunlich. Nigel fragte sich, wie Captain Wise mit der Organisation Wunderlands zurechtkommen würde, sollte sich seine talentierte Sekretärin dazu entschließen, ihn zu verlassen.

»Machen Sie all das hier gerne?«, fragte er. »Vermutlich ja, sonst wären Sie nicht so gut darin.«

»Es ist eine Arbeit ... Und sie lenkt mich von anderen Dingen ab.«

»Was für andere Dinge? Oder sollte ich das lieber nicht fragen?«

Die Sekretärin verzog in humorvollem Selbstmitleid ihre vollen, roten Lippen. »Ach, das Leben hätte auch anders kommen können. Glanz von gestern. Ich bin Lysaght Jones' Tochter.«

»Ich verstehe.« Nigel erinnerte sich an die Pleite des brillanten, unberechenbaren Finanziers vor drei oder vier Jahren und an dessen darauffolgenden Suizid.

»So clever, dass er sich am Ende den Ast abgesägt hat, auf dem er saß«, war das einmütige Urteil zu Lysaght Jones gewesen. Seine Tochter hatte scheinbar zweifellos sein Talent zur Organisation geerbt sowie eine Prise des spritzigen Humors, der wahrscheinlich stets seine Rettung gewesen war, vermutete Nigel. Jetzt war sie jedenfalls hier und arbeitete für ein Gehalt, das vor einigen Jahren wohl gerade so für einen ihrer Pelzmäntel gereicht hätte.

»Und sagen Sie jetzt bloß nicht, dass ehrliche Arbeit doch viel erhabener ist als mein früheres Schlaraffenleben«, fuhr sie fort. »Nach der Pleite musste ich ziemlich viel durchmachen, bevor ich diese Stelle bekommen habe. Alte Freunde meines Vaters hätten dem kleinen Mädchen gegen einen kleinen Entgelt liebend gerne eine Beschäftigung gefunden. Das übliche Etwas. In der einzigen Währung, die ich noch zur Verfügung hatte. Nein, es war *nicht* erhaben.«

»Trotzdem haben Sie es geschafft, etwas aus sich zu machen.«

»Bis dieser verdammte Verrückte Hutmacher aufgetaucht ist. Jetzt werde ich mich bald wieder nach einer neuen Arbeit umsehen müssen.«

»So schlimm ist es sicherlich auch wieder nicht.«

»Die öffentliche Aufmerksamkeit, die diese Sache erregt hat, hat uns in die Knie gezwungen, mein Freund. Sie hätten Arbuthnot – das ist der oberste Geschäftsführer – heute Morgen am Telefon hören sollen. Wir können uns von Wunderland verabschieden, und das weiß er auch. Armer Captain Wise. Ich weiß nicht, was er machen wird, wenn das Urlaubscamp untergeht. Man wird ihm mit Sicherheit keine Stelle mehr anbieten, und wovon soll er dann leben?«

Während sie sich unterhielten, legte sie die Reihenfolge fest, in der Nigel das Personal befragen sollte. Das Klappern der Schreibmaschine wurde nur von ihren Bemerkungen unterbrochen, die sie in unregelmäßigen Abständen verlauten ließ. Sie arbeitete mit einer Art unbekümmerter Geringschätzung, als ob es sie nicht weiter scherte, wenn Schreibmaschine, Listen, Akten, Büro und ganz Wunderland schon bald untergingen. Sie zog einen Bogen Papier aus der Schreibmaschine und sagte unvermittelt, »Trotzdem würde ich diesen Vogel gerne überführen, auch wenn es bereits zu spät ist. Wissen Sie irgendetwas über Initiationsriten, Nigel Strangeways?«

»Nicht besonders viel, wieso?«

»Mr Paul Perry kennt sich damit aus. Er hat mir gestern Nachmittag einen Vortrag darüber gehalten.«

Sie schwieg so unvermittelt, wie sie mit dem Reden angefangen hatte, nahm ihre Brille ab und schminkte sich die Lippen. Trotz ihres sorglosen Auftretens erwartete sie offensichtlich etwas von ihm.

»Sie meinen, diese Streiche weisen eine starke Ähnlichkeit zu jenen auf, die Jugendlichen bei Initiationsriten auf dem Kondominium Neue Hebriden von älteren Männern gespielt werden?«

»Wie ich sehe, sind Sie als Detektiv ernst zu nehmen.«

»Sie sagen mir lieber, was genau Sie im Sinn haben.«

»Ich will keine haltlosen Anschuldigungen erheben. Er scheint ein netter, junger Mann zu sein, wenn auch ein wenig zu ernst und selbstgefällig. Ist der verrückte Wissenschaftler wirklich Fakt und nicht bloß Fiktion? Ich weiß es nicht. Auf jeden Fall ist er eine Art Anthropologe und besessen von seiner Arbeit. Er hatte nie das Geld oder den Einfluss, um sich einen Platz bei einer Expedition zu sichern. Würde er sich an Experimenten hier zu Hause versuchen? Ich weiß es nicht. Ich frage lediglich *Sie*.«

»Aber diese Streiche und die Reaktionen der Leute darauf ergeben doch sicherlich kein besonders nützliches wissenschaftliches Experiment? Und er würde sich kaum mit ihnen über Initiationsriten unterhalten, nur wenige Stunden bevor er den Leuten tote Tiere in die Betten legt.«

»Wohl wahr. Mir wäre es sowieso wesentlich lieber, wenn es jemand anderes wäre.«

»Sie haben noch etwas anderes im Sinn.«

»Na gut. Warum wollte er unbedingt den Fragebogen sehen? Die Antworten zu dem Verrückten Hutmacher? Das ist doch für seine Umfrage nicht von Wert.«

»Bloße Neugier, vielleicht.«

»Ist ein Wissenschaftler jemals *bloß* neugierig?«

»Interessante Auffassung. Sonst noch etwas?«

»Nichts, was man als Beweise bezeichnen könnte. Aber er hat einen schrecklich prüden Charakter. Er war tief bestürzt, als er das Kabarettkostüm seiner jungen Freundin zu sehen bekam. Und wo bitte würde ein Puritaner eher die Kontrolle verlieren, als hier, in einem Babylon der Vergnügungen? Weiß der Himmel, bei uns wird sich wirklich relativ unschuldig vergnügt – abgesehen von ein bisschen nächtlichem Hin und Her zwischen den Chalets. Aber Vergnügungen jeglicher Art reichen ja schon aus, um einen eingefleischten Puritaner zur Weißglut zu treiben.«

Nigel verabschiedete sich von Miss Jones und ging nachdenklich zu seinem Chalet zurück. Dort angekommen, schob er den Gedanken an ihre Andeutungen beiseite und schrieb einen Brief an seinen Onkel, den stellvertretenden Polizeipräsidenten Sir John Strangeways. Sir John, sein Lieblingsonkel und Vormund in seiner Jugend, war immer noch sein bester Freund. Nigels jugendliche Heldenverehrung seines Onkels war auch ausschlaggebend für seine Berufswahl gewesen. Es herrschte eine stillschweigende Übereinkunft zwischen den beiden, dass Nigel aus der Position Sir Johns keinen Profit schlagen würde, ebenso wenig bat er seinen Onkel um Rat oder Unterstützung, außer es war dringend erforderlich. Als Leiter des Dezernats für Sondereinsätze hatte Sir John bereits alle Hände voll zu tun. Allerdings gab es hin und wieder Fälle, die Nigel nicht im Alleingang weiter bearbeiten konnte, sodass Nigel die Fakten für Sir John in einem Memorandum zusammenfasste und dieser darauf basierend entschied, ob ein offizielles Einschreiten vonseiten des Staats gerechtfertigt war.

Ohne den Gong zum Mittagessen zu beachten, schrieb Nigel weiter. Eine detaillierte Beschreibung der Vorfälle war nicht notwendig, Sir John konnte alles in der *Daily Post* nachlesen, und außerdem bestand kaum Zweifel daran, dass die Öffentlichkeit trotz Mr Leesons höflicher Zusicherungen sehr wohl über alle Ereignisse in Wunderland auf dem Laufenden gehalten würde.

»Wie du siehst, mein lieber Onkel«, schloss er, »habe ich momentan über vierhundert Verdächtige, ganz zu schweigen von etwaigen Komplizen, was so viele mögliche Verbindungen zulässt, dass selbst Dir der Kopf davon rauchen würde. Natürlich kann man die meisten von ihnen aus guten Gründen ausschließen, aber es bleiben leider immer noch recht viele übrig. Der einzige konkrete Hinweis führt zu diesem Paul Perry, aber das Motiv, das ihm unterstellt wird, überzeugt mich nicht vollends. Dann wäre da noch der mysteriöse ›Mr Charles Black‹ - siehe beigefügte Fotografie. Haben Deine Jungs irgendwelche Informationen über ihn? Beziehungsweise kannst Du herausfinden, ob er mit einem der anderen Urlaubscamp-Unternehmen in Verbindung steht, insbesondere mit Beale, Wunderlands Hauptkonkurrenten? Eine dritte Möglichkeit ist unsere Esmeralda Jones: eine attraktive und intelligente Frau, die auf

Werte und Moral keine Rücksicht nimmt, wenn ich das richtig sehe, und sich die Butter nicht vom Brot nehmen lässt, allerdings doch lieber Kaviar als Butter hätte. Kannst du mir sagen, ob einer der Geschäftsführer Wunderlands maßgeblich an der Insolvenz ihres Vaters, Lysaght Jones, beteiligt war? Rache wäre ein mögliches Motiv, wenn auch etwas weithergeholt. Aber was ist in diesem merkwürdigen Fall nicht weit hergeholt. Ich hätte außerdem gerne jegliche Informationen, die Du eventuell zu Mortimer Wise und seinem Bruder Edward hast. Sein Ruf ist untrennbar mit dem des Camps verbunden, nehme ich an, aber sicher sein kann man sich auch nicht – ich wäre daher dankbar für jede Information. Vielleicht könntest Du auch mit dem Polizeipräsidenten sprechen, mir bleibt dazu kaum Zeit, denn eine große Anzahl an Besuchern verweilt hier nur für eine Woche, und diesen Samstag werde ich mich von all diesen potenziellen Zeugen verabschieden müssen. (Nebenei bemerkt, wieso hat noch niemand etwas gesehen außer den *Faits accomplis*? Falls dieser Verrückte Hutmacher weiterhin den Unsichtbaren spielt und den gesegneten Urlaub in unserem schönen Land verhagelt, bleiben mir nur noch Tränen.) Dein Nigel.«

Nachdem er den Brief abgeschickt hatte, rief Nigel seinen Onkel an und lieferte ihm eine Zusammenfassung – je eher er konkrete Informationen erhalten konnte, desto besser. Sir John sicherte ihm zu, alles zu tun, was in seiner Macht stünde. Daraufhin aß Nigel eine Packung Milchschokolade und zwei Äpfel, die er aus London mitgebracht hatte. Er war niedergeschlagen, denn in seinen Augen stand er auf verlorenem Posten: Selbst wenn er nun die Identität des Übeltäters enthüllte, der Schaden war angerichtet. Der Ruf Wunderlands war unwiederbringlich ruiniert – falls man Captain Wise Glauben schenken konnte. Und er selbst war der Lösung des Problems kein bisschen nähergekommen. Tatsächlich hatte der Verrückte Hutmacher, indem er den toten Hasen so sorgfältig in Nigels Bett platziert hatte, nur die Machtlosigkeit des Detektivs demonstriert.

In der Zwischenzeit würde die übliche Arbeitsroutine das beste Heilmittel für seine Niedergeschlagenheit bieten. Die Befragung aller Angestellten Wunderlands dauerte beinahe bis fünf Uhr. Die Animateure und Animateurinnen, das Küchenpersonal und die Hausangestellten, die Tanzkapelle, die Gärtner, die Gelegenheitsarbeiter – eine schier endlose Prozession, bei der er nicht schlauer wurde.

Als der Letzte gegangen war, lehnte Nigel sich zurück, um noch einmal die Informationen durchzugehen, die er erhalten hatte. Ein hoffnungsloses Unterfangen. Der oberste Gärtner übergab ihm einen übelriechenden Sack, den er in einem der Schuppen gefunden hatte. Es handelte sich zweifellos um den Sack, in dem die toten Tiere transportiert worden waren, aber ein jeder hätte den Sack aus dem Schuppen stehlen und wieder zurücklegen können. Der Gärtner stammte aus der Gegend und konnte Nigel Details zu verschiedenen Verstecken in der Nachbarschaft schildern, sodass man die Tiere, sollten sie vom Galgen eines Wildhüters genommen worden sein, identifizieren konnte. Keine große Hilfe, dachte Nigel bei sich, denn der Verrückte Hutmacher hatte die Kadaver wahrscheinlich bei Nacht gesammelt, sie in der Nähe des Camps versteckt und auf die folgende Nacht gewartet. Immerhin untermauerte das die Theorie eines Komplizen außerhalb des Camps. Ein Angestellter oder ein Gast ging ein gewisses Risiko ein, wenn er einen Sack mit sich herumtrug – selbst nachts. Old Ishmael gehörte mit seinem Sack dagegen sozusagen ins Bild, ihm würde man keine besondere Aufmerksamkeit schenken.

Als das Licht nach der ersten Durchsage des Verrückten Hutmachers wieder angegangen war, stand das letzte Tanzpaar, das man ausschloss – Miss Jones und Paul Perry –, näher an den Mikrofonen als alle anderen, darin waren sich die Tanzkappelle und der Dirigent einig. Doch das hatte nichts zu bedeuten. War tatsächlich einer dieser beiden über die Lautsprecher zu hören gewesen, konnte man davon ausgehen, dass sich das Paar wieder von den Mikrofonen entfernte, bevor das Licht anging. Bisher hatte noch niemand ein überzeugendes Alibi für diesen Zeitpunkt liefern können, bis auf Teddy Wise und Miss Thistlethwaite, die im Scheinwerferlicht auf der anderen Seite des Saals gestanden waren. Miss Jones hatte Nigel bereits berichtet, dass sie und Paul sich in der Dunkelheit verloren hatten, nachdem sie ausgeschieden waren. Sie kamen mithin beide infrage. Aber dasselbe galt für alle Anwesenden in der Konzerthalle, ganz zu schweigen von jemandem, der eventuell durch die Seitentüren bei der Bühne hereingekommen war.

Ebenso wenig erhielt Nigel relevante Informationen über die unfreiwilligen Tauchgänge. Die Wise-Brüder sowie zwei oder drei der Angestellten waren an jenem Morgen zu verschiedenen Zeiten am Strand gewesen. Sie hatten niemanden gesehen, der den Klippenpfad hinaufgegangen oder zur Mittagszeit wieder zurückgekehrt war. Auch waren sie geteilter Meinung darüber, wer sich in nächster Nähe der Opfer befunden hatte, als diese untergetaucht worden waren.

Nachdem er jedem der Angestellten eine Reihe detaillierter Fragen gestellt hatte, erkundigte sich Nigel, ob ihnen irgendjemand bekannt sei, der einen Groll gegen das Unternehmen oder die Geschäftsführung hegte, ob ihnen zu irgendeinem Zeitpunkt ein Besucher aufgefallen war, der sich ungewöhnlich oder verdächtig verhielt, und ob sie von den Gästen etwas erfahren hatten, das nahelegte, dass einer von ihnen über die Taten Bescheid wusste. Nigel erhoffte sich Resultate von dieser letzten Frage, da die Besucher, sonst diskret, wie es sich für die Oberschicht gehörte, höchstwahrscheinlich kein Blatt vor den Mund nehmen würden, wenn es um die Angestellten ging.

Trotz alledem erfuhr er kaum etwas. Die Antworten auf die erste Frage waren einander erstaunlich ähnlich: Es gab keinen Zweifel, dass Captain Wise, wie Miss Jones schon gesagt hatte, bei dem gesamten Personal äußerst beliebt war. Laut einer der Kellnerinnen war er »ein echter Gentleman. Es macht Spaß für ihn und das Camp zu arbeiten. Er hat immer ein Ohr für unsere Beschwerden und hintergeht uns nie. Ohne ihn wäre Wunderland verloren, glaub ich. Wie ich das sehe, hat er ein höheres Gehalt verdient.« Es gab auch niemanden, der – weder offenkundig noch verhalten – einen Groll gegen das Unternehmen hegte.

Was Nigel aufhorchen ließ, war ein scheinbar irrelevanter Kommentar von einer Animateurin. »Die einzige Person hier, die Grund hat, sauer auf uns zu sein, ist dieser seltsame, kleine Kerl, Mr Morley. Alle nennen ihn Albert. Sie ziehen ihn immer wegen irgendwas auf, aber er ist so gutmütig wie ...«

»›Sauer auf *uns*‹ sagten Sie. Hänseln die Angestellten ihn etwa auch?«

»Oh, aber natürlich nicht, Mr Strangeways. Captain Wise würde uns gehörig die Leviten lesen. Sonntagmorgen erst hat er seinen Bruder davon abgehalten, und Teddy hat es wirklich nicht böse gemeint.«

Nigel hörte sich an, wie Albert am Strand beim Ballspielen gefoppt worden war und später, von einem anderen Zeugen, die Episode am Schießstand. Das alles bedeutete aber nicht viel, überlegte er, selbst nachdem er erfahren hatte, dass Mr Morley bei seinem ersten Urlaub im Camp letztes Jahr genauso Zielscheibe des Spotts gewesen war. Das mochte in dem kleinen Mann zwar Unmut über Teddy Wise und die anderen Gäste hervorrufen, aber Nigel ging nicht davon aus, dass jemand sich Scherze sehr zu Herzen nahm, wenn er sie gutgelaunt über sich ergehen ließ. Außerdem konnte er sich nur schwer vorstellen, dass Albert Morley auf so makabre Weise und derart massiv Vergeltung übte. Zudem erinnerte sich Nigel nun wieder, dass Albert ein Alibi für den Zeitraum vorweisen konnte, in dem die Tierkadaver ausgelegt worden waren. Mr Thistlethwaite hatte heute Morgen im Auto vergnügt erwähnt, dass Mr Morley und er sich füreinander verbürgen könnten: Sie waren beim Abendessen zusammen gesessen, danach an die Bar gegangen, während des Kabaretts nebeneinander gesessen und hatten in der Pause gemeinsam eine Zigarette geraucht.

Die Antworten auf Nigels zweite Frage ergaben null. Auch seine dritte lieferte kaum Hinweise, außer dass sowohl unter den Angestellten als auch den Gästen Wunderlands Solidarität und Gemeinschaftsgeist herrschten. Die meisten seiner Zeugen fühlten sich offensichtlich nicht wohl dabei, Klatsch weiterzugeben, der dem Camp weiteren Schaden zufügen könnte. Die einzige Ausnahme bildete der Saxofonist der Tanzkapelle, ein eher schmieriger und selbstgewisser junger Mann mit einem dünnen dunklen Schnurrbart, der kenntnisreich kommentierte, »Klatsch? Hier gibt es keinen Skandal, mein Bester, jedenfalls nicht, wenn du mich fragst. Hier mischen sich Männchen und Weibchen, und das gilt natürlich auch fürs Management, oder?«

»Ach ja?«, fragte Nigel angewidert.

»Von mir erfährst du nichts, mein Bester. Wenn Captain Wise sich 'ne kleine Süße im Camp hält, habe ich nichts dagegen. Wir leben ja nicht im Mittelalter, oder?«

»Was Süßes?«, erkundigte sich Nigel und grinste anzüglich. »Vielleicht im Büro?«

»Ich verstehe nicht – ach, jetzt. Im Büro. Esmeralda Jones. Eine gute alte Spürnase lässt sich nicht täuschen. Die beiden sind diskret, wohlgemerkt. Schreiben Sie mit, Miss Jones. Stets zu Diensten, Captain Wise. Aber Artie Foscuro können sie nicht zum Narren halten. Sie glauben nicht, was ich gesehen hab ...«

»Was hat Miss Jones an Ihnen nicht gefallen?«, fragte Nigel betont kühl. »Ihre Manieren? Oder dieser ekelhafte Schnurrbart?«

»Jetzt mach mal halblang.« Arties gekünsteltes Amerikanisch verkam zu weinerlichem Cockney. »Ich will saagn ...«

»Sagen Sie's woanders. Guten Tag.«

Noch bevor der Saxofonist verschwunden war, machte Nigel sich Vorwürfe. Leute, die Zeugen gegenüber herrisch oder als Moralaposteln auftraten, waren ihm zuwider. Ich wollte doch den Gerüchten nachgehen, warum dann darauf reagieren wie ein Oberlehrer? Ein Grund dafür ist sicher, überlegte

Nigel, der selten eine Gelegenheit verstreichen ließ, um mit sich ins Gericht zu gehen, dass ich zunehmend verärgert darüber bin, wie nutzlos all diese Befragungen sind, und außerdem will ich Esmeralda Jones wohl ein wenig beschützen. Und wenn ein Mann anfängt, eine Frau beschützen zu wollen, ist es höchste Zeit, dass jemand anfängt, *ihn* zu beschützen.

Als die Befragungen geendet hatten, beschloss Nigel, zur Selbstbestrafung Paul Perrys Notizbuch durchzulesen, in dem der gesamte Klatsch stand, den er im Camp mitgehört hatte. Die Buße musste jedoch aufgeschoben werden, denn kaum hatte er das Notizbuch geöffnet, kam ein besorgter Dr Holford herein.

»Miss Arnolds Zustand gefällt mir überhaupt nicht«, sagte er sofort. »Die Narben, die die Blasen hinterlassen haben, sind ungewöhnlich sensibel, und das dumme Mädchen gibt mittlerweile zu, dass sie gestern Morgen den Verband nicht wieder umgewickelt hat. Um ehrlich zu sein, die Wunden eitern. Und sie ist nicht besonders widerstandsfähig. Ich denke, sie sollte in ein Krankenhaus gebracht werden.«

»Ich verstehe«, sagte Nigel nach einer kurzen Pause. »Ist sie bereit, dorthin zu gehen?«

»Das ist das Problem.«

»Kann ich mich kurz mit ihr alleine unterhalten? Vielleicht kann ich sie überreden.«

»Sicherlich. Sehr freundlich von Ihnen.«

Phyllis Arnolds Gesicht war gerötet, und sie hatte offensichtlich Schmerzen, stellte Nigel bei seinem Besuch fest. Sie weigerte sich allerdings immer noch dickköpfig, dem Vorhaben des Arztes zuzustimmen.

»Es ist eine Frage des Prinzips«, sagte sie.

»Das respektieren wir. Doch sind Sie außerhalb des Camps wahrscheinlich sicherer. Unter Umständen sind Sie nämlich das eigentliche Ziel dieser furchtbaren Streiche.«

»Oh, Mr Strangeways, was meinen Sie damit?« Das Mädchen wirkte beunruhigt und zugleich befriedigt – genau die Wirkung, die Nigel hatte erzielen wollen. In ihrem Leben ergab sich nicht so oft die Gelegenheit, im Zentrum der Aufmerksamkeit zu stehen.

»Ich fürchte, mehr kann ich Ihnen nicht verraten.« (Das stimmt schon mal, dachte Nigel.) »Aber Sie würden mir einen großen Gefallen tun, wenn ...«

»Dann tu ich's. Ich sage immer, das Wohl der Gemeinschaft muss vor persönliche Bedenken gestellt werden. Sehen Sie das nicht auch so, Mr Strangeways?«

»In diesem Fall sollte das sicher so sein, denke ich. Ich würde Ihnen gerne noch ein paar Fragen stellen, und dann lasse ich Sie auch schon in Ruhe. Und bitte erzählen Sie niemandem, *absolut* niemandem, was ich Sie gefragt habe.«

»Ich verspreche es.« Miss Arnolds Röte rührte mittlerweile teilweise von innerer Aufregung her.

»Wusste irgendjemand im Camp – Angestellte oder Gäste –, dass Sie so auf diese Hundspetersilie reagieren oder anfällig für Blutvergiftungen sind? War das leicht in Erfahrung zu bringen? Von Ihrer Familie oder Ihrem Arbeitgeber, zum Beispiel?«

»Das kann ich mir wirklich nicht vorstellen. Nur meine Freundin Janice wusste es. Wir kannten niemanden von den anderen Besuchern, bevor wir hierhergekommen sind, wissen Sie? Janice wusste, dass ich vor zwei Jahren Blutvergif – also, was der Arzt als Blutvergiftung bezeichnete, hatte. Aber ich habe Hundspetersilie noch nie in meinem Leben angerührt. Ich interessiere mich zwar sehr für Botanik, aber ich bin dagegen, Wildblumen zu pflücken. Ich sage immer, dass man sie da lassen sollte, wo Gott sie hingepflanzt hat.«

»Ich verstehe. Na gut, können Sie sich vorstellen, dass entweder Captain Wise oder seine Sekretärin oder sein Bruder Ihnen aus irgendeinem Grund nicht wohlgesonnen sind? Lassen Sie sich von dem Gedanken nicht schockieren. Ich muss Ihnen diese Fragen stellen, und oft führen sie auch zu nichts. Denken Sie einfach darüber nach.«

»Oh nein, Mr Strangeways. Das ist unmöglich, da bin ich sicher. Ich hatte vorher noch nie einen von Ihnen gesehen ...« Das Mädchen verstummte abrupt. »Also kennengelernt.«

»Ja?«, ermunterte Nigel sie.

»Ich habe sie einmal *gesehen*. Also Captain Wise und Miss Jones. Mein Onkel hat mich vor ein paar Monaten in ein Restaurant in Soho eingeladen. Sie haben dort zu Abend gegessen. Ich wusste natürlich nicht, wer sie sind, aber sie sind mir aufgefallen, weil Mr Leyman am nächsten Tisch saß und sich mit ihnen unterhalten hat. Er hat auch mit Urlaubscamps zu tun - Mr Leyman, meine ich. Das weiß ich, weil er einmal zu uns ins Büro gekommen ist - ich arbeite in einem Architekturbüro -, und dieser Mr Leyman kam, um sich irgendwelche Pläne anzusehen.«

»Das hört sich nicht allzu verdächtig an. Captain Wise wird kaum etwas gegen Sie haben, nur weil Sie im selben Restaurant gegessen haben.«

Miss Arnold errötete bestürzt. »Nein, das bestimmt nicht, außer ... Ich hasse es, über Leute herzuziehen ...«

»Keine Sorge. Man kann nicht wissen, was uns in diesen Ermittlungen von Nutzen sein wird. Haben Sie den beiden bei Ihrer Ankunft im Camp gegenüber erwähnt, dass Sie sie schon einmal gesehen hatten? Wann sind Sie überhaupt angekommen?«

»Letzten Samstag. Und das ist es ja, Mr Strangeways. Miss Jones stand auf der Terrasse, und ich habe nur gesagt, dass ich sie und Captain Wise in dem Restaurant in Soho gesehen habe und wie schön es dort ist, so exklusiv, die beste französische Küche, das kann auch nicht anders sein, da mein Onkel ein echter Feinschmecker ist, wie er immer sagt, und da ist sie ziemlich patzig geworden. Ich habe auf nichts angespielt, ich ziehe nicht über andere her, und ich habe mir überhaupt nichts dabei gedacht, aber Miss Jones hat mich so komisch angesehen und gesagt, dass Captain Wise ihr Arbeitgeber sei und dass es für Arbeitgeber und Sekretärinnen ganz normal wäre, zusammen zu essen, wenn noch Arbeit zu erledigen ist. Na ja, sie hat es nicht exakt so gesagt, aber das hat sie gemeint. Es klang wie eine Warnung, nicht zu weit zu gehen. Sie hat es zwar halb im Spaß gesagt, aber ich dachte mir, dass da mehr dahintersteckt, als ...«

»Sie dachten, dass Miss Jones dachte, Sie machen Anspielungen auf eine Affäre zwischen ihr und Captain Wise?«

»Ja, Mr Strangeways. Aber das wollte ich ganz sicher nicht.«

»Das glaube ich Ihnen. An einem Ort wie diesem müssen sie zweifellos sehr gut aufpassen, dass die Geschäftsführung nicht mit einem Skandal in Verbindung gebracht wird, und daher hat sie Sie wahrscheinlich falsch verstanden. Ich bin froh, dass wir das klären konnten. Soll ich Ihre Freundin Janice bitten, Ihnen beim Packen zu helfen?«

Das bot ihm die Gelegenheit, Janice Mears ebenfalls sofort zu befragen, doch das Mädchen versicherte ihm, dass sie mit niemandem im Camp über Miss Arnolds Blutvergiftung von vor zwei Jahren gesprochen hatte, da ihre Freundin empfindlich auf dieses Thema reagierte. Damit verlief sich auch diese Spur im Sande. Selbst wenn man gewillt war, sich vorzustellen, dass Captain Wise und Miss Jones sich einer so umständlichen Strategie bedienen würden wie der Streiche des Verrückten Hutmachers, um Miss Arnold im Hinblick auf ihre Beziehung zum Schweigen zu bringen, war nun immerhin bewiesen, dass sie nicht von ihrer Allergie auf Hundspetersilie oder ihrer Neigung zu Blutvergiftung wissen konnten.

Nigel wünschte, er hätte den Schnappschuss von dem mysteriösen Mr Charles Black nicht verschickt. Phyllis Arnold hätte in ihm vielleicht Mr Leyman wiedererkannt, der »mit Urlaubscamps zu tun« und sich in dem Restaurant in Soho mit Captain Wise unterhalten hatte. Oder auch nicht, überlegte er missmutig. Die Chance stand eins zu tausend. Trotzdem, jeder Strohhalm rettet, wenn man ertrinkt. Nigel schrieb rasch an seinen Onkel und fragte ihn, ob das Foto eventuell einen gewissen Mr Leyman zeigte, der mit Urlaubscamps zu tun hatte. Captain Wise und Miss Jones hatten ausgesagt, dass sie den Mann auf dem Foto nicht kannten, aber dafür könnten sie auch private Gründe haben.

Da er überzeugter Anhänger von Überrumplungstaktiken war – wenn man damit nicht übertrieb –, ging Nigel zum Büro des Direktors, lächelte ihn und Miss Jones geistesabwesend an und fragte ohne Umschweife, »Dieser Mr Leyman ist einer Ihrer Konkurrenten?«

Die Frage verfehlte ihre Wirkung in der Tat nicht. Captain Wise erstarrte, öffnete seinen Mund, aber es kamen keine Worte heraus. Es musste das Paar geradezu übermenschliche Selbstkontrolle gekostet haben, um einander keinen Blick zuzuwerfen, ging es Nigel durch den Kopf. Beide Augenpaare waren fest auf ihn gerichtet. Als die Stille beinahe unerträglich wurde, sagte Miss Jones schließlich, »Wir sagen es ihm wohl besser, Mortimer.«

»Bist du verrückt geworden, Esmeralda?« Captain Wises Stimme brach, und es schien Miss Jones zu sein, die die Situation unter Kontrolle hatte.

»Sind Ihnen Gerüchte über Captain Wise zu Ohren gekommen?«, fragte sie kühl, die Mundwinkel ihrer rot geschminkten Lippen hatte sie halb belustigt, halb resigniert nach unten gezogen.

»Ja.« Nigel erzählte von seiner Unterhaltung mit dem Saxofonisten und Miss Arnold, wobei er betonte, dass Letztere nicht die Absicht hatte, jemandem zu nahezutreten.

»Um Ihre erste Frage zu beantworten: Mr Leyman hat mit Beale und anderen Urlaubscamps zu tun und ist daher ganz bestimmt ein Konkurrent«, fuhr Miss Jones fort. »Wir waren für einen Moment sprachlos, weil ... na ja, er ist einer der Männer, von denen ich Ihnen erzählt habe, sie wollten nach dem Tod meines Vaters meine hilflose Lage als Waise ausnutzen. Wie Sie wahrscheinlich schon erraten haben, sind Mortimer und ich uns sehr zugetan. Unsere Freundschaft rührt von einem gewissen Ereignis, als er zur rechten Zeit in ein Zimmer kam, in dem Mr Leyman gerade meine hilflose Lage ausnutzen wollte.«

»Ich verstehe. War Mr Leyman nachtragend? Würde er

sich aus Rache diese komischen Dinge ausdenken, die hier abgelaufen sind? Hätte er die Streiche hier spielen können?«

»Ich glaube wirklich nicht ...«, begann Captain Wise, der sein inneres Gleichgewicht wiedergefunden hatte.

»Natürlich nicht! Nein, Mr Strangeways, das können Sie sich aus dem Kopf schlagen. Leyman war sehr freundlich, als wir ihm in dem Restaurant begegnet sind. Er kann bei Frauen die Hände nicht bei sich behalten, aber er ist kein wirklich schlechter Mensch oder böswillig. Und er ist mit seinen eigenen Geschäften so ausgelastet, dass ihm gar keine Zeit bleibt, eine Verleumdungskampagne gegen uns zu organisieren. Falls er Mortimer und mich ruinieren wollte, hätte er jedenfalls genug Einfluss, um das mithilfe ganz gewöhnlicher Geschäftsmethoden zu tun. Sie wissen schon, einem unserer Geschäftsführer nach einem guten Abendessen schnell etwas zuflüstern.«

»Dann darf ich davon ausgehen, dass es sich bei ihm nicht um den Gentleman auf dem Foto handelt?«

»Das dürfen Sie.« Miss Jones Augen funkelten. »Da würde der arme Tubby Leyman ganz schön die Ohren spitzen, wenn er wüsste, wie sehr Mr Strangeways versucht, ihn zu belasten!«

»Na, schön«, sagte Captain Wise, wieder ganz der effiziente Organisator, in einem Tonfall, der verriet, dass weitere leichtfertige Bemerkungen zu einem so heiligen Thema wie Geschäfte unter Männern nicht erwünscht waren, »ist das für den Augenblick alles, Strangeways?«

XIV

»Was hältst du von dem Detektiv?«, fragte Sally. »Nicht sehr redselig, oder? Hat eine komische Art dich anzusehen, als wollte er dich durchleuchten, hätte aber seine Meinung schon gefasst.«

»Wie er *dich* ansieht‹? Meinst du, wie er mich ansieht oder die Leute im Allgemeinen?«

»Die Leute, natürlich, Dummchen. Andere Mütter haben auch hübsche Söhne.«

»Ich mache mir aber Gedanken. Er glaubt, ich bin der Verrückte Hutmacher, da bin ich mir sicher. Manchmal glaube ich das selbst schon.«

»Red keinen Unsinn, Paul. Nur weil man so ein dummes Stück Draht unter deinem Chalet gefunden hat.«

»Woher weißt du das?«, fragte Paul scharf.

»Aber das hast du mir doch erzählt. Oder nicht? Dann muss es Daddy gewesen sein. Wie auch immer, ich werde Mr Besserwisser alias Strangeways sagen, dass du den Leuten diese Tiere nicht ins Bett gelegt hast. Ich weiß, dass du das nicht tun würdest.«

»Woher willst du das wissen?«

Sally zeigte auf den Boden des Boots, wo eine tote Makrele lag.

»Du könntest nicht einmal ein Stück von diesem Fisch als Köder abschneiden, selbst wenn du wüsstest, dass er tot ist. Es ist dir ein Gräuel, etwas Totes anzufassen, stimmt's?«, sagte sie triumphierend.

»Nicht schlecht. Ja, stimmt. Aber das wird nichts helfen«,

fügte Paul mutlos hinzu, »ein Detektiv würde das nicht als Beweismittel gelten lassen.«

»Selber schuld. Ich glaube auf jeden Fall, dass er mir zuhören würde. Er ist nett. Intellektuelle fangen an, mir zu gefallen.«

Paul ließ sich davon in keiner Weise provozieren, sondern ruderte mechanisch weiter. Er starrte über Sallys blonden Schopf hinweg auf die entfernte Landzunge.

»Wen glotzt du so an? Ich schätze, Miss Jones steht auf den Klippen und beobachtet dich eifersüchtig.«

»Mach dich nicht lächerlich. Ich peile einfach nur einen Punkt an, damit ich geradeaus rudern kann.«

»Du nimmst alles immer so furchtbar ernst, oder, mein Bester?«

»Miss Jones nehme ich nicht ernst.«

Sally drehte ihren Kopf zur Seite und fing an, an der Angelschnur zu ziehen, die sie über das Heck ins Wasser hielt. Betont fröhlich rief sie, »Du musst schneller rudern! Die Fische beißen nicht an, wenn du so langsam vor dich hinruderst.«

Paul legte einen Zahn zu, und das Boot wurde schneller. Die Wellen klatschten gegen den Bug und glucksten unter dem Kiel. Im Westen verflossen die Klippen zu Schatten, während im Osten noch das Licht der untergehenden Sonne zu sehen war. Klippen und Sonnenlicht verschmolzen langsam miteinander und verwandelten sich in ein Relief aus feinem, ziselierten Gold.

Paul blickte über seine rechte Schulter und sah den Strand, den Abhang und darüber die Spitze des Wunderland-Hauptgebäudes, dessen Fenster auf der Seite der Kapitänsbrücke wie Feueropal leuchteten. Das Leuchten hatte irgendwie etwas Unheilvolles. In seiner Fantasie verglich er es mit der unheilvollen Flamme einer Pestgrube. Wunderland war infiziert worden, und die Krankheit breitete sich aus. Wer hatte den Erreger übertragen ...? Schaudernd sah er weg. Wenigstens das Meer war sauber. Das saubere Salz legte sich auf seine Lippen und Sallys goldene Arme. Hier draußen auf See waren sie in Sicherheit, entgingen aller Verkommenheit.

Einem dunklen perversen Impuls folgend, senkte er das linke Paddel ins Wasser und lenkte das Boot in Richtung Land.

»Ach, lass uns noch nicht zurückfahren. Es ist so schön hier draußen!«

»Es gibt bald Abendessen. Es ist kaum noch jemand am Strand.«

»Na und? Wir können die ganze Nacht hier draußen bleiben und Fische im Mondlicht fangen. Und baden. Ich wollte schon immer nackt im Mondlicht baden. Das ist so romantisch.«

»Wir würden erfrieren.«

»Und morgen früh würden sie zwei arme, bleiche Leichen nebeneinander am Strand finden. Das wäre auch romantisch.«

»Nicht für die Leichen.«

»Warte! Ein Fisch hat angebissen!«

Langsam holte sie die Leine ein. Der Köder schnellte wie ein Lichtblitz durch das Wasser auf sie zu. Am Haken hing nichts außer einem Stück Seetang. Paul ruderte weiter.

»Vielleicht kannst du warten, bis ich noch einen Fisch gefangen habe. Nur einen kleinen.«

»Nein. Wir sind spät dran.«

»Du willst einfach nicht die ganze Nacht mit mir hier draußen bleiben.«

»Denn dann müsste Strangeways denken, dass wir zusammen weggelaufen sind. Das käme einem Schuldgeständnis gleich.«

»Ach, zur Hölle mit Strangeways. *Ich* weiß, dass du es nicht warst, also was spielt es für eine Rolle?«

»Aber angenommen *ich* weiß es nicht?«

»Du willst mich vom Hals haben, das ist alles. Das dumme, aufdringliche ... Oder etwa nicht?«

»Das hast du gesagt, nicht ich.«

Sally wurde bleich. Sie wollte die Leine aufwickeln, aber die schien sich hoffnungslos verfangen zu haben. Sie fühlte sich wie ein verlassenes Kind. Am liebsten hätte sie über der tropfenden Leine Tränen vergossen.

Schweigend zogen sie das Boot auf den Strand. Albert Morley hatte sie beobachtet und half ihnen, es über die Hochwassermarke zu schaffen. Sobald sie das erledigt hatten, ging Paul alleine in Richtung Klippenpfad.

»Hat einer angebissen, Miss Sally?«, fragte Albert verlegen, denn er spürte, dass etwas nicht stimmte. Er hatte natürlich nicht wissen können, wie ausgerechnet diese Frage in ihren Ohren klingen würde. Sie nahm eine Makrele aus dem Boot, sagte, »Nur die hier«, lief zum Wasser und warf den Fisch in weitem Bogen wieder ins Meer zurück.

»Oh, war aber doch ein ganz hübscher Fisch«, protestierte er.

»Am liebsten würde ich mich gleich hinterherwerfen!«, rief sie.

»Ach, Miss Sally«, erwiderte Albert nach einer verlegenen

Pause, »es gibt so viele Fische im Meer, da wird schon noch einer anbeißen.«

»Oh, je!« Sally wusste nicht, ob sie lachen oder weinen sollte. »Ich will aber doch kein Fischgeschäft aufmachen. Das hat sich angehört, als ob ... Tut mir leid, Albert, ich wollte Sie nicht so anblaffen. Lassen Sie uns zurückgehen.«

»Ja. Ich darf heute Abend nicht zu spät kommen.«

»Wieso?«

»Ich habe eine kleine Rolle in der Show nach dem Abendessen.«

»Ach ja? Das ist wunderbar.« Sallys herablassender Tonfall war unbeabsichtigt. Doch Albert Morley hatte es scheinbar auch nicht so aufgefasst. Er stolperte über einen Felsbrocken am unteren Ende des Klippenpfades, errötete leicht, wackelte mit dem Kopf und sagte, ohne eine Miene zu verziehen, »Hat dieser junge Mann ... ich meine, ist er verantwortlich für ... hat er Sie verletzt? Weil falls er das hat ...«

»Oh nein. Wir sind nur beide ein wenig durcheinander. Er denkt, er wird verdächtigt, der Verrückte Hutmacher zu sein.«

Mr Morley stürzte beinahe von dem schmalen Pfad ab. »Ach, aber, Gott bewahre! Das kann nicht sein! Er war so freundlich zu mir, so ... Vom allerersten Moment an.«

»Ich *weiß*, dass es nicht sein kann. Aber, na ja, der Detektiv hat einen verdächtigen Hinweis entdeckt. Und er verhält sich so merkwürdig. Wieso kann er mir nicht sagen, was nicht stimmt? Ich fühle mich so elend dabei.«

»Stolz, Miss Sally. Stolz. Glauben Sie mir, das steckt dahinter. Darum geht es bei den jungen Leuten immer. Ich weiß noch, als ich so alt war wie Sie ...« Albert Morley seufzte dramatisch, stolperte über eine Wurzel und stürzte mit dem

Gesicht voran auf den Weg. Das Schicksal hatte ihn mit der Rolle des Komikers bedacht, der allem jede Tragik nahm. Selbst im Unglück, so hatte das Schicksal verfügt, bot er eine komische Figur.

»Da sieht man es mal wieder«, bemerkte er sinnigerweise, als Sally ihm aufhalf. »Hochmut kommt vor dem Fall. Gerade noch habe ich Ihnen hochtrabend Ratschläge erteilt, und schon liege ich danieder. Trotzdem, meine Liebe, denken Sie daran, Stolz macht sich nicht bezahlt.«

»Aber ich bin doch gar nicht stolz«, erwiderte sie traurig und erinnerte sich nur zu gut daran, wie sie zuvor all ihren Stolz über Bord geworfen und wie grausam Paul sie daraufhin verletzt hatte.

»Vielleicht denkt er, dass es besser wäre, nichts zu Ihnen zu sagen, solange er noch dieser Schandtaten verdächtigt wird«, bot Mr Morley an und verzog sein volles Gesicht zu einem vorsichtigen Lächeln.

Mit demselben Lächeln war er drei Stunden später in der Konzerthalle zugegen, wo die männlichen Gäste mit Unterstützung einiger Angestellter ein Varieté zum Besten gaben. Und Albert Morley war dem Anlass entsprechend gekleidet. Um genau zu sein, trug er Kniebundhosen, Tweedjacke, Stehkragen und Schülermütze. Seine ohnehin prallen rötlichen Backen waren grell geschminkt, und so saß er in der Rolle einer Bauchrednerpuppe auf Edward Wises Knien.

Das Publikum, ohnehin leicht zu begeistern, schüttete sich bei dieser Nummer aus vor Lachen. Teddy war ein hervorragender Schauspieler und ein ebenso guter Bauchredner, und der Dialog, hinter dem Nigel den Scharfsinn von Esmeralda Jones vermutete, hätte auch ein anspruchsvolleres Publikum zufriedengestellt. Trotzdem war Albert in gewisser Hinsicht der Clou der Vorstellung. Seine absurde Aufmachung hatte ihn wieder in den Schuljungen von einst verwandelt. Teddy legte ihm einen näselnden dreisten Tonfall in den Mund. Doch erntete vor allem die angestrengt komische Konzentration, mit der er sich bemühte, mit den Lippen die Worte nachzuformen, die Teddy vorgab, stürmischen Beifall. Jetzt verstand Nigel, was die Angestellte gemeint hatte, als sie ihm davon erzählte, wie Albert Morley gehänselt wurde. Teddy trieb zweifellos Späße *mit* ihm und nicht nur mit seiner Hilfe; und das Publikum lachte mit dem beängstigenden Hohn von Menschenmengen, und zwar sowohl über Albert selbst als auch über die Rolle, die er spielte.

»Jetzt werd bloß nicht frech, sonst erzähle ich dem Verrückten Hutmacher von dir«, sagte Teddy.

»Au, Herr Lehrer, ich werde brav sein«, piepste Albert und hüpfte lebhaft auf Teddys Knien auf und ab. »Ich hab ein Rätsel für dich, Mister. Was ist der Unterschied zwischen dir und dem Verrückten Hutmacher?«

»Was der Unterschied zwischen mir und dem Verrückten Hutmacher ist? So einiges, hoffe ich. Lass mich kurz überlegen ...«

»Gibst du auf, Kumpel? Ich sags dir. Er ist völlig durchgedreht, und du bist so hübsch wie eine Maikönigin!«

Teddy legte die Albert-Puppe über sein Knie und begann, ihr ordentlich den Hintern zu versohlen, während der Vorhang fiel.

Nigel ging nach draußen, um eine Zigarette zu rauchen, und sogleich gesellte sich Mr Thistlethwaite zu ihm. Der Gesichtsausdruck des Schneiders verriet, dass sein Geist in Aufruhr war, doch sein Tonfall war von unerschütterlicher Gewichtigkeit.

»An einem so schönen Abend wie diesem, Sir«, setzte er an, »ist es eigentlich eine Schande, das elende Thema der Kriminalität anzuschneiden.«

»In der Tat.«

Mr Thistlethwaite neigte den Kopf, warf einen hoheitsvollen Blick ins Dunkel der Nacht, als wollte er sich bei ihr entschuldigen, und fuhr fort.

»Ich fürchte, uns steht das Wasser bis zum Halse, Sir. Ja, bis zum Halse. Ich habe mich eingehender mit dem Thema des Einsiedlers, Old Ishmael, auseinandergesetzt, und meine Überlegungen haben mich zu einer bestimmten Schlussfolgerung kommen lassen.«

Mr Thistlethwaite senkte seine Stimme bei diesem letzten Satz, da Paul Perry sich ihnen näherte.

»Drei Köpfe sind womöglich besser als zwei«, schlug Nigel vor.

»Wie Sie meinen, Sir. Mr Perry, ich war gerade dabei, Mr Strangeways von meinen Schlussfolgerungen bezüglich des Einsiedlers zu berichten.«

»Ach ja?« In Pauls Tonfall schwangen Neugier, Zweifel und Gleichmut mit.

»Kurz gesagt, der Einsiedler«, zischte Mr Thistlethwaite, »ist ein Spion!«

»Hat er Ihnen das erzählt?«, fragte Paul einigermaßen respektlos.

»Bitte, Mr Perry, also bitte.«

»Bitte fahren Sie fort. Das ist wirklich äußerst interessant.« Nigel blieb vollkommen ernst.

»Lassen Sie uns in Richtung Bowlinggrün gehen. Eine Besichtigung, Sir, wenn ich das so sagen darf, ist der beste Aperitif für Gedankengänge. Die Skepsis unseres jungen Freundes, obgleich verständlich, ist unbedacht, denn er selbst war es, der den ersten Beweis in seinen Händen hielt.«

»Sie beziehen sich zweifelsohne auf die Luftaufnahmen?«

»Ah, Mr Strangeways, wie ich sehe, kann man Ihnen nichts vorwegnehmen.«

»Aber nicht jeder, der Luftaufnahmen sein eigen nennt, ist ein Spion«, protestierte Paul. »Jeder könnte sich welche besorgen.«

»Gut beobachtet. Doch als ich meine Tochter, Sally, befragt habe, konnte sie sich vage daran erinnern, dass auf wenigstens einer der Fotografien eine Werft zu sehen war. Sie ist sich dessen beileibe nicht sicher, doch zusammen mit der Tatsache, dass dieser selbsternannte – oder soll ich sagen ehemalige? – Einsiedler es sich zur Gewohnheit gemacht hat, zwei Tage die Woche im Kriegshafen von Applestock zu verbringen und dort das Wirtshaus aufzusuchen, das wiederum von einfachen Matrosen stark frequentiert wird, ist dieser Sachverhalt doch eher bedeutsam.«

»Nun gut, Mr Thistlethwaite«, lenkte Nigel ein. »Hätten Sie nicht ein anderes Gewerbe gewählt, wären Sie mittlerweile wahrscheinlich der ganze Stolz Scotland Yards.«

Mr Thistlethwaite war überaus zufrieden. »Ich würde mich lediglich als Amateur bezeichnen«, hielt er dagegen. »Aber alles in allem habe ich vielleicht doch ein wenig Begabung. Das Schneidergewerbe verlangt nach einem gewissen Talent dafür, ein Subjekt zu taxieren, um den Stoff zu bestimmen, der sowohl dessen physische Eigenschaften hervorhebt als auch zu dessen Charakter passt. Bei dem einen braucht es etwas Kühnheit, beim anderen etwas mehr Nüchternheit. Kurz gesagt, wir schneiden den Stoff so zu, dass er nicht nur dem Äußeren zuträglich ist, sondern auch der Persönlichkeit. Einer ähnlichen Gabe bedarf es – wenn ich wagen darf, das zu behaupten –, um Verbrechen aufzuklären. Sie, Sir, haben ihr Verbrechen aus jedem Blickwinkel betrachtet, jedes Element genau eingeschätzt und beginnen dann ... Aber ich schweife ab. Lassen Sie uns zu Old Ishmael zurückkehren. Welches Motiv könnte er haben, sein Land auf so niederträchtige Weise zu verraten? Ich erkläre es Ihnen in einem Wort: Rache.«

Mr Thistlethwaite sah seine Zuhörer furchteinflößend an, schnäuzte sich und fuhr fort.

»Er war nie ein guter Bürger, denn als Einsiedler hat er sich schon vor langer Zeit aller sozialen Verpflichtungen entledigt. Er entwickelte blanken Hass auf die Gesellschaft, insbesondere auf die Regierung unseres Landes, als er aus seiner Hütte auf den Klippen oben zwangsgeräumt wurde. Zu Beginn fand dieser Hass Ausdruck in kindischen Vergeltungsmaßnahmen gegen das Urlaubscamp: Er streute Nägel auf die Straße und so fort. Doch dann bot sich ihm eine fatale Gelegenheit. Ein gewisser Mr Charles Black kommt bei Bauer Swetenham zu Besuch, er geht mit einem Feldstecher zu den Klippen hinaus, er möchte nicht fotografiert werden. Das ist nicht das Verhalten eines ehrlichen Mannes. Mr Black hört Geschichten über Old Ishmael und sucht seine Bekanntschaft. Sie werden zusammen in Applestock gesehen. Mr Black ist fraglos ein feindlicher Agent, aber er wagt es nicht, selbst Spionage in Applestock zu betreiben. Stattdessen macht er sich den Unmut des Einsiedlers zunutze und stiftet ihn zu der schändlichen Tat an. In ihm hat er ein gefügiges Werkzeug gefunden. Old Ishmael ist in der Stadt eine vertraute Erscheinung – wir selbst haben beobachtet, wie er von allen unbeachtet im *Mariner's Compass* saß. Man nimmt sogar an, er sei taub. Eine der Hauptaufgaben eines Spions ist es, Informationen zusammenzutragen, die er dann an das Zentralbüro schickt, wo man sie mit Informationen, die von einem ganzen Netzwerk von Spionen eingeschickt werden, zusammenfügt. Unsere galanten Matrosen, so passend im ›stillen Dienst‹, wären die Letzten, die man mutwilliger Indiskretion beschuldigen könnte, aber wer könnte es ihnen verübeln, wenn sie in der Anwesenheit Old Ishmaels – der Einsiedler, der harmlose, taube Exzentriker – hin und wieder ein wenig zu offen miteinander reden würden? Er existiert für sie doch praktisch gar nicht. Ich würde Angehörigen unserer Marine niemals absichtliches Fehlverhalten unterstellen. Doch selbst im gesundesten Körper gib es ein oder zwei schlechte ...«

»Die kleine Angelegenheit mit dem Wettschein«, murmelte Nigel.

»Ganz genau. Verflixt nochmal, Mr Strangeways, ich glaube Sie sind der ganzen Sache schon seit Langem auf der Spur.« Der Schneider klang überaus enttäuscht, und Nigel beeilte sich, ihn zu beruhigen.

»Es ist sehr erfreulich, dass Sie meine eigenen Vermutungen bestätigen. Wie Sie sagen, wenn dieser Bursche Informationen an Old Ishmael weitergeben wollte, dann hätte er sich keine unauffälligere Methode ausdenken können, als einen Tipp für ein Hunderennen auf ein Stück Papier zu schreiben und es ihm vor aller Augen zu geben. Trotzdem dürfen wir uns nicht allzu sehr darauf verlassen, dazu ist das Ganze als

Indiz zu windig. Wenn wir uns nur noch einmal die Luftaufnahmen ansehen könnten! Aber die hat er mittlerweile wahrscheinlich weggeworfen. Ihnen ist nicht in Erinnerung, Perry, ob eine davon einen Hafen gezeigt hat?«

»Nein. Ich ... Wir waren zu aufgeregt, als wir die Aufnahme von dem Urlaubscamp entdeckt haben.«

»Niemand darf über diese Hafenbecken fliegen; wenn er also Fotografien davon hatte, muss er sie von jemandem bei der Luftwaffe erhalten haben. Aber darum wird sich jemand anderes kümmern.«

Sie machten sich auf den Weg zurück zur Konzerthalle. Unterwegs bemerkte Paul Perry, »Wo wir gerade von Hinweisen sprechen, Mr Thistlethwaite, woher wussten Sie, dass gestern Nacht ein Stück Draht unter meinem Chalet gefunden wurde? Mir war gar nicht klar, dass Strangeways sich Ihnen derart anvertraut.«

»Mein lieber Sir, Sie vergessen, dass Ihr Chalet nur ungefähr zwanzig Meter von meinem entfernt liegt. Ich konnte beinahe jedes Wort der Unterhaltung verstehen.«

»Ach, zur Hölle! Jeder an diesem verdammten Ort scheint Detektiv zu sein!«, rief Paul und machte sich davon.

»Ts, ts, ts. Der junge Gentleman ist durchaus gereizt, oder?«

»Ja«, erwiderte Nigel nachdenklich. »Ja, das ist er ... Sagen Sie, seit wann kennen Sie Mr Morley?«

Sie hatten sich letztes Jahr bei ihrem Besuch in Wunderland kennengelernt, sagte Mr Thistlethwaite. Er hatte sich wahrscheinlich zu ihnen gesellt wie ein ausgesetzter Hund, der sich dem erstbesten Menschen anschließt, der freundlich zu ihm ist, stellte Nigel sich vor. Albert wirkte nicht unglücklich, sondern einfach verloren und erpicht auf menschlichen Kontakt. Und die warmherzige Sally reagierte darauf. Er arbeitete in einem Heuerbüro und lebte alleine zur Untermiete in einem Zimmer, erzählte Mr Thistlethwaite. Er war der Typ, dachte Nigel, den die Hauswirtin entweder fürchterlich bemuttern oder schrecklich übervorteilen würde – das hing von der Hauswirtin ab.

»Soviel ich weiß, legt er sich ständig neue Hobbys zu, nur um dann wieder damit aufzuhören«, sagte Mr Thistlethwaite. »Einmal war es Chemie. Dann fing er an, Esperanto zu lernen. Mittlerweile ist es die Astronomie – erst kürzlich hat er gesagt, er wünschte, er könnte sich ein Teleskop leisten.«

»Ein typischer Romantiker, oder? Fängt immer mit was Neuem an und gibt es wieder auf, weil man es nicht bereits nach ein paar Tagen beherrscht. Ein Tagträumer, der es zu nichts bringt.«

»Zu nichts bringt, Sir? Ich bin mir nicht sicher. Stille Wasser gründen tief.«

»Manche stille Wasser gründen aber auch einfach nur tief und stagnieren.« Falls Mr Thistlethwaite etwas andeuten wollte, schien Nigel es offenbar nicht zu bemerken.

Zu ihrer Linken konnten sie die Lichterkette sehen, die wie Modeschmuck über den halbkreisförmig angeordneten Chalets hing. Die Bäume sahen aus wie Scherenschnitt, davor lief ein Angestellter – auffällig in weißen Hosen – mit einer Taschenlampe herum. Ungefähr zur selben Zeit hatte der Verrückte Hutmacher in der Nacht zuvor zugeschlagen. Doch heute würde er sich hier bestimmt nicht mehr blicken lassen. Von der Konzerthalle drangen die Klänge eines Seemannslieds zu ihnen. Die Pause war vorüber. Nigel ließ Mr Thistlethwaite an der Tür des Hauptgebäudes zurück und ging alleine weiter, um seinen Rundgang durch das Camp zu machen. Er wurde dreimal an verschiedenen Stellen aufgehalten – heute Nacht waren die Posten zweifelsohne wachsam. Wenn bis Mitternacht nichts mehr passiert, dachte Nigel, dann wäre das heute der erste Tag, den der Verrückte Hutmacher ungenutzt verstreichen ließ. Wagte er keine weiteren Aktionen, oder hatte er sein Ziel bereits erreicht?

Nigel ging zu seinem Chalet, machte das Licht an und setzte sich, um sich Paul Perrys Notizen weiter durchzusehen. Perry hatte ein gutes verbales Gedächtnis und war einigermaßen penibel, er hatte Auszüge aus allen Unterhaltungen, die er mitangehört hatte, aufgeschrieben. Einige waren ordentlich mit roter Tinte unterstrichen – wie Nigel annahm handelte es sich um Ansichten, Besonderheiten, Gewohnheiten und ungewöhnliche Reaktionen von Urlaubsgästen. Doch ein, zwei auf den ersten Blick irrelevante Auszüge erregten Nigels besondere Aufmerksamkeit, denn sie bestätigten seine eigenen Annahmen. Er glaubte nun, die Identität und das Motiv des Verrückten Hutmachers zu kennen.

Nigel ging los, um Teddy Wise zu suchen. Das Varieté hatte vor einer Stunde geendet, und Teddy erholte sich an der Bar.

»Holla, Sherlock, was trinken Sie?«, fragte er.

Nigel antwortete, Whisky und Soda, und Teddy legte eine Zehn-Schilling-Note auf die Bar. Er war augenscheinlich noch ausgelassener als sonst. Ein leerer Magen, dachte Nigel, ist nicht das Einzige, auf das man sich betrinken kann. Ein Bühnenkünstler, aufgeregt und vor dem Auftritt voll nervöser Anspannung, verausgabt sich mit seiner Vorstellung und wird überaus anfällig für Alkohol. Denn trotz seines herzlichen robusten Auftretens war Teddy auf seine Weise ein wahrer Künstler. Wahrscheinlich auch etwas neurotisch, vermutete Nigel, der schon oft mit dem Gedanken gespielt hatte, eine Monografie über die neurotischen Tendenzen des Athleten zu schreiben.

»Sie bekommen Ihre Getränke also nicht umsonst?«, fragte er.

»Keine Sorge, alter Junge. Ist besser für meine Moral.«
»Ihr Bruder allerdings schon, wie er mir verraten hat.«
»Ach, dann haben Sie seine kleine Hausbar gesehen? Genau genommen sollte er damit Gäste unterhalten. Na ja, es hält ihn natürlich nichts davon ab, sich hin und wieder selbst zu unterhalten. Wenn man bedenkt, was für ein mickriges Gehalt er bekommt, wundert es mich, dass er seine kleinen Extras nicht noch mehr ausnutzt.«

Teddy Wise war nüchtern genug, um leise zu sprechen, denn die Bar war an diesem Abend gut besucht.

»Was zahlen sie ihm? 1000 £ pro Jahr? Etwas in die Richtung?«

»Nicht einmal annähernd. Ich kann hier nicht den ganzen Abend mit Bühnenflüstern sprechen, ist schlecht für das Zäpfchen. Lassen Sie uns in mein Luxusapartment gehen und das Seemannsgarn dort weiterspinnen.«

Das war genau das, was Nigel wollte. Nun saßen sie bei einer Flasche Whisky in Teddys Zimmer, das sich ganz oben im Wunderland-Gebäude befand, ein Stockwerk über dem Büro des Direktors. Luxusapartment war genau das richtige Wort. Mit seinen Einbauschränken und elektrischem Kamin, dem moosgleichen Teppich, Chromschreibtisch und Neonröhren war es unglaublich luxuriös und kein bisschen behaglich. Teddy Wise, der überhaupt nicht so aussah, als würde er sich darin zu Hause fühlen, hatte rein gar nichts unternommen, um es gemütlicher zu machen. Teddy bemerkte Nigels höflich bestürzten Gesichtsausdruck, während dieser sich umsah, und sagte, »Ziemlich scheußlich, oder? Alle Besucher, die vorbeikommen, sollen davon eigentlich beeindruckt sein und jedem erzählen, wie gut das Unternehmen sich um seine Angestellten kümmert.«

Aber das erklärt kaum die Anonymität hier, dachte Nigel. Nicht einmal eine Fotografie auf dem Kaminsims oder eine Rugby-Schirmmütze an der Wand. »Ich war noch nie in einem dieser Urlaubscamps«, sagte er, »es ist wirklich außerordentlich interessant. Ihr Bruder muss ein Organisationstalent sein. Ich nehme an, er hat jede Menge Erfahrung.«

»Na ja, er war Sekretär eines Golfclubs, bevor er hier angefangen hat. Das und die Armee sind alles an Organisation, was er bisher gemacht hat. Aber Mortie fällt immer wieder auf die Füße.«

Nigel hörte Verbitterung aus dem Tonfall des jungen Mannes heraus. War es Eifersucht auf einen Bruder, der stets im Rampenlicht gestanden hatte? Er wusste genau, worauf er aus war, und fuhr mit seinem Loblied auf Mortimer Wise fort, bis Teddy, der beachtliche Fortschritte mit dem Whisky gemacht hatte, ihn unterbrach, »Ja, das sagen alle. Aber ich verrate Ihnen etwas: Der Typ wäre nichts ohne Esmeralda. Sie steckt hinter allem, das können Sie mir glauben.«

»Schon ungewöhnlich, ein Mädchen mit ihrem Aussehen und ihrem Talent an einem Arbeitsplatz wie diesem zu sehen. Man sollte meinen, sie hätte mehr aus sich machen können.«

»Was meinen Sie ›mehr aus sich machen‹?«

»Na, reich heiraten, zum Beispiel.«

Ein eher gequälter Ausdruck kam über Teddys attraktives Gesicht. »Reich heiraten?«, fragte er. »Ja, ein wenig Luxus würde ihr schon gefallen. Sie wurde schließlich hineingeboren. Aber mein geschätzter Bruder gefällt ihr noch besser.«

Nun lag fraglos Verbitterung in seinem Tonfall. Also hat es Teddy auch erwischt, dachte Nigel.

»Er ist um einiges älter als Sie, oder?«

»Worauf wollen Sie hinaus?«, fragte Teddy.

»Ich meine, dass er eher alt ist für sie, oder?«, erwiderte Nigel umständlich.

»Wissen Sie, alter Junge, ich bin sicher, Sie sind der Schnüffler des Jahrhunderts und alles, was dazugehört, aber Teddy Wise können Sie nicht täuschen. Noch'n Schluck? Sagen Sie halt. Ich habe schon verstanden, dass Sie sich dem großen Finale nähern. Warum zieht Esmeralda nicht den jungen, heiratsfähigen Teddy dem alten, tattrigen Mortie vor? Das ist es doch, oder?«

»Na ja ...«

»Sie müssen sich nicht entschuldigen, mein lieber Freund. Ich nehm's Ihnen nicht übel. Sie machen auch nur Ihre Arbeit. Die Wahrheit ist, ich weiß es nicht. Sie schon. Und was fangen wir jetzt damit an? Getrieben von brennender Eifersucht und unterdrückter Leidenschaft zieht der jüngere Bruder aus, um den älteren in den Ruin zu stürzen. Zur Hölle mit dir, zischte er, jetzt zahl ich's dir heim. Und das war die Geburtsstunde des Verrückten Hutmachers. Heraus mit den Handschellen.«

Nigel lachte, »Ein sehr spektakuläres Geständnis. Sie gehören auf die Bühne. Ihre Nummer heute Abend hat mir übrigens sehr gefallen. Albert Morley hat sie hoffentlich auch genossen.«

»Ach, ihm macht das nichts aus. Er ist es gewohnt. Gutgelaunter kleiner Kerl ... Nicht zu bändigen.«

»Liegt Bühnentalent in der Familie?«

»Aha! Sherlock an der Arbeit. Ich schätze schon. Mortie hatte früher ein Talent für Imitationen. Sie sind ziemlich neugierig, was den großen Bruder betrifft, oder? Falls Sie es sich in den Kopf gesetzt haben, dass er der Verrückte Hutmacher ist, vergessen Sie's besser wieder. Oh, ich weiß schon, eine Routinefrage. Aber im Ernst, wenn das Camp hier pleitegeht, ist das Morties Ende. Dann kann man ihn abschreiben.«

Nigel wechselte das Thema und kam auf Old Ishmael zu sprechen. Er erfuhr, dass sich der Einsiedler im Vorjahr ungefähr um diese Zeit mehrere Wochen lang nicht in seinen üblichen Schlupfwinkeln hatte blicken lassen.

»Ich war damals immer einmal die Woche im *Mariner's Compass*«, sagte Teddy, »und dort hat man mir erzählt, dass er schon länger nicht mehr dagewesen wäre.«

Nachdem sie sich noch ein wenig unterhalten hatten, verabschiedete sich Nigel und ging zurück in seine Hütte. Es war eine mondlose milde Sommernacht und, nachdem die Lichterkette ausgeschaltet worden war, recht finster. Er zog den Mantel aus, blickte auf die Armbanduhr und sah, dass es beinahe ein Uhr nachts war. Er legte die Uhr auf den Frisiertisch. Im nächsten Moment erschreckte ihn eine laute Explosion bis ins Mark.

Sally Thistlethwaite, die nicht hatte einschlafen können, fuhr aus dem Bett. Für einen kurzen Augenblick dachte sie, die Explosion hätte in ihrem Chalet stattgefunden, so gewaltsam hatte sie sie aus dem Halbschlaf gerissen. Sie rannte hinaus, ihren Vater auf den Fersen. Alle schienen aus den nahegelegenen Chalets herauszustürzen – die Nerven lagen blank, denn man wusste nicht, was dem Verrückten Hutmacher als Nächstes einfallen würde. Es herrschte ein einziges Tohuwabohu, das jedoch plötzlich von einem Zischen ausgeblendet wurde, wie wenn Dampf unter Hochdruck abgelassen wird. Das Ganze dauerte nur eine Sekunde, aber alle waren in Panik erstarrt. Wieder zischte es, und zwischen den Bäumen nahe dem Halbkreis kam etwas rauschend und leuchtend direkt auf die Gruppe bei den Chalets zugeschossen. Aber noch bevor alle Zeit hatten, in Deckung zu gehen, war das leuchtende Etwas über die Köpfe hinweg in die Nacht geflogen.

Eine Hand ergriff Sallys Handgelenk und zog sie in Deckung. Frauen schrien, und alle versuchten, hinter die Chalets zu gelangen.

»Eine Rakete!«, rief Paul, seine Hand immer noch Sallys Handgelenk umklammernd. »Das verdammte Schwein! Hast du den ersten Knall gehört? Das war direkt unter meinem Chalet. Ich ...«

»Geht wieder rein, macht das Licht an und zieht die Vorhänge zurück!«, rief Nigel, der gerade aufgetaucht war. »Aus welcher Richtung kam die Rakete?«

»Von den Bäumen dort«, erwiderte Paul und kam aus der Deckung. »Ich gehe und sehe nach ...«

»Nein, bleibt wo ihr seid, alle beide«, befahl Nigel.

Der Halbkreis der Chalets war hell erleuchtet, als er in Richtung der Bäume lief. Bestimmt würde der Verrückte Hutmacher kein Feuerwerk mehr starten. Zwischen den Bäumen gab es nichts außer Schatten – Schatten und am Rand einer

Lichtung eine kleine Astgabel, die im Boden steckte und auf der der vordere Teil der Rakete gelegen haben musste. Sie war offensichtlich so ausgerichtet worden, dass sie links an dem nächsten Chalet vorbeifliegen und knapp über die Köpfe derer steuern würde, die von der ersten Explosion aus ihren Unterkünften geflüchtet waren, um dann schließlich über die Dächer der Chalets rechts hinter ihnen davonzufliegen.

Als der Angestellte, der Wache gehalten hatte, eintraf, hatte Nigel die Astgabel bereits eingesteckt. Der Wachmann war auf der anderen Seite der Chalets gewesen und hatte außer der Rakete nichts weiter bemerkt. Das Leuchten war allerdings so intensiv und blendend gewesen, dass niemand irgendetwas hätte sehen können. Doch der Verrückte Hutmacher hatte sich bei seiner Flucht nicht darauf verlassen, denn als Nigel das Gras um die Abschussstelle gründlich untersuchte, fand er die Überreste einer verbrannten Zündschnur.

Er ließ den Wachmann an der Stelle zurück und ging wieder zu den Hütten.

»Irgendetwas unter meinem Chalet ist losgegangen«, sagte Paul. »Ich glaube, es muss einer dieser Feuerwerkskörper gewesen sein. Die machen verdammt viel Krach.«

Nigel leuchtete mit seiner Taschenlampe unter das Chalet. Ja, dort war ein verkohlter Karton. Er konnte erkennen, dass dieser ebenfalls mit einer Lunte angezündet worden war.

»Was ist denn jetzt schon wieder los?«, tönte Captain Wise entnervt. Sein lichtes Haar war verstrubbelt, er trug einen seidenen Morgenmantel und hatte seine falschen Zähne für diesen Anlass nicht wieder eingesetzt. Nigel fasste die Ereignisse kurz zusammen, aber inmitten der Gäste war das so gut wie unmöglich. Er führte den Direktor in Pauls Chalet und schloss die Tür.

»Vermutlich hat er die Lunte des Feuerwerkskörpers zuerst angezündet, dann die Rakete in Position gebracht und deren Lunte angezündet. Dann hätte er genug Zeit gehabt, um gemütlich nach Hause zu gehen und das Kreuzworträtsel der *Times* zu lösen – die Zündschnüre waren lang genug.«

»Immerhin entlastet mich das.« Paul Perrys Stimme zitterte immer noch ein wenig. Weder Nigel noch Captain Wise kommentierten diese Aussage. »Verdammt nochmal, ich würde doch wohl unter meinem eigenen Chalet keine Feuerwerkskörper zünden, oder?«

»Sie müssen doch etwas gehört haben, als dieser Bursche ihn platziert hat«, bemerkte Captain Wise freundlich.

Schock, Zweifel und Angst zeichneten sich in Pauls Gesicht ab – so deutlich, dass es alle bemerkten. Halb zu sich selbst murmelte er, »Seltsam. Ich kann mich nicht erinnern, etwas gehört zu haben. Oh Gott! So etwas würde ich doch nie tun! Keine Rakete. Sally war da draußen.« Plötzlich ging er auf die beiden los, »Raus! Machen Sie, dass Sie rauskommen! Ich bin es leid, so bedrängt zu werden!«

»Reißen Sie sich zusammen, mein Lieber,« sagte Captain Wise. »Niemand beschuldigt Sie. Der Kerl war womöglich so leise, dass Sie ihn nicht gehört haben.«

Er und Nigel verließen die Hütte, und als sie sich etwas entfernt hatten, sagte Captain Wise, »Da wird doch nichts dran sein, oder? Ich meine, wie er selbst gesagt hat, würde er die Rakete doch nicht unter seinem eigenen Chalet verstecken. Nicht, wenn er dieser Kasper wäre.«

»Nicht, außer er *ist* dieser Kasper, meinen Sie. Indem er das

Ganze inszeniert, wäre es für ihn nämlich ein Leichtes, jeden Verdacht abzuschütteln.«

»Oh, das ist mir zu raffiniert«, lachte der Direktor.

XV

Der nächste Tag, der für die meisten Besucher Wunderlands nichts Aufregenderes brachte als den wöchentlichen Sportwettkampf, sollte sich für zwei von ihnen als äußerst dramatisch herausstellen – dramatisch und entscheidend, denn danach sollten sie nie mehr die Alten sein. Für den oberflächlichen Beobachter liefen ihre Handlungen auf den ersten Blick allen Erwartungen zuwider und stellten einen beinahe unvereinbaren Gegensatz zu allem dar, was wir über diese Personen wissen. Nigel Strangeways war aber glücklicherweise kein oberflächlicher Beobachter und imstande zu erkennen, wie diese scheinbar so spontanen und widersinnigen Handlungen die logische Konsequenz tieferer Beweggründe waren. Hätte er das nicht begriffen, wäre der Fall des Verrückten Hutmachers noch wesentlich komplizierter geworden und vielleicht auf immer ungelöst geblieben. Der Fall war, wie er schon die ganze Zeit vermutet hatte, im Wesentlichen relativ simpel, und die schwierigen Aspekte im Großen und Ganzen Nebensache.

An diesem Morgen, wie am Vortag, wurde die *Daily Post* ihrem Ruf gerecht, stets das Beste aus der Sauregurkenzeit herauszuholen. WEITERE SCHRECKENSTATEN IN WUNDERLAND, verkündete sie ihren verzückten Lesern. DETEKTIV FINDET TOTEN HASEN IM BETT. Und in etwas kleinerer Schrift, URLAUBSSCHÖNHEIT VERGIFTET? Auch wenn Phyllis Arnold möglicherweise Trost aus dieser Schlagzeile ziehen konnte, war Captain Wise der Ansicht, dass das alles der vernichtende Schlag für Wunderland sei.

»Aber wo ist die undichte Stelle?«, lamentierte er gegenüber Nigel. »Wie haben sie es diesmal herausgefunden?«

»Wahrscheinlich ruft der Verrückte Hutmacher sie jeden Tag mit einer amtlichen Bekanntmachung an.«

»Wir hätten die Telefonkabinen überwachen lassen sollen«, sagte der Direktor gereizt, wobei er mit ›wir‹ offensichtlich ›Sie‹ meinte.

»Es hätte nichts genutzt. Wir können unmöglich jedes Mal, wenn einer der Gäste das Telefon nutzt, die Vermittlung anrufen und nachfragen, worüber er gesprochen hat. Wir haben keine Polizeigewalt.«

»Arbuthnot, unser geschäftsführender Direktor, kommt heute Morgen hierher. Ich hätte gerne etwas Konkretes vorzuweisen.«

»Konkret? Was meinen Sie damit?«

Also wirklich, dachte Captain Wise, dieser angebliche Detektiv ist heute wirklich keine Hilfe und bemerkenswert begriffsstutzig.

»Etwas zum Verrückten Hutmacher, natürlich.«

»Sie hätten gerne, dass ich bei der Besprechung die Identität des Verrückten Hutmachers enthülle?«

»Na, selbstverständlich«, erwiderte der Direktor leicht verwirrt. »Aber mir ist natürlich bewusst, dass Sie sehr wenig Zeit hatten. So schnell können wir natürlich keine Ergebnisse erwarten, und ...«

»Oh, ich kann die Katze schon aus dem Sack lassen, wenn Sie möchten.«

»Sie wissen, wer er ist? Seit wann?«, Captain Wise war sichtlich aufgeregt.

»Ich weiß es schon seit geraumer Zeit. Ich kann es nur noch nicht beweisen.«

»Dann wird es nicht viel nutzen. Arbuthnot ist ein Mann der harten Fakten.«

»So einer ist das? Und wenn er sie nicht zu hören bekommt, dann bin ich gefeuert?«

»Nein. Nicht unbedingt. Sie sind auf meine Empfehlung hinzugezogen worden, und ich werde die Zeche zahlen.« Captain Wise ließ ein kurzes, bedauerndes Lachen erklingen. »Nein. Aber Tatsache ist, dass die schlechte Werbung das Schicksal der Wunderland-Camps besiegelt hat, also spielt es eigentlich keine Rolle mehr, ob wir den Schuldigen überführen oder nicht. Um es offen zu sagen, ich kann es mir nicht leisten, Sie weiterhin für eine Arbeit zu bezahlen, die keinen praktischen Wert mehr hat.«

»Verstehe. Obwohl ich behaupten würde, dass der Schutz Ihrer Gäste durchaus praktischen Wert hat. Immerhin könnte der Bursche bald anfangen, mit etwas Tödlicherem als Feuerwerksraketen auf sie zu zielen ...«

»Es werden nächste Woche verdammt wenig Gäste übrigsein, auf die er zielen kann.« Captain Wise deutete auf einen Stapel Briefe auf seinem Schreibtisch. »Das ist nur eine Postsendung. Die Leute stornieren ihre Buchungen. Tja, sie verlieren lieber ihre Anzahlung, anstatt an diesen Unglücksort zu kommen.«

»So schlimm? Ja, das verlangt offensichtlich nach eindeutigen Resultaten. Ich muss mich an die Arbeit machen.« An der Tür drehte Nigel sich noch einmal um und sagte, »Übrigens, können Sie sich für Miss Jones verbürgen?«

»Verbürgen ...? Was für eine merkwürdige Andeutung! Sie glauben doch nicht ernsthaft ...«

»Ihr Vater wurde von seinen Konkurrenten ruiniert und in den Selbstmord getrieben. Falls eine dieser Personen mit Wunderland in Verbindung steht, hätten wir das Motiv.«

»Eine absurde Idee. Sie ist absolut vertrauenswürdig und dem Unternehmen treu ergeben. Sie hat mehr zum Erfolg beigetragen als irgendjemand anderes, das gestehe ich gerne ein. Sie sagen, Sie wissen, wer der Schuldige ist, aber wenn Sie sich auf sie eingeschossen haben, dann machen Sie einen groben Fehler.«

Nigel zog sich zurück. Trotz der Proteste Captain Wises, glaubte Nigel so etwas wie Zweifel in seinen Augen erkannt zu haben. Er ging nach unten zu den Telefonkabinen und rief Sir John Strangeways bei New Scotland Yard an. Sir John's Informationen waren äußerst lückenhaft. Er hatte diskret Nachforschungen über das Wunderland-Unternehmen anstellen lassen und konnte Nigel versichern, dass keiner der Finanziers, die Lysaght Jones in den Ruin getrieben hatten, mit Wunderland in Verbindung stand. Ebenso wenig hatte er Informationen, die Teddy Wise diskreditierten – bis auf einen gewissen Vorfall nach einem Sportwettkampf an einer Universität, bei dem einem Polizisten der Helm vom Kopf geschlagen worden war. Mortimer Wise, erzählte Sir John, hatte vor ein paar Jahren ein großes Erbe erhalten und dieses sehr schnell durchgebracht. Das, vermutete Nigel, war auch der Zeitraum, in dem er Bekanntschaft mit Miss Jones gemacht hatte. Danach war er zum Sekretär eines Golfclubs abgestiegen – sein Ruf schien tadellos zu sein.

»Und was ist mit dem Schnappschuss, den ich dir geschickt habe?«

»Bisher kein Glück. Gib mir noch etwas Zeit, mein Junge. Ich hatte nur ein paar Stunden zur Verfügung.«

»Versuch es mit ...« Nigel nannte den Namen einer geheimen Abteilung, die die Aktivitäten ausländischer Spione überwachte. »Ich kann mir vorstellen, dass die seine Visage schon einmal gesehen haben.« Er ließ seinen verärgerten Onkel am anderen Ende der Leitung zurück und machte sich auf die Suche nach Sally Thistlethwaite. Er fand sie in Begleitung von Mr Morley, sie bereiteten sich gemeinsam auf das dreibeinige Wettrennen vor, das nachmittags stattfinden sollte. Nigel zog sich mit ihr an ein stilles Fleckchen am Rand der Klippen zurück. Hinter ihnen zu ihrer Linken war das weiße, auf Funktionalität ausgelegte Wunderland-Gebäude, die Fenster hinter der Kapitänsbrücke waren dem milden Südwind geöffnet. Vom Rummelplatz, der hinter ihnen zu ihrer Rechten lag, drang der Lärm von spielenden Kindern. Niemand schien den Schießstand zu nutzen, aber irgendwo Richtung Landesinnerem lag ein militärisches Ausbildungscamp, aus dem das unregelmäßige Rattern von Maschinengewehren zu hören war. Es betonte das tiefe, rhythmische Schlagen der Wellen, die sich unter ihnen am Strand brachen. Nigel erkundigte sich bei Sally nach ihren Erfahrungen im Camp. Als er die Namen Paul Perry und Albert Morley erwähnte, wurde sie einsilbig, redete aber offen über andere Gäste. Das fiel ihm zum ersten Mal auf, als sie schilderte, wie sie untergetaucht worden war. Sie bestand darauf, dass keiner der beiden in ihrer Nähe gewesen war, als man sie unter Wasser gezogen hatte, doch ihr Nachdruck klang in seinen Ohren nicht glaubhaft.

Nigel hatte jedoch seine eigene Art, mit unwilligen Zeugen umzugehen, und es dauerte nicht lange, bevor sie ihm ihre Sorgen über Paul Perry beichtete.

»Ich bin mir sicher, dass er diese Dinge nicht getan hat, aber er macht es mir wirklich nicht leicht. Ich glaube, er geht mir aus dem Weg. Ich habe ihn gefragt, ob er bei dem Wettkampf mein Partner sein will, aber er hat nur gesagt, dass er heute einen langen Spaziergang macht. Schon merkwürdig«, fügte sie mit erfrischender Unbefangenheit hinzu, »weil ich bin mir sicher, dass er mich attraktiv findet.«

Dann erzählte sie ihm, wie Paul sich geweigert hatte, den Fisch anzufassen, den sie gefangen hatte. »Das beweist es doch, oder nicht?«, fragte sie. »Wenn es ihn so gegraut hat, den Fisch anzufassen, dann hätte er niemals diese furchtbar stinkenden Tierkadaver mit sich herumgetragen.«

»Nein. Außer, er wusste nicht, dass er es tat. Hat er mit Ihnen je über Schizophrenie gesprochen?«

»Wir haben uns – wann war das? – am Sonntag auf dem Tennisplatz darüber unterhalten, glaube ich. Aber ...«

»Ein Grund für sein seltsames Benehmen könnte sein, dass er Angst hat, etwas könnte mit ihm nicht stimmen.«

»Glauben *Sie* denn, dass dem so ist?«, fragte Sally ihn unverblümt.

»Ich kann es noch nicht mit absoluter Gewissheit sagen.«

»Falls er tatsächlich der Verrückte Hutmacher ist, könnte man ihm dann aber doch nichts anlasten, oder?« Sie schlug die Augen nieder, sodass nur noch ihre dunklen Wimpern zu sehen waren.

»Man würde ihn nicht zu einer Haftstrafe verurteilen, das stimmt.«

Sally beantwortete seine Fragen nun ungezwungener. Nach und nach entlockte er ihr alles, was sie während der letzten fünf Tage gesehen oder gehört hatte. Während sie sich unterhielten, kam einer der Angestellten und trieb die Kinder gesammelt vom Rummelplatz; die Sportveranstaltung für Kinder begann um elf Uhr dreißig und würde bis zum Mittagessen vorüber sein. Kurz nach halb zwölf kam ein Angestellter und bat Nigel, in das Büro des Direktors zu kommen. Der große Mr Arbuthnot war eingetroffen, er war wutentbrannt und würde ein Urteil sprechen.

Mr Arbuthnot hatte kleine Augen, einen jähzornigen gerissenen Blick, einen grimmigen Zug um den Mund und einen Nacken, der hinten über seinen Kragen hing. Er war die Karikatur eines erfolgeichen Geschäftsmanns. Momentan verhielt er sich allerdings wie ein verzogenes Kind, dem unerwartet gehörig der Hintern versohlt worden war.

»... die ganze Geschichte wurde von Anfang an unglaublich schlecht gehandhabt«, sagte er gerade, als Nigel hereinkam. »Das Unternehmen macht Sie dafür verantwortlich, Wise, und – wer zum Teufel ist das?«

»Mr Strangeways. Das ist unser geschäftsführender Direktor, Mr Arbuthnot.«

Mr Arbuthnot bedachte Nigel mit einem knappen Nicken und warf ihm einen jener kühlen, prüfenden Blicke zu, die Leute seines Schlages gerne dazu verwenden, ihr Gegenüber abzuschätzen und ihn in die Schranken zu weisen. Captain Wise saß an seinem Schreibtisch und hantierte kleinlaut mit einem Stapel Papiere. Teddy Wise stand mit glasigen Augen wie ein benommener Boxer an die gegenüberliegende Wand gelehnt – Mr Arbuthnot hatte ihm offensichtlich bereits eine Abreibung erteilt. Einzig Esmeralda Jones schien unbesorgt. Ihre kühle, gesittete Effizienz wirkte beinahe wie eine Parodie. Nigel hätte schwören können, dass sie ihm hinter ihrer Hornbrille zuzwinkerte, als der geschäftsführende Direktor wieder begann, im Zimmer auf und ab zu stampfen.

»Man hätte sofort die Polizei verständigen müssen, Wise. Sie waren ja nicht imstande, die Situation selbst unter Kontrolle zu bringen. Es nutzt überhaupt nichts, wenn Amateure an so einer Sache herumfuhrwerken.«

»Wie ich Ihnen bereits sagte, Mr Arbuthnot, die Polizei hinzuzuziehen hätte noch mehr Aufmerksamkeit bedeutet und zu extremen Unannehmlichkeiten für unsere Gäste geführt«, wiederholte Captain Wise müde.

»Verdammt nochmal, die Aufmerksamkeit und die Unannehmlichkeiten haben Sie sowieso. Und obendrein haben Sie das Unternehmen lächerlich gemacht.«

»Wenn ich nicht mehr gebraucht werde«, unterbrach Nigel höflich, »gehe ich. Ich habe viel zu tun.«

Mr Arbuthnot hielt abrupt ein und starrte Nigel an, als ob er ihn in diesem Moment zum ersten Mal sähe.

»Sie gehen, wenn ich es sage, junger Mann. Sie sind jetzt ein Angestellter des Unternehmens, merken Sie sich das.«

»Ganz im Gegenteil, soweit ich weiß, werde ich von Captain Wise bezahlt.«

»Na, na, jetzt lassen Sie mal die Haarspalterei. Sie vertreten die Interessen des Unternehmens. Was haben Sie eigentlich bislang in diesem Sinne unternommen ...«

»Ich bin hier, um die Identität des Verrückten Hutmachers

zu ermitteln, Mr Arbuthnot, nicht um Ihr Unternehmen reinzuwaschen.«

Der stiergleiche Nacken des Geschäftsführers schwoll an und färbte sich violett.

»Reinwaschen? Wer hat hier etwas von reinwaschen gesagt?«, rief er.

»Ich wollte lediglich meine Funktion klarstellen«, antwortete Nigel zurückhaltend.

»Ach, das wollten Sie, ja? Nun denn, vielleicht möchten Sie dann auch klarstellen, was Sie bislang unternommen haben. Und ich will Fakten, hören Sie? Keine hochtrabenden Theorien.«

Das kam Nigel gelegen, denn er verspürte nicht das geringste Verlangen, Mr Arbuthnot in seiner gegenwärtigen Laune irgendwelche Theorien zu präsentieren.

»Also gut. Hier sind die aktuellen Fakten.«

»Warten Sie. Es ist verdammt heiß hier drinnen. Sie – wie heißen Sie? – Miss Jones, können Sie ein Fenster aufmachen?«

»Die Fenster sind alle geöffnet, Mr Arbuthnot«, erwiderte sie mit süßlicher Miene. »Vielleicht ziehen Sie es vor, die Besprechung auf dem Balkon weiterzuführen?«

Der Geschäftsführer brummte seine Zustimmung. Man brachte Stühle nach draußen, und Nigel erstattete Bericht über die Taten sowie seine Ermittlungen. Als er geendet hatte, prustete Mr Arbuthnot ungeduldig.

»Ja, ja«, rief er unwirsch, »das wissen wir schon alles. Was halten Sie davon? Haben Sie irgendetwas erreicht? Sie werden dafür bezahlt, Ergebnisse zu liefern, oder etwa nicht?«

Captain Wise zuckte mit den Schultern und ging zu der Brüstung auf der rechten Seite des Balkons.

»Der Fall ist keineswegs simpel«, setzte Nigel an. Doch bevor er weiterreden konnte, unterbrach ihn Mr Arbuthnot, »Papperlapapp! Jetzt machen Sie aus einer Mücke keinen Elefanten. Damit können Sie mich nicht kriegen. Jeder, der seine fünf Sinne beisammenhat, ist in der Lage, diesen Burschen sofort ausfindig zu machen. Irgendein Radaubruder fängt an, Streiche zu spielen, und Sie alle tun so, als sei er ein abgefeimter Verbrecher. Grundgütiger, Sie spielen doch nicht in Edgar Wallaces ...«

Mr Arbuthnots Tirade wurde zum zweiten Mal innerhalb weniger Minuten unterbrochen. Daran gewöhnt, in respektvollem Schweigen angehört zu werden, wurde der geschäftsführende Direktor rasend vor Wut. Er starrte Captain Wise wütend an, der sich mit der Hand auf ein Ohr geschlagen hatte. »Was zum Teufel?«, rief er.

Nigel war aufgesprungen und blickte ungläubig zu Captain Wise, der sagte, »Irgendetwas muss mich gestochen haben. Ich glaube, eine Hornisse.« Er nahm seine Hand vom Ohr; es war blutüberströmt. Am oberen Rand seiner Ohrmuschel floss Blut aus einem akkuraten, kleinen Loch, das aussah, wie von einem Schaffner aus einer Fahrkarte gestanzt.

»Das ist kein Stich. Auf Sie wurde geschossen.«

»Unsinn«, sagte Mr Arbuthnot mit hervorquellenden Augen. »Die Leute ...«

»Seien Sie still!«, erwiderte Nigel über seine Schulter und lehnte sich über die Balkonbrüstung. »Ich dachte, ich hätte einen Schuss gehört, aber Sie haben so geschrien. Ja, jemand hat auf Wise geschossen – von dem Schießstand da unten. Eine Kaliber .22 vermutlich. Teddy, stellen Sie sich hierhin und behalten Sie den Stand im Auge. Miss Jones, besorgen

Sie etwas Watte und stecken Sie sie in die Wunde; dann holen Sie den Arzt.«

Er rannte durch das Büro und die Treppen hinunter.

»Zwei, drei Zentimeter weiter rechts, und ich hätte die Kugel in meinem Hinterkopf gehabt«, sagte Captain Wise verwirrt.

»Darf ich Ihnen den Verrückten Hutmacher vorstellen, Mr Arbuthnot?«, fragte Miss Jones.

Doch Mr Arbuthnot war in das Büro geflohen, um mithilfe des Inhalts eines Flachmanns die Fassung wiederzugewinnen.

Teddy beobachtete vom Balkon aus, wie Nigel zum Rummel lief und in den Schießstand hinein. Niemand hatte ihn in der Zwischenzeit verlassen, und es hatte sich auch niemand darin versteckt. Das alles konnte Teddy erkennen; was er nicht sehen konnte, war Nigels fassungsloser Gesichtsausdruck. Der Schuss, der durch Captain Wises Ohr gegangen war und Mr Arbuthnot so sehr aus der Fassung gebracht hatte, brachte seine Theorien zum Einsturz. Er rief Teddy zu, er solle bleiben, wo er war, ging zur Rückseite des Schießstands und lief zu einer Baumgruppe, die etwa einhundert Meter dahinterlag. Sie bot den einzigen Schutz für jemanden, der eventuell in diese Richtung geflohen war. Als er sich den Bäumen näherte, kam eine Gestalt dazwischen zum Vorschein, die sich schließlich als Albert Morley entpuppte.

»Hallo«, sagte er. »Ist was passiert? Ich habe Schreie gehört.«

»Auf Captain Wise wurde geschossen. Haben Sie jemanden kommen sehen?«

»Geschossen?« Albert Morley sah aus, als müsste er sich gleich übergeben. »Aber ist es ... Er ist nicht tot, oder?«

»Nein. Dem ist er um Haaresbreite entkommen.«

»Oh, Gott sei Dank! Gott sei Dank! Was für eine schreckliche Geschichte!«

»Sie haben niemanden gesehen?«

»Nein. Ich habe gerade einen kleinen Spaziergang gemacht und Leute rufen gehört, und ...«

»Haben Sie den Schuss gehört?«

»Na ja, das muss ich wohl. Aber man hört oft Schüsse aus dem Schießstand. Sie sagen, Captain Wise wurde getroffen?«

»Ja. Am Ohr. Sie kommen vielleicht besser mit mir.«

»Natürlich. Wenn ich irgendwie behilflich sein kann ...«

Nigel sah sich zwischen den Bäumen um, aber dort war niemand versteckt. Sie gingen zum Rummelplatz zurück und durchsuchten die Schiffschaukeln sowie alle anderen Orte, die sich als Versteck eignen würden. Dann rief Nigel Teddy Wise zu, er solle vom Balkon herunterkommen. Er wies Teddy an, die Aufsicht zu finden, die für den Schießstand verantwortlich war, und bat ihn, das gesamte Personal zu mobilisieren, um herauszufinden, wo jeder einzelne Gast zum Zeitpunkt des Schusses gewesen war.

Als der für den Schießstand Verantwortliche eintraf, machte Nigel ihn auf ein Gewehr aufmerksam, das auf der Theke des Schießstands lag.

»Ich möchte, dass Sie es mitnehmen und sicher verwahren. Wickeln Sie ein Taschentuch um den Schaft, vielleicht sind Fingerabdrücke darauf. In der Kammer steckt eine leere Patronenhülse, es muss also das Gewehr sein, mit dem geschossen wurde.«

Einige Minuten später kam der Mann wieder. Nigel erfuhr, dass er bei der Sportveranstaltung der Kinder ausgeholfen hatte. Es war scheinbar üblich, den Schießstand unbeaufsichtigt zu lassen – die Gäste warfen Geld in einen Schlitz, wenn sie auf das bewegliche Ziel schießen wollten, die Nutzung der Zielscheiben hingegen war gratis.

»Wollen Sie damit sagen, dass jeder hier hereinkommen kann, sich ein Gewehr nehmen und anfangen kann, um sich zu schießen? Ist das nicht ein wenig gefährlich? Eines der Kinder könnte sich mit einem Gewehr aus dem Staub machen.«

»Oh nein, die dürfen hier nur mit Erwachsenen rein.« Dem Mann war sichtlich unwohl, und schon bald hatte Nigel ihm das Geständnis abgerungen, dass es *nicht* üblich war, den Schießstand unbeaufsichtigt zu lassen. Er hatte schlichtweg vergessen abzusperren, als er zu der Sportveranstaltung der Kinder gegangen war. Das war um kurz nach elf Uhr gewesen.

Mit seiner Hilfe durchsuchte Nigel nun jeden Winkel des Schießstands. Der Schütze musste in Eile gewesen sein und hatte vielleicht eine Spur hinterlassen. Doch sie fanden nichts. Dafür fiel dem Angestellten auf, dass eines der Gewehre fehlte.

»Heute Morgen waren noch alle im Gewehrständer. Das schwöre ich«, sagte er.

»Als Sie den Stand aufgesperrt haben oder als Sie gegangen sind?«

Der Mann wirkte noch betretener. Er gestand, die Gewehre nicht gezählt zu haben, als er den Stand um elf Uhr verlassen hatte. Es war niemand mehr hier gewesen, und es war ihm nicht in den Sinn gekommen, alles genau zu inspizieren. Er bestand allerdings weiterhin darauf, dass kein Gewehr gefehlt hatte, als er den Stand um zehn Uhr aufgeschlossen hatte.

Falls das stimmte, überlegte Nigel, musste das Gewehr entweder irgendwann zwischen elf Uhr und elf Uhr fünfzig, dem Zeitpunkt des Schusses, entwendet worden sein, als der Schießstand leer und unbeaufsichtigt war. Alternativ hätte es von jemandem mitgenommen worden sein können, der zwischen zehn und elf am Stand gewesen war. Doch wie bitte schön hätte sich irgendjemand vor den Augen der Aufsicht und der anderen Gäste mit einem Gewehr davonmachen können? Auf der anderen Seite musste man sich fragen, weshalb der unbekannte Schütze das Gewehr, mit dem er geschossen hat, auf der Theke liegengelassen und stattdessen ein anderes mitgenommen hat? Es war geradezu absurd anzunehmen, dass zwei Personen am gleichen Tag unerlaubt ein Gewehr abfeuern wollten.

Der Angestellte behauptete, dass keine Waffen auf der Theke gelegen hätten, als er den Stand verließ, um zu der Sportveranstaltung zu gehen. Er war in Eile gewesen und hatte die Gewehre, die an diesem Morgen benutzt worden waren, lediglich innen gegen die Theke gelehnt, anstatt sie im Schrank einzuschließen. Man hat es dem Kriminellen sehr leicht gemacht, fuhr es Nigel durch den Kopf.

»Hätte irgendjemand wissen können, dass Sie den Stand heute Morgen nicht abgeschlossen haben?«, fragte er. »Sie haben es niemandem gegenüber erwähnt?«

»Bestimmt nicht, Mr Strangeways. Ich selbst habe es ja nicht einmal bemerkt. Ich arbeite erst seit Kurzem am Schießstand und weiß noch nicht genau, wie das hier abläuft.«

»Wer hat sonst noch Schlüssel?«

»Einer hängt im Büro. Und der Verantwortliche für die Spiele hat einen eigenen. Das sind alle.«

Nigel fragte den Mann schließlich, ob er die Namen der Gäste kannte, die an diesem Morgen am Schießstand gewesen waren. Wie sich herausstellte, kannte er einige, und unter ihnen war auch Paul Perry gewesen. Nigel ging zurück ins Büro und vergewisserte sich, dass einer der Schlüssel zum Schießstand an seinem üblichen Platz hing. Den anderen holte Teddy aus seiner Hosentasche, als Nigel ihn auf dem Sportplatz darum bat. Wenn alle die Wahrheit gesagt hatten, war ausgeschlossen, dass der Übeltäter einen der Schlüssel geliehen oder gestohlen hatte, um an das Gewehr zu gelangen. Wer auch immer auf Captain Wise geschossen hatte, war von dem unabgeschlossenen Schießstand in Versuchung geführt worden und hatte spontan gehandelt. Das hatte Nigel von vornherein vermutet, denn der Direktor suchte die Kapitänsbrücke zwar regelmäßig auf, aber der Kriminelle konnte sich nicht darauf verlassen, dass er in diesem Moment wirklich anwesend war und noch dazu genau an der einzigen Stelle des Balkons, wo man ihn vom Schießstand aus ins Visier nehmen konnte.

Doch das Problem der zwei Gewehre war damit nicht gelöst. Nigels Gehirn arbeitete auf Hochtouren, während er auf dem Sportplatz herumlief und Teddy Wise und seine Assistenten bei einem Appell beobachtete. Ein Teil des Personals machte die Runde bei den Gästeunterkünften, den anderen Gebäuden, dem Strand und den Freianlagen. Zur Mittagszeit konnte Teddy ihm Bericht erstatten. Bis auf eine größere Gruppe, die auf einem Ausflug mit einer Pferdekutsche unterwegs gewesen war, waren alle Gäste in der Lage, ihren jeweiligen Aufenthaltsort zum Zeitpunkt des Schusses zu nennen – alle bis auf Paul Perry, Albert Morley und Miss Gardiner. Morley und Miss Gardiner gaben an, um elf Uhr fünfzig alleine gewesen zu sein. Sie hatte in ihrem Chalet Briefe geschrieben, und er war vom Sportplatz zu dem Ort spaziert, an dem Nigel ihn angetroffen hatte. Albert teilte ihm außerdem bereitwillig mit, dass Paul Perry einen langen Spaziergang gemacht hatte. Paul war im Camp nicht aufzufinden, noch kehrte er zum Mittagessen zurück.

Nach dem Essen suchte Nigel Sally Thistlethwaite auf. Paul hatte ihr nicht erzählt, wo er spazieren gehen wollte, und sie sagte, er habe ihre Begleitung abgelehnt. Nein, sie könne sich nicht erinnern, um welche Zeit er losgegangen war. Ihr Vater dagegen gab an, Perry um etwa halb elf gesehen zu haben, als er die Einfahrt hinunterging und das Camp verließ. Nigel nahm Mr Thistlethwaite beiseite – er wollte nicht, dass Sally merkte, welches Ziel er mit seinen Fragen verfolgte – und erzählte ihm von dem Schuss auf Captain Wise.

»Immerhin kann unser junger Freund nicht für diese verachtenswerte Gräueltat verantwortlich gemacht werden«, tönte Mr Thistlethwaite. »Es steht außer Frage, dass er zu einem Spaziergang aufbrach, als ich ihn gesehen habe.«

»Wie können Sie das beweisen? Er könnte einen kurzen Umweg gegangen und durch die Baumgruppe hinter dem Schießstand zurückgekehrt sein.«

»Man trägt keinen Mantel aus Gabardine, Sir«, gab Mr Thistlethwaite leicht gereizt zurück, »um einen kurzen Umweg zu machen.«

»Gabardine?«

»Ja, er trug einen weiten grauen Regenmantel.«

»Ach, du liebes bisschen«, sagte Nigel, »ein Regenmantel für einen langen Spaziergang an einem so heißen Tag? Wenn er ihn über dem Arm getragen hätte ... Aber angezogen, verstehen Sie nicht? Wenn es ein Mantel mit Schlitzen an den Seiten war, hätte er leicht das Gewehr darunter verstecken können. Das gefällt mir ganz und gar nicht.«

Es gefiel ihm sogar noch weniger, nachdem er den Verantwortlichen für den Schießstand noch eimal befragt hatte. Der Mann gab an, Perry habe einen weiten Regenmantel getragen, als er um kurz nach zehn zum Schießstand gekommen war. Er hatte ihn allerdings nicht wieder gehen sehen. Die Hinweise legten zweifellos nahe, dass Perry das Gewehr mitgenommen hatte. Aber Nigel sah sich immer noch dem Problem gegenüber, dass der Schuss auf Captain Wise nicht im Voraus geplant sein konnte. Die einzig mögliche Antwort war, dass Perry mit dem Schützen zusammengearbeitet hatte. Er hatte das Gewehr mitgenommen, damit entweder er selbst oder sein Komplize es benutzen konnten, sobald sich eine Gelegenheit bot. Der Komplize, der zufällig am Schießstand war, als Captain Wise auf dem Balkon erschien, hatte sein Glück aber mit einem Gewehr versucht, das er zur Hand gehabt hatte. Was für ein Netz aus Zufällen und offenen Fragen ist diese Theorie, dachte Nigel angewidert. Bis Paul Perry ins Camp zurückkehren würde – vorausgesetzt er hatte vor zurückzukehren – gab es wenig, das Nigel tun konnte. Er wies den Angestellten an, auf seinem Posten zu bleiben und nach den Leuten Ausschau zu halten, die am Morgen dort gewesen waren. Die Person, die das Gewehr entwendet hatte, würde womöglich versuchen, es unbemerkt zurückzubringen. Dann untersuchte er das andere Gewehr auf Fingerabdrücke. Wie er vermutet hatte, war es so von Abdrücken bedeckt, dass es kaum mehr möglich war, diese zum Zweck der Identifizierung zu nutzen.

Nigels nächster Schritt kam einem Himmelfahrtskommando gleich. Er rief bei der *Applestock Gazette* an und fragte nach dem Chefreporter. Mr Leeson gab zu, dass ihm die Informationen über den neuesten Skandal in Wunderland gestern am Telefon mitgeteilt worden waren. Soweit er es beurteilen konnte, war es dieselbe Stimme gewesen.

»Tun Sie mir einen Gefallen?«, fragte Nigel. »Falls dieser Verrückte Hutmacher sie wieder anrufen sollte, halten Sie ihn bitte hin und rufen Sie mich von einem anderen Apparat aus an. Wunderland hat zwei, drei Telefonleitungen, Sie können also problemlos durchgestellt werden. Sobald Sie mich angerufen haben, halten Sie den Verrückten Hutmacher so lange wie möglich am Telefon.«

Mr Leeson willigte ein. Nigel ging ins Büro, wo er einen bandagierten, aber fröhlicher gestimmten Captain Wise vorfand, und berichtete ihm von der Falle, die er für den Verrückten Hutmacher vorbereitet hatte.

»Mir wäre es lieb, wenn Sie das für sich behalten könnten. Erzählen Sie nicht einmal Ihrem Bruder oder Miss Jones davon. Ich bin in der Nähe. Wenn die *Applestock Gazette* mich verlangt, gehe ich nach unten zu einer der Telefonkabinen. Wer auch immer in der anderen ist, muss der Verrückte Hutmacher sein. Natürlich können wir uns nicht darauf verlassen, dass es funktioniert – es wäre töricht von dem Burschen, keinerlei Verdacht zu hegen.«

»Was hält ihn davon ab, die *Gazette* vom nächsten Dorf oder einer Telefonzelle aus anzurufen?«

»Nichts. Aber wenn wir Bescheid bekommen, dass er sie anruft, und es ist niemand in den Telefonkabinen hier, dann kann der Anrufer nicht unter den Personen sein, die sich gerade im Camp befinden. Fast alle werden heute Nachmittag beim Sportwettkampf sein, oder?«

Das war in der Tat der Fall. Captain Wise saß neben Miss Jones in einem Liegestuhl am Rande des Sportplatzes, wobei sein verbundener Kopf bei den Gästen, die noch nicht von der Schießerei gehört hatten, Auslöser für wilde Gerüchte war. Teddy Wise gab den Ton an, organisierte die verschiedenen Wettkämpfe, feuerte die Teilnehmer an und kommentierte die Veranstaltung durch ein Megafon auf die ihm eigene, humorvolle Art. Die Sportwettbewerbe waren diese Woche der Favorit im Unterhaltungsprogramm, und alle Gäste schienen anwesend zu sein. Die Ausflügler waren ebenfalls zurückgekehrt; nur Paul Perry fehlte.

Als die Teilnehmer des Dreibein-Rennens an den Start gingen, zog Mr Thistlethwaite Nigel von den anderen Zuschauern weg. Er deutete auf Mr Morley, der sein Bein mit einem Taschentuch an Sallys band und sagte, »Sie haben mich darüber informiert, Sir, dass Mr Morley heute Morgen in der Nähe des Schießstands war. Sind Sie sich absolut sicher, dass der Schuss Captain Wise gegolten hat?«

»Aber hallo! Was geht Ihnen durch den Kopf, Mr Thistlethwaite?«

»War Captain Wise dem Schießstand zugewandt, als er angeschossen wurde?«

»Nein, er hatte ihm den Rücken zugedreht.«

»Seine Kopfform ist der seines Bruders bemerkenswert ähnlich.«

»Ich verstehe. Sie meinen, Albert Morley hat ihn aus Versehen angeschossen, weil er ihn für seinen Bruder gehalten hat? Das mutmaßliche Motiv wäre, dass er sich an Teddy rächen wollte, der ihn so oft zum Narren macht?«

»Man kann selbst den geduldigsten Menschen zu sehr auf die Probe stellen. Unterdrückter Ärger erzeugt bisweilen bitteren Groll«, erwiderte Mr Thistlethwaite orakelhaft.

»Sie meinen, Albert Morley ist der Verrückte Hutmacher?«

»Ich vermute schon seit geraumer Zeit, dass diese Streiche in einem abscheulicheren Verbrechen gipfeln sollen – ein Verbrechen, das so aussehen könnte, als sei es ein Streich mit unbeabsichtigt tödlichem Ausgang.«

»Aber Sie haben mir doch erzählt, dass Morley ein Alibi für den Zeitraum hat, in dem die toten Tiere ausgelegt wurden.«

»Das habe ich auch wahrhaftig geglaubt, Sir. Ich habe Mr Morley darin bekräftigt und zu ihm gesagt, dass er und ich nun immerhin über jeden Verdacht erhaben seien. Als ich ihn aber soeben beobachtet habe, wie er sich und meine Tochter mit dem Taschentuch zusammenband, wurde ich dank gedanklicher Assoziationen – ein Prozess, mit dem Sie zweifelsohne vertraut sein werden – an etwas erinnert, das mir gänzlich entfallen war. Ein Taschentuch. Das war der Auslöser, potz Blitz. Um es kurz zu machen, ungefähr sechs oder sieben Minuten vor der Pause während des Kabaretts benötigte ich ein Taschentuch. Mrs Thistlethwaite hat immer eines für mich in ihrem Pompadour. Sie saß weiter entfernt von mir, nahe der Seitentür zur Bühne, da sie gerade erst Sally mit ihrem Kostüm und der Schminke geholfen hatte. Ich ging nach vorn, setzte mich neben sie und wollte nicht mehr zu meinem eigenen Platz zurückkehren, denn Sallys

Auftritt sollte jeden Augenblick beginnen. Danach ging ich wieder nach hinten und fand Mr Morley genau da vor, wo ich ihn zurückgelassen hatte. Doch für diese sechs oder sieben Minuten hat er kein Alibi vorzuweisen.«

Mr Thistlethwaite machte eine pompöse Geste, als wollte er Nigel die sechs oder sieben Minuten auf einem silbernen Tablett servieren.

»Interessant«, sagte Nigel nach einer kurzen Pause. »Allerdings gibt es zwei Probleme mit Ihrer Theorie. Erstens, wenn die Schießerei wirklich der Höhepunkt einer Reihe von Streichen hätte sein sollen, wie erklären Sie sich die Tatsache, dass die Aktion spontan ausgeführt wurde? Er konnte nicht wissen, dass der Schießstand genau in dem Moment, in dem sein Widersacher auf dem Balkon erschien, geöffnet und menschenleer sein würde.«

»In der Tat nicht, Sir. Womöglich hatte er eine andere Strategie für die Attacke auf Mr Edward Wise. Oder er hoffte einfach auf eine günstige Gelegenheit. In jedem Fall ist es nicht abwegig anzunehmen, dass er dieses Geschenk des Schicksals annahm, wo er schon zufällig am Schießstand war und Zeit, Ort und Opfer günstig zusammentrafen. Sie erwähnten einen zweiten Einwand, Sir?«

»Ja. Und wenn Sie sich da herauswinden können, Mr Thistlethwaite, habe ich das Nachsehen. Was sagen Sie zu der Tatsache, dass Albert Morley ...«

»Entschuldigen Sie, Sir. Dürfte ich kurz mit Ihnen sprechen?«

Es war der Angestellte vom Schießstand. Atemlos verkündete er, dass Paul Perry soeben daran vorbeigegangen war, hineingelinst, einzig ihn, den Angestellten, erblickt hatte und schließlich weiter in Richtung Klippen gegangen war. Er trug immer noch den grauen Regenmantel, berichtete der Mann, und sah sehr blass aus.

Nigel eilte zusammen mit dem Mann vom Sportplatz in Richtung Klippen. Als sie näherkamen, war Paul Perry wie vom Erdboden verschwunden.

»Sie glauben doch nicht etwa, er hat sich runtergestürzt?«, fragte der Angestellte plötzlich mit gesteigertem Interesse.

Nigel legte sich am Rand der Klippen auf den Boden und spähte hinüber zu seiner Rechten, wo sich der Steilhang befand, wobei er seinen Begleiter bat, dasselbe zu tun.

»Können Sie ihn sehen? Meine Augen sind nicht die besten.«

»Einen Augenblick ... Dort! Er ist hinter dem großen Rhododendronbusch auf der Hälfte des Wegs.«

»Hey! Perry! Warten Sie kurz!«, rief Nigel.

Sein Begleiter sah, wie Perry erschrak, dazu ansetzte, den Pfad hinunterzurennen, ausrutschte, stürzte, wieder aufstand und zu ihnen hinaufkletterte.

Als er schließlich vor ihnen stand, war Nigel entsetzt über sein Aussehen. Sein Gesicht war bleigrau, als ob er kurz vor einem Zusammenbruch stünde. Seine Augen blickten mit der ergebenen Verzweiflung eines Tieres, das bereits so lange in der Falle sitzt, dass es den Jäger, der ihm den Gnadenschuss versetzen will, beinahe willkommen heißt. Und doch, die Art, wie er seinen Kopf hielt, und die starre Körperhaltung widersprachen diesem ersten Eindruck.

»Wo waren Sie den ganzen Tag?«, fragte Nigel. »Wissen Sie, dass Captain Wise angeschossen wurde? Mit einem Gewehr der Marke Winchester vom Schießstand.«

Paul Perrys Reaktion darauf war durchaus seltsam. »Unsinn«, sagte er heiser, doch nicht ohne Nachdruck. »Nicht Captain Wise.« Dann schien er sich der Bedeutung der Frage bewusst zu werden, und sein eben noch ungläubiger Blick zeigte erst wieder Verzweiflung und wurde schließlich glasig und starr. »Oh, das ist einfach zu viel«, stammelte er, schwankte nach vorne und sackte in Nigels Armen zusammen.

»Gehen Sie und suchen Sie weiter unten den Pfad ab. Dort, wo Sie ihn zuerst gesehen haben. Das Gewehr ist vielleicht noch irgendwo dort«, befahl Nigel.

Nach wenigen Minuten kehrte der Mann zurück. »Hier ist es, Sir! Hab es unter dem Rhododendronbusch gefunden. Er hatte keine Zeit mehr, es richtig zu verstecken. Ist wahrscheinlich runtergegangen, um es ins Meer zu werfen. Es ist das, was gefehlt hat. Das Magazin ist auch leer. Frag mich, wofür er die anderen Patronen benutzt hat.«

Schweigend bedeutete Nigel dem Mann näherzukommen und zeigte auf den nun schlaffen Körper, der unter dem Regenmantel eben noch so steif erschienen war.

»Um Gottes willen!«, rief der Aufseher. »Der hat versucht sich umzubringen.«

Paul Perrys Kleidung unter dem Regenmantel war über seiner linken Schulter, über seinem Herzen und entlang seiner linken Seite blutdurchtränkt.

XVI

»Wollen Sie uns nicht wenigstens sagen, wo Sie spazieren waren?«, fragte Nigel geduldig vier Stunden später. Er saß auf der einen Seite des Betts, Dr. Holford auf der anderen. Der Arzt hatte Perrys Wunde untersucht, als sie ihn ins Camp zurückgebracht hatten, und erklärt, dass sie nicht gefährlich sei. Eine Kugel war durch den Oberarm hindurchgegangen, und der Patient hatte eine beträchtliche Menge Blut verloren, würde sich bald aber wieder erholen. Der Arzt war bei der Befragung zugegen, um sicherzustellen, dass sie den Patienten nicht zu sehr mitnehmen würde.

Paul Perry war zwar immer noch bleich, hatte aber kurz geschlafen und sich sichtlich erholt, und Nigel wirkte mittlerweile erschöpfter als er. Er wiederholte seine Frage.

»Tut mir leid. Das kann ich nicht sagen«, erwiderte Paul beinahe wieder in dem sicheren Tonfall, den man von ihm gewohnt war.

»Na gut. Wenn Sie nicht wollen, dann wollen Sie eben nicht. Ich kann nur sagen, dass die Dinge nicht allzu gut für Sie stehen. Sie entwenden ein Gewehr aus dem Schießstand und haben davor zwei Leuten Bescheid gesagt, dass Sie einen langen Spaziergang machen wollen. Eineinhalb Stunden später wird Captain Wise angeschossen. Sie wissen, dass um drei Uhr alle bei der Sportveranstaltung sein werden, also schleichen Sie sich zurück, mit der Absicht, das Gewehr wieder an seinen Platz zu legen. Sie finden die Aufsicht im Schießstand vor und gehen stattdessen zu den Klippen, mit der Absicht, das Gewehr dann eben ins Meer zu werfen. Verstehen Sie nicht? Es wird schwierig werden, einen plausible Erklärung dafür zu liefern.«

»Dann liefern Sie die Erklärung. Sie sind der Ermittler, nicht ich.«

»Wie haben Sie sich diese Wunde zugezogen?«

»Das Gewehr ist aus Versehen losgegangen, und meine Schulter war leider im Weg.«

»Das stimmt nicht. Die Wunde stammt von einer Waffe mit größerem Kaliber – einem Revolver wahrscheinlich.«

Zum ersten Mal bröckelte Paul Perrys Fassade aus passivem Widerstand. Das Funkeln in seinen Augen erlosch, aber er blieb stumm. Nigel versuchte es mit einer anderen Strategie.

»Bestehen Sie immer noch darauf, dass der Verrückte Hutmacher und Old Ishmael ein und dieselbe Person sind?«

Perrys Mundwinkel begannen zu zucken. Er machte eine krampfartige Bewegung, als wollte er sich aufrichten, und wurde bewusstlos.

»Also was im Himmel...?«, murmelte Nigel.

»Das muss vorerst genügen«, sagte Dr Holford und beugte sich über seinen Patienten. Gleich darauf ließ ein Ausruf Nigels ihn zusammenfahren. »Ach, was bin ich doch für ein Narr! In den Hintern treten sollte man mir!«

Und schon war Nigel draußen und rannte in Richtung Hauptgebäude und zu den Telefonkabinen. Von dort rief er die Polizei in Applestock an, aber noch bevor er die komplette Nummer gewählt hatte, legte er wieder auf und murmelte, »Nein, das zu erklären wird die ganze Nacht dauern.«

Er rannte die Treppen hinauf und traf Teddy Wise, der gerade zum Abendessen gehen wollte, in seinem Zimmer an.

»Ich möchte, dass sich sofort ein halbes Dutzend Männer auf den Weg in den Wald des Einsiedlers macht. Können Sie das organisieren?«

»Was ist los? Wieder eine neue Schandtat?«

»Ich erkläre es Ihnen unterwegs. Sie kommen mit.«

»In Ordnung, Boss.«

»Haben Sie eine Pistole?«

»Ach, du Schreck! Ist es so schlimm? Ja, mein Bruder hat irgendwo einen alten Revolver versteckt.« Teddy wühlte in einer Schublade, holte einen schweren Dienstrevolver hervor und lud ihn. Fünf Minuten später waren sie, gefolgt von fünf, mit dicken Stöcken bewaffneten Angestellten, auf dem Weg zum Wald.

Als sie dort ankamen, ließ Nigel die sechs Männer am Waldrand Stellung beziehen.

»Bleiben Sie, wo Sie sind, außer Sie hören mich rufen. Wenn jemand den Einsiedler aus dem Wald kommen sieht, geben Sie ein Signal. Seien Sie vorsichtig, wenn Sie ihn überwältigen, er ist bewaffnet. Falls er entwischt, folgen Sie ihm in einiger Entfernung. Ich denke allerdings nicht, dass er versuchen wird, sich gewaltsam einen Weg zu bahnen.«

»Wieso nicht?«, fragte Teddy, als er und Nigel sich immer wieder umsehend in den Wald gingen.

»Weil Perry ihn angeschossen hat. Wenigstens glaubt er, dass er ihn angeschossen hat. Deshalb hat er sich geweigert, mir zu sagen, wo er war.«

»Aber wenn Old Ishmael wirklich ...«

»Ruhig!« Nigel blieb stehen und lauschte angestrengt. In der windstillen Abenddämmerung war der Wald lautlos wie ein Grab. Vom letzten Tageslicht in prachtvolle Farben getaucht, hingen die Blätter bewegungslos von den Bäumen. Schatten reckten sich in die Höhe wie dunkle Finger, als wollte jeder Baum und jeder Busch Anklage erheben. Ein Hase, der plötzlich aus einer Sasse gehoppelt kam, erschreckte sie beinahe zu Tode.

»Jetzt weiß ich, wie sich die armen, kleinen Fasane fühlen müssen, wenn ein Wilderer unterwegs ist«, flüsterte Teddy. »Wir sind leichte Beute, wenn der alte Junge noch imstande ist, eine Waffe zu bedienen. Sind Sie bewaffnet?«

»Ich habe eine Schere dabei«, antwortete Nigel abwesend.

»Ah! Blanker Stahl! Dagegen hat der Kerl niemals eine Chance.«

Mit Bedacht und mehrere Meter voneinander entfernt, bahnten sie sich einen Weg durch den Wald. Dornenbüsche griffen nach ihnen und klammerten sich an ihrer Kleidung fest. Zweige peitschten ihnen übers Gesicht. Sie kamen nur langsam voran. Teddy verspürte den beinahe unwiderstehlichen Drang, zu rufen und durch das dichte Unterholz vorwärtszupreschen – alles, nur um diese Stille, diese Spannung zu durchbrechen.

Endlich erreichten sie den Rand der Lichtung, auf der die Hütte des Einsiedlers stand. Der Kamin aus Ofenrohr stach trunken in die Luft, überzogen von den Schatten des Waldes, Finsternis schien daraus hervorzuquellen, wie dunkles Blut. Teddy postierte sich mit seinem Revolver an der Tür, während Nigel einmal um die Hütte lief.

Sie war leer. Die Ziegel unter der Feuerstelle waren achtlos hingeworfen, das Loch darunter war ebenfalls leer. Nigel war sich nun sicher, dass seine Theorie stimmte. Sie mussten nur noch den Einsiedler finden. Er war überzeugt, dass Perry den

Mann angeschossen hatte oder wenigstens glaubte, ihn angeschossen zu haben. Allerdings wollte er nicht riskieren, die sechs Männer zu holen, um beim Durchkämmen des Walds zu helfen, denn der Einsiedler war vielleicht nur leicht verletzt und immer noch imstande, ihnen in dem Gelände, das er kannte wie seine Westentasche, zu entwischen.

Mit Teddy an seiner Seite begann er seine Suche. Am westlichen Rand der Lichtung entdeckten sie zertretenen Farn. Ein Pfad führte sie im Zickzack mit vielen Unterbrechungen und einigen Umwegen im Kreis zum östlichen Rand des Waldes zurück. Zweimal fanden Sie Patronenhülsen eines Revolvers und einmal die etwas kleinere Hülse einer Patrone des Kalibers .22. Der Pfad, dem sie aufmerksam folgten, wurde mehrmals von einem anderen, neuen Pfad gekreuzt.

»Eine ziemlich düstere Geschichte, oder?«, sagte Nigel.

»Ich verstehe nur noch Bahnhof. Ich habe nicht den leisesten Schimmer ...«

Teddy wurde von einem lauten Krächzen zum Schweigen gebracht. Sie hatten einen Krähe aufgeschreckt, die nun mit knallendem Flügelschlag emporflog. Aber war es wirklich *ihre* Anwesenheit, die den Vogel erschreckt hatte? War es nicht vielleicht eine kaum merkliche Bewegung der umgekippten Vogelscheuche dort hinter dem Baum gewesen, die genau an der Stelle lag, von der der Vogel emporgeflogen war? Die schwarzen Arme von sich gestreckt und gekrümmt wie die Flügel einer angeschossenen Krähe?

»Ein komischer Ort für eine ...«

»Und Vogelscheuchen tragen normalerweise keine grauen Bärte. Alles in Ordnung. Sie können die Waffe wegstecken. Er ist tot.«

Sie näherten sich der Leiche des Einsiedlers. Mitten auf der Stirn prangte ein ordentliches, rotes Loch. Sonst sah die Leiche ziemlich zerfleddert aus – die Krähe hatte ihr die Augen ausgehackt.

Teddy wurde speiübel, er musste sich abwenden. Doch der Albtraum war noch nicht vorbei, denn er hörte Nigel sagen, »Hier kommt jetzt die Schere ins Spiel.«

»Was machen Sie da?«, fragte Teddy, außerstande sich umzudrehen.

»Ich schneide seinen Bart ab.«

Eine Sekunde später hörte er Nigel rufen, »Kommen Sie her und schauen Sie sich das an. Erkennen Sie sein Gesicht?«

Mit mulmigem Gefühl näherte er sich. »Ich denke schon. Aber ich habe es mit Bart viel leichter erkannt.«

»Wer ist es?«

»Also, wahrscheinlich Old Ishmael. Wer zum Teufel sollte es sonst sein?«

»Nein, er ist es nicht – auf jeden Fall nicht der Proto-Ishmael. Sehen Sie ihn sich noch einmal genauer an.«

»Großer Gott!«, rief Teddy nach einer Weile. »Jetzt erinnere ich mich! Das Foto, das Sie uns gezeigt haben. Es war nicht so leicht zu erkennen ohne«, er schluckte, »ohne die Augen.«

»Genau. Hier haben wir den Gentleman, der sich Charles Black nannte. Und hier ist sein Revolver. Und ich denke, dass wir bei der Leiche Luftaufnahmen und Dokumente finden – beziehungsweise das, was Perry unter diesen Ziegeln gefunden hat. Ja, sieht ganz danach aus. Ein wasserdichter Ordner. Der kann warten.«

»Aber, wo ist denn dann Old Ishmael? Der echte?«

»Oh, ich bezweifle, dass wir ihn je finden werden. Er ist

unter den Toten. Weit unten unter den Toten. Vielleicht in diesem Sumpf. He!« Nigel schrie in regelmäßigen Abständen in den Wald, um die sechs Angestellten herbeizurufen. Gemeinsam trugen sie die Leiche zu der Hütte. Zwei von ihnen würden dortbleiben und Wache stehen, bis die Polizei kam.

Nachdem Nigel ins Camp zurückgekehrt war, sagte man ihm, dass ein Anruf aus London für ihn gekommen war. Er solle umgehend Sir John Strangeways zurückrufen. Er fragte, ob noch weitere Anrufe eingegangen wären, aber dem war nicht so. Immerhin hatte der Verrückte Hutmacher seine Abwesenheit vom Camp nicht ausgenutzt, um mit der *Applestock Gazette* in Verbindung zu treten. Aber sowohl die *Gazette* als auch die *Daily Post* würden wohl sowieso bald eine Geschichte zu drucken haben, die den Verrückten Hutmacher als Aufmacher verdrängen würde.

»Wo zur Hölle hast du gesteckt, mein Junge?«, rief der für gewöhnlich unerschütterliche Sir John, als Nigel ihn anrief.

»Nur spazieren, Onkel.«

»Also, du kannst doch nicht einfach spazieren gehen, wenn ... Dieses Foto, das du mir geschickt hast – wir haben den Mann endlich identifiziert. Es ist ein deutscher Agent, den unser Geheimdienst schon seit Jahren beobachtet. Er ist vor ungefähr achtzehn Monaten verschwunden. Unsere Leute hatten seine Spur verloren, und wir sind davon ausgegangen, dass er das Land verlassen hat. Woher hast du das Foto? Hast du den Kerl in letzter Zeit gesehen?«

»Ja, ich habe ihn sogar eben erst im Wald gesehen. Er war ...«

»Wo? Verstehst du nicht, dass das eine ernste Sache ist, Nigel? Wir können uns nicht erlauben, ihn nochmal entkommen zu lassen.«

»Du bist dir sicher, dass der Kerl auf dem Foto dein Spion ist?«

»Ja, ja, ja. Hör mal, du musst ...«

»Ich frage nur, weil wir ziemlich dumm dastehen würden, wenn wir den falschen Mann getötet hätten.«

»Sprich deutlicher, Junge! Du redest Kauderwelsch.«

»Ich habe gesagt, dass der Spion getötet wurde. Ein Kopfschuss.«

»ERSCHOSSEN?« Sir Johns Stimme brachte beinahe die Leitung zum Glühen. »Wer hat ihn erschossen? Du?«

»Nein. Ein junger Mann, der hier im Camp zu Gast ist. Mit einem Winchester-Gewehr, Kaliber .22. Ganz alleine hat er das geschafft.«

Vom anderen Ende der Leitung kamen Geräusche, die verrieten, dass ein gestandener Mann kurz vor einem hysterischen Anfall stand. Schließlich sagte Sir John, wobei er jedes einzelne Wort überdeutlich aussprach, »Kannst du mir bitte verraten, wovon du redest?«

Nigel verriet es ihm ... Eine Stunde später erzählte er alles – ein wenig abgeändert – den Thistlethwaites in deren Chalet. Mr Thistlethwaite klopfte richterlich mit dem Finger auf seine Drillich-Hose. Mrs Thistlethwaite strickte mit einer Gelassenheit, als ob sie gerade im Radio einer Sendung für Hausfrauen lauschen würde, und Sally saß vor Aufregung zappelnd auf dem Bett.

»Bis zu einem gewissen Punkt lagen Sie mit Ihrer Theorie über Old Ishmael und den mysteriösen Charles Black bemerkenswert richtig«, sagte Nigel. »Der Schwachpunkt bestand in der Annahme, dass der Einsiedler eingewilligt hatte, Informationen über die Marine in Applestock zu sammeln. Weshalb sollte man ihm einen solchen Auftrag anbieten? Niemand lebt heute so zurückgezogen, außer er ist nicht ganz richtig im Oberstübchen; und man muss äußerst richtig im Oberstübchen sein, um als Spion erfolgreich zu sein.«

»Wann haben Sie zum ersten Mal diesen Charles Black als Old Ishmael identifiziert, Sir?«

»Als ich gehört habe, dass Old Ishmael genau zu dieser Zeit letztes Jahr für mehrere Wochen nicht gesehen wurde.«

»Ach ja, ich erinnere mich. Das hat mir Teddy erzählt«, sagte Sally.

»Es erschien mir seltsam, dass eine Person mit solch eingefahrenen Gewohnheiten mit einem Mal davon abweichen sollte – man konnte seine Uhr nach ihm stellen, hat mir der Wirt des *Mariner's Compass* erzählt. Und als er wieder aufgetaucht ist, fing er an, sich öfter als zweimal die Woche in Applestock blicken zu lassen. Diese Fakten stützten die Theorie, dass der Spion in dem Einsiedler jemanden gefunden hatte, dessen Identität er für seine Zwecke annehmen konnte. Er schloss seine Bekanntschaft, lernte seine Rolle sozusagen am lebenden Modell und brachte ihn um. (Ich frage mich, ob er die Leiche in dem Sumpf beseitigt hat, an dem er Sally gegenüberstand.) Dann versteckte er sich mehrere Wochen lang im Wald oder sonst wo, bis sein Bart gewachsen und sein Gesicht so wettergegerbt war wie das des Einsiedlers. Das Foto zeigt ihn als älteren Mann mit grauen Haaren. Der Bart des Einsiedlers war ebenfalls grau. Das stimmte also schon. Außerdem hat Sally mir einen Hinweis gegeben.«

»Habe ich das? Ich erinnere mich nicht – ich habe doch nie vermutet, dass er jemand anderes als der wahre Einsiedler sein könnte.«

»Nein. Aber Sie haben mir erzählt, Sie hätten das Gefühl, dass er irgendwie künstlich wäre. Da hatten Sie die richtige Nase.«

Es folgte eine Pause, der schließlich von Mr Thistlethwaite ein Ende gesetzt wurde: »Ich verstehe nicht, wie unser junger Freund da hineingeraten ist. Sie hatten ihm die wahre Identität des Einsiedlers doch nicht verraten.«

»Nein. Ich wünschte, ich hätte es getan. Das hätte ihm ein paar schlimme Stunden erspart. Und doch ... Natürlich hatte ich zu dem Zeitpunkt noch keine Beweise.«

»Was meinen Sie, ›und doch‹?«, fragte Sally. Sie lag gespannt auf dem Bett, stützte das Kinn in die Hände und funkelte Nigel mit ihren grauen Augen an.

»Jetzt schauen Sie mich nicht so böse an«, erwiderte er gutgelaunt. »Sie haben ihn doch selbst in diesen Wald geschickt.«

»*Ich* habe ihn geschickt? Ich hatte keine Ahnung, wo er hinwollte.«

»Nichtsdestotrotz haben Sie ihn geschickt. Es gab zwei Vorfälle, die ihn in Ihren Augen in keinem guten Licht haben erscheinen lassen. Einmal, als Sie und er den Einsiedler im Wald getroffen haben und er die Nerven verloren hat, und das andere Mal, als er und Teddy die kleine Auseinandersetzung vor meinem Chalet hatten. Er glaubte, dass Sie ihn für einen Feigling hielten. Deshalb war er so launisch und schwierig in letzter Zeit. Das wäre immerhin ein Grund. Er wollte sich mit Ihnen gut stellen und sich selbst beweisen, dass er kein Feigling ist. Das klingt für jemanden wie Perry viel zu romantisch und abenteuerlich, aber selbst der hartgesottenste Romantik-Gegner wagt den Sprung ins kalte Wasser, wenn er nur genügend Anreiz hat.«

»Im Herzen sind wir alle Helden«, erklärte Mr Thistlethwaite. »Doch nur die wenigsten unter uns erhalten in dieser modernen Welt die Gelegenheit, unsere Träume Wirklichkeit werden zu lassen. Das eintönige Leben eines städtischen Beamten ...«

»Daddy, bitte sei still. Ich möchte hören, was mit Paul passiert ist.«

»Also«, sagte Nigel, »die Gelegenheit bot sich ihm, als er das Gespräch zwischen mir und Ihrem Vater über Old Ishmael mitbekam. Ich sagte, wir könnten nicht beweisen, dass der Einsiedler ein Spion sei, außer wir fänden unter den Luftaufnahmen Fotografien des Kriegshafens in Applestock. Also beschloss er, selbst zur Hütte zu gehen und unter der Feuerstelle nachzusehen. Er nahm ein Gewehr mit – das war die einzige Waffe, zu der er sich Zugang verschaffen konnte –, weil er sich vor dem Einsiedler wirklich fürchtete und in ihm richtigerweise einen gefährlichen Zeitgenossen vermutete. Er ging in den Wald, brach in die Hütte ein und holte den wasserdichten Ordner aus dem Loch. Er hatte keine Zeit, ihn zu öffnen – und das ist von Bedeutung –, denn er hörte jemanden näherkommen. Wieder einmal, diesmal war es allerdings das letzte Mal, verlor er die Nerven. Ihm fiel nichts anderes ein, als zu flüchten, und er warf panisch den Ordner zu Boden, versteckte das Gewehr wieder unter dem Mantel und verließ die Hütte. Der Einsiedler stand am Rande der Lichtung, still und leise wie eine Vogelscheuche und beobachtete ihn. Das war für ihn das Schlimmste, hat er mir erzählt. Er hatte unglaubliche Angst und fühlte sich zugleich gedemütigt, denn wer fürchtet sich schon vor einem zerlumpten, alten Mann mit Bart. Ihm fiel nichts anderes ein, als zu sagen, ›Ich dachte es würde regnen. Ich wollte mich bloß unterstellen. Hoffentlich macht Ihnen das nichts aus.‹ Wenn man bedenkt, dass der Himmel in einem wolkenlosen Blau erstrahlte, ergab das nicht viel Sinn. Im nächsten Moment war der Einsiedler auch schon über die Lichtung und in seine Hütte gerannt – mit diesen unbeholfenen, flappenden Bewegungen, die ihn aber gut vom Fleck brachten ...«

»Nicht!«, rief Sally. »Ich kann mich nur zu gut erinnern.«

»Paul jedenfalls dachte, dass dies der Moment zum Rückzug wäre. Er rannte durch das Farngestrüpp davon. Eine Kugel schlug in einem Baum gleich neben seinem Kopf ein. Der Spion hatte den wasserdichten Ordner am Boden liegen sehen, und ihm war sofort klar, dass er seinen Besucher nicht entkommen lassen durfte. Der Schuss hatte allerdings aus Perry einen anderen Mann gemacht. Von dem Moment an, sagt er, hatte er sich fest im Griff, auch wenn er immer noch Angst hatte. Sein Überlebensinstinkt übernahm die Führung. Er würde sich nicht von einem alten Graubart mit einem Revolver hetzen lassen. Er versteckte sich hinter einem Baum, hob das Gewehr und feuerte los. Und so begann ein wildes, groteskes Duell. In dem sonnenlichtdurchfluteten Wald, der seinem Feind anscheinend viel mehr Deckung bot als ihm selbst, lieferten sie sich ein Feuergefecht.«

»Aber weshalb hat niemand die Schüsse gehört?«, fragte Mr Thistlethwaite.

»Viele Leute haben sie gehört. Aber heute wurde den ganzen Tag lang in dem Ausbildungslager geübt, und alle nahmen wohl an, die Schüsse kämen von dort, außer man befand sich zufällig nahe am Wald.«

»Perrys erster Schuss ließ den Einsiedler hinter seine Hütte fliehen. Er dachte, er wäre immer noch da, bis er einen Ast zu seiner Linken knacken hörte. Er schaffte es gerade noch, sich hinter einem Baum zu verschanzen, als die zweite Kugel seines Angreifers da, wo er eben noch gestanden war, durch die Luft zischte. Er schoss zurück, und für einen Augenblick, der ihm wie eine Ewigkeit vorkam, herrschte absolute Stille im Wald. Perry wurden drei Dinge klar: Der Einsiedler hatte sich zwischen ihm und dem Camp positioniert; der Einsiedler kannte überdies jeden Winkel in diesem Wald, er selbst hingegen war nur ein einziges Mal dort gewesen; und, am allerschlimmsten, sein Magazin war womöglich leer. Als er das Gewehr nämlich aus dem Schießstand genommen hatte, war ihm keine Zeit geblieben nachzusehen, ob es geladen war. Es hatte auf der Theke gelegen, und irgendjemand hatte vielleicht schon damit geschossen. Es war ihm überhaupt nicht in den Sinn gekommen, dass es vielleicht zum Einsatz kommen würde. Doch da stand er nun, zwischen ihm und dem Mörder nichts als ein dünner Baumstamm, und war sich durchaus bewusst, dass der nächste Schuss sein letzter sein könnte. Selbst wenn er gewusst hätte, wie man das Magazin herausnimmt, um zu sehen, wie viele Kugeln noch übrig sind, konnte er das im gegenwärtigen Moment natürlich nicht tun. Während dieser kurzen Atempause – wenn man es so nennen kann – entschied er, dass der Angreifer sehr wahrscheinlich damit rechnete, ihn aus dem Wald in die Richtung, die er bereits eingeschlagen hatte, fliehen zu sehen. Er wollte daher versuchen, einen Umweg in östlicher Richtung zu machen, der ihn auf die Straße und zurück ins Camp bringen würde. Er fand ein großes Stück Holz, das er so weit in die entgegengesetzte Richtung warf, wie er nur konnte, und sobald er den Einsiedler hinterherschleichen hörte, machte er sich auf den Weg. Zuerst bewegte er sich, so schnell er konnte, von einer Deckung zur nächsten, aber die Geräusche brachten den Angreifer bald wieder auf seine Spur, und Perry kam nurmehr schrittweise vorwärts. Wenigstens brauchte er sich keine Sorgen mehr um die Anzahl der Kugeln in seinem Magazin zu machen, denn die nächsten zehn Minuten blieb sein Widersacher wie vom Erdboden verschluckt. Der Spion war offensichtlich ein Experte in Sachen Deckung. Das ging eine ganze Weile so, wobei Perry weiter auf dem Rückzug war und auf den Waldrand zuhielt. Er war nicht mehr weit davon entfernt, als er plötzlich ein Geräusch hörte und aus einem Brombeerbusch in ungefähr fünfzig Metern Entfernung den Lauf eines Revolvers herausragen sah. Er fuhr zurück, und das rettete ihm das Leben. Die Kugel traf ihn nur am Arm, direkt unter der Schulter. Er fiel hin und blieb still liegen. Glücklicherweise brachte sein Sturz ihn wieder in Deckung. Er schaffte es, den Gewehrlauf leise auf den untersten Ast eines Busches zu stützen – sein linker Arm war unbrauchbar – und diese Stellung zu halten. Sollte der Angreifer sich entschließen, von hinten zu kommen, wäre das sein Ende, denn er konnte sich nicht mehr nach hinten umwenden. Zum Glück schien der Spion davon auszugehen, er sei tot. Der Nervenkrieg war vorbei. Der Spion linste vorsichtig um den Busch herum, hinter dem Perry kniete. Perry visierte ihn an, doch direkt in der Schusslinie hing ein Spinnennetz, was ihn absurderweise fast zum Weinen brachte. Sein Kontrahent veränderte leicht die Körperhaltung, das Spinnennetz war nun nicht mehr im Weg, und Perry zielte sorgfältig und feuerte. Es war, wie Sie wissen, ein perfekter Schuss. Aufgrund seines Blutverlustes und der allgemeinen Nervenbelastung verlor Perry jedoch sofort das Bewusstsein. Als er eine halbe Stunde später wieder zu sich kam, versuchte er angestrengt, sich daran zu erinnern, was genau vorgefallen war. Es schien ihm sehr wichtig zu sein, die jüngsten Ereignisse in die korrekte Reihenfolge zu bringen. Das Blut aus seiner Wunde war geronnen, er verband sie mehr schlecht als recht und machte sich daran, seinen Widersacher zu inspizieren. Der Mann war ohne jeden Zweifel tot. Perry war nicht mehr ganz bei sich, was auch seine nun folgenden Handlungen erklärt.«

»Aber weshalb hat er versucht, das Gewehr zu verstecken? Es ist doch nicht seine Schuld gewesen. Der Kerl hat zuerst auf ihn geschossen, und er war ein Spion«, sagte Sally.

»Ah, aber genau das ist es doch. Er wusste nicht mit Sicherheit, dass der Mann ein Spion war. Er hatte keine Zeit gehabt, sich die Fotos aus der Hütte genauer anzusehen. Wenn man nicht mehr ganz bei Sinnen ist, wird es schwierig, an mehreres gleichzeitig zu denken. Ein einziger Gedanken kann derartige Dimensionen annehmen, dass kein Platz mehr für anderes bleibt. So war es auch bei Paul Perry: Ich habe einen Mann getötet. Ich bin ein Mörder. Ich kann niemals beweisen, dass es Notwehr war (ja, die Wunde an seinem Arm war Beweis genug, aber für den Moment hatte er sie vergessen). Ich muss das Gewehr zurückbringen, damit ich keine Spuren hinterlasse. Die Sportwettkämpfe im Camp beginnen um 14:30 Uhr, dann wird die Luft rein sein. Ungefähr so sah sein Gedankengang aus.

Ein kampferprobter Veteran hätte unabhängig von der Wunde noch genug Verstand und Ausdauer besessen, um sofort zu der Hütte zu gehen und den wasserdichten Ordner zu holen. Aber das hier war Perrys Feuertaufe gewesen – und zwar keine unerhebliche. Er hatte immer wieder nur den einen Gedanken: Ich habe jemanden erschossen. Man wird mich des Mordes beschuldigen. Er war außerdem noch anderer Dinge verdächtigt worden, wie er sich vage erinnern konnte. Der Verrückte Hutmacher. Aus diesem verdammten Wald herauskommen, war sein einziger Gedanke. Wir dürfen nicht zu hart mit ihm ins Gericht gehen.«

»In der Tat«, rief Sally ungehalten. »Ich finde ihn wunderbar. Und das werde ich ihm auch sagen.«

»Aber nicht mehr heute Abend, meine Liebe. Ich nehme an, der arme, junge Mann wird erst einmal ordentlich schlafen müssen«, sagte ihre Mutter.

»Wann haben Sie zum ersten Mal, äh, die Signifikanz seines mysteriösen Verhaltens erkannt?«, erkundigte sich Mr Thistlethwaite.

»Hinter der Angst und Erschöpfung, die oberflächlich zu sehen waren, steckte noch etwas anderes. Ich kann es nur schwer erklären – vielleicht Zuversicht, Erleichterung? Er hatte alles richtig gemacht, und der Gedanke an diese Tatsache durchbrach seinen Albtraum. Dann habe ich ihm eine Frage zu dem Verrückten Hutmacher und Old Ishmael gestellt, und er verlor prompt das Bewusstsein. Und da hatte ich einen Geistesblitz: Er wirkte zwar schuldig, aber auch gefasst – ein neuer Mensch. Er hatte versucht, das Gewehr zu verstecken. Er hatte gehört, wie wir uns im Zusammenhang mit dem Einsiedler über Spionage unterhalten hatten. Er verlor das Bewusstsein, sobald Old Ishmaels Name erwähnt wurde. Das alles zusammen ergab eine schlüssige Theorie. Also bin ich mit einem Suchtrupp in den Wald gegangen.«

Es folgte ein langes Schweigen. Schließlich sprang Sally vom Bett auf, mit einem unübersehbaren Leuchten in den Augen. Sie strahlte eine erwartungsvolle wohlige Gewissheit aus, wie sie in der Luft liegt, wenn der Big Ben nach viermaligem Läuten kurz davorsteht, zur vollen Stunde zu schlagen.

»Aber begreifen Sie nicht?«, rief sie, »Was bin ich nur für ein Dummchen, dass ich nicht schon vorher daran gedacht habe! Das beweist, dass Paul nicht der Verrückte Hutmacher ist. Daddy hat mir erzählt, dass Captain Wise heute Morgen angeschossen wurde. Und Paul war da oben im Wald. Er hätte den Schuss nicht abfeuern können.«

»Nein, er hätte den Schuss nicht abfeuern können«, sagte Nigel zögernd. Es gab keinen Grund, ihre Hoffnungen so schnell zu zerschlagen. Außerdem hatte sie wahrscheinlich recht. Theoretisch hätte Paul Perry Captain Wise natürlich anschießen und dann in den Wald gehen können, um sich ein Alibi zu verschaffen. Doch die Vorstellung, dass ein Krimineller einen Mann erschoss, um ein Alibi für den versuchten Mord an einem anderen zu konstruieren, war absurd, wenn auch fantasievoll. Und theoretisch gab es auch keine Beweise dafür, dass der Schuss auf Captain Wise das Werk des Verrückten Hutmachers war, eine spontane Aktion und ganz anders als die anderen. Daher war Paul Perry theoretisch immer noch die Starbesetzung für die Rolle des Verrückten Hutmachers. Doch auch hier brachte Logik einen nicht weiter.

Zurück in seinem Chalet betrachtete Nigel den Fall des Verrückten Hutmachers von allen Seiten. Alles fügte sich lückenlos zusammen, bis auf den Schuss auf Captain Wise. Entmutigt versuchte er eine Viertelstunde später, immer noch dieses Rätsel zu lösen, als Mr Thistlethwaite hereinkam. Ihm war aufgefallen, dass Nigel Sally ausgewichen war, als sie eingeworfen hatte, Paul sei als Verdächtiger auszuschließen. Sie unterhielten sich eine Weile darüber, bis Mr Thistlethwaite sagte, »Als Sie den Sportplatz verlassen haben, Sir, waren Sie gerade im Begriff, mir zu verraten, weshalb Mr Morley nicht der Urheber des schändlichen Angriffs auf Captain Wise sein könne.«

»Weil er der schlechteste Schütze der Welt ist, lautet die Antwort. Haben Sie nicht von der kleinen Episode zwischen ihm und Teddy Wise am Schießstand gehört?«

»Nein.«

Nigel erzählte es ihm. »Wenn er es auf eine Entfernung von zwanzig Metern nicht geschafft hat, die Zielscheiben zu treffen, kann er Captain Wise unmöglich aus einhundertfünfzig Metern Entfernung angeschossen haben.«

»Vielleicht hat er einfach Glück gehabt.«

»Aber wenn er Captain Wise wirklich hätte umbringen wollen – oder Teddy, für den Fall, dass er sie miteinander verwechselt hat –, dann hätte er doch niemals so viel riskiert, schließlich muss er wissen, was für ein hoffnungsloser Schütze er ist. Er würde nie auf den Gedanken kommen, das zu versuchen.«

»Vielleicht ist er ein ausgezeichneter Schütze und hat das mit Hinblick auf ein geplantes Verbrechen nur vertuscht.«

»Falls dem so wäre und all die Streiche bloß den Weg für den Schuss auf Wise geebnet haben, dann hat er mit Vorsatz gehandelt. Und in diesem Fall hätte Morley sich nicht darauf verlassen, dass der Angestellte vergessen würde abzuschließen und Wise auf den Balkon kommen würde. Noch wäre er zwischen den Bäumen herausgekommen und auf mich zugelaufen, wenn er ganz leicht hätte entkommen können, denn am Ende war er die einzige Person, die nahe genug war, um den Schuss abzufeuern.«

»Sein Verhalten war fraglos einigermaßen widersinnig.«

»So ist es. Er ist der Schlüssel zu dem Ganzen. Ich bin ziemlich sicher, dass er geschossen hat, und doch widerspricht das jeder Logik. Hören Sie, Mr Thistlethwaite, haben Sie es eilig, ins Bett zu kommen? Ich würde Ihnen gerne den Fall schildern und sehen, ob ein frischer Geist womöglich andere Schlussfolgerungen daraus zieht.«

Mr Thistlethwaite erklärte sich einverstanden. Nigel zündete sich eine Zigarette an und gab ihm eine detaillierte Zusammenfassung, stellte indes keine Schlussfolgerungen auf.

Als er geendet hatte, schwieg Mr Thistlethwaite eine ganze Weile. Er studierte eingehend den Siegelring an seiner linken Hand und sagte schließlich, »Das verleiht der Sache einen neuen Anstrich. Ich muss meine Theorien überdenken. Aufgrund der Fakten, die Sie mir gerade vermittelt haben, Sir, werde ich den Schuldigen woanders suchen müssen. Ich stelle fest, dass mein Blick sich nun auf Captain Wise und seine charmante Sekretärin richtet.«

Mr Thistlethwaite warf Nigel einen listigen Blick zu. Nigels Miene blieb jedoch unverbindlich interessiert.

»Aus welchen Gründen?«, fragte er.

»Zuallererst, ehrenwerter Sir, Gelegenheit ...« Mr Thistlethwaite formte das Wort mit den Lippen, als wäre es eine saftige Pflaume.

»Sie kannten ihr Aktionsfeld genauestens. Sie wussten, wie sie ihre Leute als Wachen verteilt hatten, und konnten ihnen daher mit Leichtigkeit aus dem Weg gehen, wann immer es Zeit für den Verrückten Hutmacher war, wieder herumzustreifen. Lassen Sie uns die Hinweise in der richtigen Reihenfolge aufzählen.«

Nigel zündete sich noch eine Zigarette an, legte den Kopf nach hinten und blies Rauch nach oben an die Decke.

»Erstens. Die Stimme, die beim Tanzabend über die Lautsprecher kam. Jones war bekanntlich in der Nähe des Mikrofons. Wise hätte durch die Seitentür hereinschleichen können. Laut seinem Bruder ist er ein guter Imitator, und für den quietschenden Tonfall des Verrückten Hutmachers sowie für die Telefonanrufe bei der *Applestock Gazette* war genau dieses Talent erforderlich. Zweitens, das Untertauchen. Wise war im Wasser, und er war der Erste, der Sally zu Hilfe kam, als sie das zweite Mal untergetaucht wurde. Um jeglichen Verdacht von sich abzuwenden, täuschte er später vor, selbst untergetaucht worden zu sein. Unterdessen hängt Jones die Notiz des Verrückten Hutmachers zusammen mit den üblichen Bekanntmachungen ans Schwarze Brett. Drittens, die beiden Vorfälle mit dem Sirup. Wise und Jones nehmen ihre Mahlzeit nicht mit den Gästen ein. Sie hatten also die einmalige Gelegenheit, unbemerkt oder wenigstens unbehelligt in den Sportpavillon und die Konzerthalle zu schlüpfen. An diesem Punkt möchte ich auf Wises Anordnung bei der Besprechung hinweisen, dass die Gäste bei der Suche nach dem Verrückten Hutmacher nicht mithelfen dürften sowie auf sein Zögern, die Polizei einzuschalten.«

Nigel öffnete ein Auge und schloss es wieder.

»Dafür, dass er hervorragendes Organisationstalent besitzt, wirkten seine anfänglichen Maßnahmen außerdem bemerkenswert halbherzig. An vierter Stelle steht Mr Perrys Fragebogen. Ist es nicht merkwürdig, dass Captain Wise ihm die Umfrage gestattete, ohne sich nach seinen wahren Absichten zu erkundigen. Wirklich merkwürdig. Außer für ihn war der Fragebogen eine wunderbare Gelegenheit, seinen Finger, wenn ich das so ausdrücken darf, am Puls des Patienten zu halten, den er langsam vergiftete. Denken Sie an Miss Jones' Vorschlag, die Frage hinzuzufügen, ›Wenn Sie der Verrückte Hutmacher wären, welchen Streich würden Sie spielen, um den Alltag im Camp so gründlich wie möglich durcheinanderzubringen?‹ Die beiden Komplizen erhofften sich von den Antworten nützliche Hinweise. Man erlaubte Perry, diese Antworten einzusehen, vielleicht brauchten sie ihn später für die Rolle des Sündenbocks. Und auf ihn haben sie ja später auch den Verdacht gelenkt. Jones erzählt Ihnen von Perrys Interesse an primitiven Initiationsriten. Wise ist gerade zufällig mit Ihnen zusammen, als Sie ein vermeintliches Indiz unter Perrys Chalet finden. Wenn Sie es nicht gefunden hätten, wäre ihm zweifellos etwas anderes eingefallen, damit Sie es finden. Und es war er, der uns auf den Geruch des Stück Drahts aufmerksam machte.«

»Das war erst später«, erwiderte Nigel. »Das ist doch das Problem, oder? Aber warum haben sie nicht von Anfang an den Verdacht auf Perry gelenkt? Oder anders gesagt, weshalb sollten sie versuchen, jemand anderen zu beschuldigen, wenn doch noch nichts geschehen war, das sie selbst belastete? Oder stimmt das so nicht? Haben Sie eine Antwort darauf?«

»Momentan nicht, Sir,« erwiderte Mr Thistlethwaite würdevoll. »Doch zweifelsohne gibt es darauf eine Antwort. Um fortzufahren: Der Vorfall mit dem vergifteten Hund deutet in keine bestimmte Richtung. Es genügt zu sagen, dass auch hier Wise und Jones die Tat problemloser hätten ausführen können als irgendeiner der Gäste, der sich in den frühen Morgenstunden unerlaubt in den Haustiergarten geschlichen hätte. Das wirft jedoch die Frage der Mittel auf. All die für die Streiche benötigten Paraphernalien: Strychnin, Sirup, Feuerwerkskörper und der Rest. Wäre der Übeltäter einer der Gäste, dann bestünde das Risiko, dass diese Dinge von einer Hausangestellten oder einem anderen Besucher in seinem Chalet entdeckt würden. Die Chalets wurden zwar bei einer Gelegenheit durchsucht, aber ohne Ergebnis. Für Wise und Jones wäre es ein Leichtes gewesen, diese Dinge versteckt zu halten. Als Nächstes kommt die makabre Episode mit den toten Tieren. Ich werde das nur kurz zur Sprache bringen und mich damit zufriedengeben, darauf hinzuweisen, dass Wise zwar während der gesamten Vorstellung und nachweislich während der Pause anwesend war, seine Komplizin jedoch, die sich mit Perry zu Beginn der Pause unterhielt, wurde ans Telefon gerufen. Von wem kam dieser Anruf«, dröhnte Mr Thistlethwaite eindrucksvoll, »und hat sie ihn tatsächlich je angenommen? Aus meiner Sicht steht diese Frage maßgeblich in Verbindung mit der Frage nach dem Motiv. Ich möchte nun fortfahren, mich mit der Frage nach dem Motiv eingehender zu befassen. Es ist erst einmal zweifelsfrei bewiesen, dass ...«

Nigel gab einen derart lauten Schnarcher von sich, dass er davon erwachte.

»Sie sagten, Mr Thistlethwaite ...?«

»Das kann warten, Sir. Nein, bitte entschuldigen Sie sich nicht. Ich bin derjenige, der sich dafür entschuldigen sollte, dass ich Sie nach einem so anstrengenden Tag aufhalte. Zu meiner Entschuldigung kann ich nur sagen, dass mich der Fall vollkommen vereinnahmt. Im Herzen Romantiker, hatte ich bislang noch nie die Gelegenheit, mich mit der Romantik eines Verbrechens zu beschäftigen, außer auf den Seiten von Kriminalromanen und ...«

»Die Romantik des Verbrechens!«, rief Nigel plötzlich. »Oh, ich danke Ihnen für diese Worte, verehrter Mr Thistlethwaite! Sie haben mir den Hinweis geliefert – den Schlüssel zu dem einen Schloss, das ich nicht zu knacken vermochte. Morgen, wenn Sie möchten, können Sie Ihre Theorie vor einem ausgewählten, kleinen Publikum wiederholen. Sie werden dabei helfen, den Verrückten Hutmacher zu enttarnen.«

Teil III

MR STRANGEWAYS TRINKT TEE

XVII

Am nächsten Morgen – Freitag – schlug das Wetter um. Vom Meer zog dichter Nebel auf und hüllte das Camp in ein Grau, das die Laune trübte und die Gäste an die düsteren Städte erinnerte, in die sie morgen zurückkehren würden. Die Tatsache, dass der Verrückte Hutmacher am Vorabend stillgehalten hatte, sorgte außerdem für nervöse Anspannung. Die Nerven hatten blank gelegen und waren auch am darauffolgenden Morgen strapaziert, denn man hatte mit der nächsten Aktion gerechnet – und so war man müde, aber die Erwartungen hatten sich nicht erfüllt. Nach dem Frühstück streiften die Gäste recht ziellos umher. Die Finale der verschiedenen Turniere – Tennis, Bowls, Clock-Golf – hätten an diesem Morgen stattfinden sollen, aber der dichte Nebel machte dies unmöglich. Und doch erschien es als entsetzliche Verschwendung, den letzten Urlaubstag drinnen zu verbringen. Und so machte sich unter den Gästen leiser Unmut breit. Eine Abordnung des Sportkomitees, angeführt von der respekteinflößenden Miss Gardiner, erkundigte sich bei Captain Wise nach etwaigen Fortschritten der Ermittlungen gegen den Verrückten Hutmacher. Der Direktor verwies sie an Nigel, er habe den Fall im Griff, ließ dieser verlauten.

»Nun, junger Mann«, fügte Miss Gardiner hinzu, »mit

einer Phrase lasse ich mich nicht abspeisen. Wir vertreten die Gäste des Camps und haben ein Recht darauf zu erfahren, was unternommen wird. Haben Sie die Wahrheit nun herausgefunden oder nicht?«

»Ja, habe ich.«

»Also, dann ...«

»Wünschen Sie einen Skandal im Camp oder nicht, Miss Gardiner?«, fragte Nigel und glich seinen Ton ihrem forschen Auftreten an. Die Delegierten warfen einander verunsicherte Blicke zu. Bloß Miss Gardiner bestand weiter hartnäckig auf der Wahrheit.

»Verstehe ich richtig, dass Sie der Meinung sind, die Campleitung wünschte, dass sie die ganze Sache vertuschen?«

»Die Lage ist komplex, Miss Gardiner. Wenn wir den Namen des Schuldigen publik machen, könnte es passieren, dass die anderen Gäste äußerst grob mit ihm umgehen. Heute Morgen ist die Stimmung etwas gereizt. Zudem kann man denjenigen lediglich für das Vergiften des Hundes belangen. Er hat keinen weiteren Schaden angerichtet, und für das Untertauchen wird sich kein Gericht wirklich interessieren.«

»Aber das ist unerhört. Soll er etwa ungeschoren davonkommen?«

Nigel legte vorsichtig einen Finger auf Miss Gardiners wunden Punkt. »Nein. Aber als sachkundige Psychologin werden Sie mir zweifellos zustimmen, dass man bei bestimmten Vergehen am besten Psychotherapie einsetzt und auf disziplinäre Maßnahmen verzichtet.«

Die Lehrerin schenkte ihm ein befriedigtes Lächeln und zwinkerte komplizenhaft.

»Ich verstehe. Ja, das ändert natürlich alles. Wie ich sehe, Mr Strangeways, kann der Fall ohne Weiteres Ihrer Verantwortung überlassen werden.«

Sie nickte den anderen Delegierten kurz zu, erstickte damit jeden Widerspruch im Keim und führte sie dann schulmeisterhaft hinaus.

Nigel sagte Captain Wise, er sei sie losgeworden. »Aber wie lange sie Stillschweigen bewahren werden, kann ich nicht sagen«, fügte er hinzu. »Ich habe mir überlegt, heute Nachmittag die Betroffenen zusammenzurufen und zu dem Fall Bericht zu erstatten. Vielleicht sollte ich auch besser Miss Gardiner dazubitten. Allerdings wird es in meinem Chalet ein wenig eng werden.«

»Wieso nutzen wir nicht meine Räumlichkeiten?«, schlug Captain Wise vor. »Um wie viel Uhr wäre es Ihnen recht?«

»Sagen wir vier Uhr? Bis dahin sollte ich die restlichen Details geklärt haben, und dieses Prozedere würde auch das allgemeine Programm nicht stören. Die Gäste werden beim Tee sein.«

»Bestens. Und ich werde uns Tee bringen lassen. Wer wird alles kommen?«

»Perry. Der Arzt meint, er wird bis heute Nachmittag wieder einigermaßen auf den Beinen sein. Mr Thistlethwaite und Sally, Albert Morley, Miss Gardiner und Ihr Bruder. Das macht neun, inklusive uns beiden und Miss Jones.«

»Und der Verrückte Hutmacher ist einer von ihnen?«

»Das müssen wir entscheiden, sobald ich meinen Bericht gegeben habe.«

Nigel verbrachte den Rest des Vormittags damit, einige der Gäste und der Angestellten zu befragen. Er hätte sich keinen besseren Tag aussuchen können, um nicht aufzufallen. Der Nebel, der durch das Camp waberte, hüllte die Gebäude ein, und die meisten Gäste blieben in ihren Chalets. Die wenigen, die er antraf, musterten ihn verstohlen, bis sie ihn wiedererkannten. Offenbar fürchteten sie, der Nebel wäre die perfekte Gelegenheit für den Verrückten Hutmacher. Selbst drinnen, am Flipperautomaten, beim Dart, Billard oder welche Freizeitgestaltung auch immer gerade Anklang fand, war die Stimmung verhalten. Über die Ereignisse des Vortags, die Schießerei, an der Wise und Perry beteiligt waren, hatte man die Gäste nicht informiert. Captain Wise war der Meinung, dass dann im Camp Panik ausbrechen würde, und bestand darauf, die Angelegenheit zu vertuschen. Auch hochrangige Beamte, die sich mit Nigel und der lokalen Polizei telefonisch in Verbindung gesetzt hatten, bestanden darauf, dass der Tod von Mr Charles Black keinesfalls an die Öffentlichkeit dringen sollte.

Zur Mittagszeit war Nigel in Applestock und beriet sich mit dem Nachrichtendienst der Marine und dem Polizeipräsidenten. Bei einer Gegenüberstellung war es ihm möglich, den Mann zu identifizieren, der dem Spion den Wettschein gegeben hatte. Später suchte er noch einen winzigen übelriechenden Laden in der Altstadt auf. Das Polizeiauto brachte ihn um halb vier nach Wunderland zurück ...

Um vier Uhr fanden sich die Geladenen im Wohnzimmer von Captain Wise ein. Sie setzten sich an einen Tisch, auf dem bereits das Teeservice stand. Die meisten empfanden eine gewisse Befangenheit, als spielten sie bei einem Spiel mit, dessen Regeln sie nicht kannten. Captain Wise bedeutete Miss Gardiner, unter den Anwesenden die Älteste, sich ans Kopfende des Tisches zu setzen. Nigel wurde am anderen Ende platziert, mit dem Rücken zum Fenster. Als sich alle gesetzt hatten, musterte er rasch die einzelnen Gesichter.

Zu seiner Linken war Paul Perry, den Arm in einer Schlinge, blass und ein wenig verunsichert, doch mit einem schwachen, aber merklichen Ausdruck von Triumph. Neben ihm, strahlend und schützend – eine grauäugige Athene –, war Sally Thistlethwaite. Neben Sally saß Teddy Wise, mit einem grünen Wunderland-Pullover bekleidet, Albert Morley an seiner Seite verschwand fast neben der athletischen Gestalt. Auf der anderen Seite der Lehrerin, die sich hoheitsvoll ihren Zwicker aufsetzte, saß Captain Wise. Er wirkte so entspannt wie jemand, der alle Verantwortung abgegeben hatte. Neben ihm war Miss Jones, und zwischen ihr und Nigel hatte der aufmerksame Mr Thistlethwaite in seiner ganzen Körperfülle Platz genommen.

»Wären Sie so freundlich, den Platz mit Mr Thistlethwaite zu tauschen?«, fragte Nigel Miss Jones. »Es ist praktischer, falls ich Sie bitten sollte, Notizen zu machen.«

Mr Thistlethwaite erhob sich, deutete mit einer höfischen Geste auf seinen Stuhl und setzte sich auf ihren Platz, wobei er vorsichtig ein Hosenbein hochzog bevor er die Beine übereinander schlug. Für diesen bedeutenden Anlass hatte er übrigens einen cremefarbenen Flanellanzug angelegt mit einer Nelke im Knopfloch.

»Nun, meine Damen und Herren«, begann Nigel, »Captain Wise war so freundlich, die Erlaubnis zu erteilen, Ihnen hier Bericht bezüglich des Verrückten Hutmachers zu erstatten. Auf die ein oder andere Weise sind Sie alle maßgeblich in diese Sache involviert, also ist es nur fair, dass Sie die ersten –

und vielleicht auch die einzigen – Leute sein werden, die die ganze Wahrheit erfahren.«

»So ist es!«, rief Miss Gardiner.

»Ein außerordentlich komplexer Fall, und zwar nicht, weil den Taten eine besondere Raffinesse zugrunde lag oder weil die Suche nach einem Motiv schwierig war, sondern weil immer wieder andere Ereignisse, die nicht damit in Verbindung standen, dazwischenkamen und es so gut wie unmöglich war, zuverlässige Alibis zu erhalten. Zu diesen Ereignissen gehören die Umstände, die dazu geführt haben, dass Perry seinen Arm in einer Schlinge trägt. Diejenigen, die darüber informiert sind, haben sich zu Stillschweigen verpflichtet, und ich darf nicht mehr darüber sagen, als dass es mit unserer Zusammenkunft hier heute Nachmittag nicht das Geringste zu tun hat.«

Man wurde unruhig und wechselte nervöse Blicke. Miss Gardiner richtete sich zu einem Wort des Tadels auf, besann sich aber eines Besseren, nachdem sie Nigels Blick aufgefangen hatte.

»Auf ein anderes Ereignis komme ich gleich zu sprechen«, fuhr er fort. »Wie gesagt, aufgrund der großen Zahl an Besuchern hier sowie dem informellen Ablauf der Mahlzeiten – die Gäste kommen und gehen nach eigenem Gutdünken – wäre es unmöglich gewesen, zuverlässige Alibis für die meisten Zeiträume zu erhalten, in welchen der Verrückte Hutmacher seine Streiche gespielt hat. Abgesehen davon hätten ausgiebige Nachforschungen nach Meinung von Captain Wise die Gäste verärgert. Es war aber wichtig, dem Verrückten Hutmacher *rasch* auf die Schliche zu kommen. Ich musste mich also anderer Methoden bedienen. Auf der Suche nach einem möglichen Tatmotiv ergaben sich mehrere Optionen. Erstens: X macht sich einen Spaß daraus, Streiche zu spielen. Zweitens: Es handelt sich in seinem Fall um Schizophrenie. Drittens: X will den Ruf Wunderlands nachhaltig ruinieren. Viertens: Die Streiche sollen von einer gezielten Attacke auf eine bestimmte Person ablenken.

»Das erste Motiv konnte man recht schnell verwerfen. Jemand, der schlicht und einfach Streiche spielt, hört damit auf, wenn er merkt, dass die öffentliche Meinung sich entschieden gegen ihn wendet. Es ist auch eher unwahrscheinlich, dass er die Presse über die Aktionen informiert. Das vierte Motiv kann ebenfalls ausgeschlossen werden, da keine gewaltsame Attacke auf irgendjemanden hier stattgefunden hat.«

»He, he!«, protestierte Teddy Wise. »Wenn meiner einer unterbrechen darf. Was ist mit der Kugel, die es beinahe geschafft hat, sich in das Prachthirn meines Bruders einzubetten?«

»Das bringt mich zu dem zweiten Ereignis, das nicht zum eigentlichen Thema gehört.«

»Für mich war es nicht so belanglos«, sagte Captain Wise und strich über sein bandagiertes Ohr.

»Sie meinen, es war nicht der Verrückte Hutmacher, der Captain Wise angeschossen hat?«, fragte Esmeralda Jones.

Nigel blickte ausdruckslos in die Runde. »Captain Wise«, verkündete er, »wurde natürlich von Albert Morley angeschossen.«

Das war eine absolute Sensation. Miss Gardiner machte einen Satz und nahm ein Messer in die Hand, als ob sie sich gegen den rotgesichtigen, pummeligen kleinen Mörder, der neben ihr saß, verteidigte. Sally sah aus, als ob sie mit einem Messer auf Nigel losgehen wollte. Captain Wise starrte seinen mutmaßlichen Angreifer ungläubig an. Paul Perry drehte sich ruckartig zur Seite, um Albert anzusehen, stieß sich dabei seinen verletzten Arm und zog scharf die Luft ein. Selbst Miss Jones' teilnahmsloses Mannequin-Gesicht zeigte Emotionen. Albert selbst fiel die Kinnlade herunter, und er verfiel in eine Starre wie ein kleines Tier, das nicht entdeckt werden möchte. Schließlich rief Teddy Wise mit geheuchelter Heiterkeit, »Oh Albert, du ungezogener, kleiner Mann! Aber he, warten Sie mal! Sie haben den Falschen, Strangeways. Albert kann das nicht gewesen sein. Er ist ein hoffnungsloser Schütze. Er könnte nicht mal einen Heuhaufen treffen.«

»Albert traf Captain Wise, *weil* er so ein schlechter Schütze ist«, erwiderte Nigel.

»Ach, hören Sie schon auf!«, rief Teddy.

»Ich glaube, Sie reden Unsinn«, sagte Sally.

»Albert war die einzige Person, die sich in der Nähe des Tatorts befand«, fuhr Nigel fort. »Er kam zwischen einer Gruppe Bäumen hinter dem Schießstand hervor und mir entgegen. Alber hat viele bewundernswerte Eigenschaften, aber ich denke, dass er nicht die Nerven hat für so einen Bluff – vorausgesetzt er hatte wirklich die Absicht, Captain Wise umzubringen. Tatsache ist – wie ich auch sofort aus seinem entsetzten Gesichtsausdruck hätte schließen können, als ich ihm erzählte, dass Captain Wise angeschossen worden war –, dass er nicht die Absicht hatte, ihn überhaupt zu treffen. Die einzige Person, die, geografisch gesehen, den Schuss hätte abfeuern können, war ein extrem schlechter Schütze, die Chancen standen tausend zu eins, dass er sein

Ziel überhaupt treffen würde. Ich ließ das erst einmal beiseite und fragte mich, weshalb Albert überhaupt geschossen haben sollte. Mr Thistlethwaite machte den klugen Vorschlag, dass er Captain Wise mit seinem Bruder verwechselt hatte, gegen den er durchaus einen gewissen Groll hegen könnte. Aber die Spontaneität, mit der das Verbrechen ausgeführt wurde, sowie Alberts Wissen um seine miserable Treffsicherheit passten nicht zu dieser Theorie. Also betrachtete ich die Sache aus einem anderen Blickwinkel. Sally verriet mir, sie hätte Albert erzählt, dass Perry sich mit der Sorge quälte, er könnte der Verrückte Hutmacher sein, beziehungsweise dass er dessen verdächtigt werden könnte. Albert würde alles für Sally tun. Er wusste, dass Perry gestern einen langen Spaziergang machen wollte, und damit stand der Plan. Dazu kam, dass Mr Thistlethwaite in einem anderen Zusammenhang den Ausdruck ›die Romantik des Verbrechens‹ verwendete, und plötzlich hatte ich die Lösung. Albert Morley ist ein unverbesserlicher Romantiker. Er machte sich schon seit einiger Zeit Gedanken darüber, wie er Sally und Paul die Sorge einer falschen Anschuldigung von der Seele nehmen könnte. Er ist zufällig am Schießstand, als Captain Wise auf den Balkon hinaustritt. Augenblicklich denkt sich Albert, ›Wenn ich auf den Balkon schieße, wird man annehmen, der Schuss sei vom Verrückten Hutmacher abgegeben worden. Paul ist auf einem Spaziergang und nicht im Camp, also wird der Schuss beweisen, dass er *nicht* der Verrückte Hutmacher ist. Q. E. D.‹ Wohlgemerkt, jeder hätte in diesem Sinn argumentieren können, aber nur ein hartgesottener Romantiker würde auch dementsprechend handeln. Ich sollte hinzufügen, dass Albert, da er dank Mr Thistlethwaite ein Alibi für den Vorfall mit den toten Tieren hatte, glaubte, dass er keinesfalls – Schuss oder nicht – verdächtigt werden würde, der Verrückte Hutmacher zu sein. Jedenfalls legt er an und feuert, mit der Absicht, die Kugel sicher und in respektvoller Distanz zu Captain Wises Kopf vorbeifliegen zu lassen. Doch seine Aufregung trägt dazu bei, dass er am Abzug reißt, statt ihn zu drücken, der Lauf bewegt sich ruckartig nach rechts, und die Kugel beißt sich ein Stückchen aus unserem Direktor. So ist es doch, Albert, oder?«

»Ich ... ich fürchte ja. Es war furchtbar dumm von mir, fürchte ich«, stammelte Albert Morley. Dann fügte er mit haarsträubender Förmlichkeit hinzu, »Ich muss die Gelegenheit ergreifen, Captain Wise, mein tiefstes Bedauern zu bekunden. Ich ...«

»Das ist schon in Ordnung, Morley. Ist ja nochmal gutgegangen.« Der Direktor drehte sich zu Nigel. »Wir stehen also wieder am Anfang?«

»Ja, auf gewisse Weise. Perry hatte immer noch nicht das Alibi, das Albert ihm verschaffen wollte, und Mr Thistlethwaite hat mir letzte Nacht gesagt, dass Alberts Alibi für die Sache mit den Tierkadavern nicht wasserdicht ist. Also fangen wir wieder von vorne an.«

Sallys Gesicht war weiß vor Empörung. Aber man hatte sie zu Stillschweigen über Perrys Spaziergang verpflichtet, und so biss sie sich auf die Zunge und schwieg.

Nigel gab nun eine kurze Zusammenfassung des Falls, es war mehr oder weniger die gleiche Version, die er am Vorabend Mr Thistlethwaite erzählt hatte. Als er geendet hatte, sagte er, »Das waren die Fakten. Jetzt gehen wir zur Theorie über.«

»Einen Moment, Mr Strangeways«, sagte Miss Gardiner ein klein wenig lauter als sonst. »Lassen Sie mich etwas klarstellen. Aus welchem Grund möchten Sie, dass wir uns das anhören. Kann ich annehmen, dass unter denjenigen, die an diesem Tisch sitzen, der Verrückte Hutmacher höchstpersönlich ist?«

Es klopfte an der Tür, und alle zuckten zusammen. Doch es war lediglich eine Angestellte, die ein Tablett mit Tee und Speisen brachte. Sie stellte es auf den Serviertisch und verließ das Zimmer.

»Ah, Tee«, sagte Nigel und rieb sich die Hände. »Perfekt für eine Pause zwischen Fakten und Theorie.«

Man half, Platten mit Sandwiches, anderen Speisen und zwei Teekannen auf dem Tisch zu verteilen.

»Ihr Koch bewirtet uns königlich«, sagte Nigel und strahlte angesichts dieser Auswahl.

Miss Gardiner schien einige Schwierigkeiten mit einer der beiden Teekannen zu haben.

»Der Schnabel funktioniert nicht«, sagte sie, nahm den Deckel ab und spähte ins Innere der Kanne. Im nächsten Moment stieß sie einen merkwürdigen, kleinen Schrei aus, knallte die Teekanne wieder auf den Tisch und sprang auf ihren Stuhl. Alle starrten sie an. Mit schiefsitzendem Kneifer und aufgeblasenen Backen deutete sie stumm auf die Kanne. Man hörte ein Krabbeln, und gleich darauf steckte eine ansehnliche weiße Maus ihren Kopf heraus, ließ die Schnurrhaare zittern, blickte sich nervös unter den Anwesenden um und verschwand wieder außer Sicht.

Für einen Moment herrschte vollkommenes Schweigen. Dann rief Miss Jones mit einem unsicheren Lachen, »Gott!

Das ist der Siebenschläfer! Der Siebenschläfer, den man in die Teekanne gesteckt hat! Das hier ist die Teegesellschaft des Verrückten Hutmachers.«

Captain Wise machte einen Satz zu der Tür, die in sein Büro führte. Die Tür war abgeschlossen.

»Was zum Teufel? Ich gehe auf den Balkon und sehe nach, ob unten irgendjemand ist. Das ist eine Ungeheuerlichkeit.«

»Nur einen Augenblick, Captain Wise«, sagte Nigel. »Wir haben keine große Eile. Lassen Sie uns wieder setzen und überlegen, was all das zu bedeuten hat. Erlauben Sie mir.« Er goss die Maus aus der Teekanne, ergriff sie und setzte sie auf den Balkon. Miss Gardiner stieg wesentlich behäbiger, als sie hinaufgeklettert war, wieder von ihrem Stuhl herunter. Albert Morley half ihr dabei und bemerkte, »Kein Grund zur Beunruhigung. Es war eine zahme Maus. Ich hatte weiße Mäuse wie diese, als ich ein Junge war.«

»Es interessiert mich nicht, Morley, ob Sie weiße Mäuse oder weiße Elefanten gehalten haben«, schnarrte die Lehrerin. »Eines ist glasklar – dieser fadenscheinige Detektiv ist schon wieder hereingelegt worden. Der Verrückte Hutmacher ist *nicht* in diesem Raum.«

»Weshalb glauben Sie überhaupt, dass er hier ist?«, fragte Nigel sanft.

»Er hat uns komplett lächerlich gemacht. Was für eine Demütigung ... Ich werde das nicht tolerieren. Lassen Sie mich raus.«

»Na, na, na. Da bleibt Ihnen nur ein Sprung vom Balkon. Wir verhalten uns am besten alle ganz ruhig.«

»Ich schlage vor, wir wenden uns wieder unserem Tee zu. Ha! Muffins, wie schön«, sagte Mr Thistlethwaite und nahm den Deckel von einer der Speisen. Es waren keine Muffins. Es war eine kleine Astgabel.

»Was in aller Welt ist das?«, fragte er und nahm es vorsichtig heraus. »Eine Steinschleuder?«

»Heiliges Kanonenrohr!«, rief Captain Wise. »Die Astgabel, auf dem die Rakete lag!«

»Mortimer!« Miss Jones Stimme durchschnitt die allgemeine Aufregung wie ein Peitschenhieb. Alle drehten sich zu ihr. »Er muss ... schnell, was ist in den anderen Schüsseln?«

Für einen kurzen Augenblick herrschte Verunsicherung. Niemand schien die anderen Schüsseln aufdecken zu wollen. Schließlich strich Paul Perry sich eine Haarsträhne aus der Stirn und sagte, »Gut, dann probiere ich es mit der nächsten Überraschung.«

Er hob einen Deckel an. Darunter kam der Kadaver einer Drossel zum Vorschein.

»Ach, wie schrecklich!« Sally vergrub das Gesicht in den Händen. Bald waren auch die restlichen Schüsseln abgedeckt und offenbarten nacheinander eine kleine, mit dem Wort ›Strychnin‹ beschriftete Flasche, die zwei Hälften eines Tennisballs, gefüllt mit Sirup und ein Patrone des Kalibers .22, die in einem Stück Watte steckte.

»Also, das ist höchst interessant«, bemerkte Nigel. »Der Fall wird fraglos immer besser. Unser Scherzbold hat einen Sinn für Symbolik. Aber irgendetwas fehlt doch, oder? Genau, das Untertauchen. Das war der einzige Streich, den er sozusagen nicht unter dem Deckel halten konnte. Außer«, er kicherte, »mal sehen, was ist in der anderen Teekanne?«

Teddy Wise ging zu dem Serviertisch und nahm die Kanne. »Sieht nicht nach Tee aus«, sagte er. Er steckte einen

Finger hinein, leckte vorsichtig daran und rief, »Nicht zu fassen! Salzwasser!«

»Ah! Das bringt die Sache zum Abschluss! Wunderbar!«, sagte Nigel und nahm noch ein Sandwich. Captain Wise, am Ende mit den Nerven, rief gereizt, »Jetzt hören Sie mal, Strangeways. Die Sache ist absurd! Der Kerl muss die Kellnerin bestochen haben, das ganze Zeug hierherzubringen und uns einzuschließen. Wir müssen nur hier rauskommen und sie finden, und dann werde ich mir diesen Burschen schon schnappen.«

»Sie finden? Haben Sie ihr Gesicht gesehen? Sie hatten ihr den Rücken zugewendet. Hat ihr irgendjemand Aufmerksamkeit geschenkt?«

Wie sich herausstellte, war dem nicht so.

»Meine Güte!«, sagte Sally. »War sie etwa der Verrückte Hutmacher in Verkleidung?«

»Wir benehmen uns alle ein wenig albern«, sagte Miss Jones säuerlich. »Der Tee kam vor zehn Minuten. Wenn diese Kellnerin der Verrückte Hutmacher in Verkleidung war, wo ist dann bitte die echte, die die Küche zu uns geschickt hat? Wurden die Speisen unterwegs ausgetauscht? Wie ...?«

»Vielleicht wurde die echte Kellnerin unterwegs aufgehalten und ausgeschaltet«, schlug Mr Thistlethwaite in einem Ton vor, der ihnen das Blut in den Adern gefrieren ließ.

»Bitte, wir dürfen uns davon nicht derart beeindrucken lassen«, sagte Nigel. »Es gibt eine relativ simple Erklärung für all diese ungebetenen Gäste hier. Lassen Sie uns zu dem letzten Punkt zurückkehren. Ich habe Ihnen eine Zusammenfassung des Falls gegeben. Bevor ich Ihnen meine eigene Interpretation liefere, würde ich gerne Ihre Theorien hören. Sie können ganz unvoreingenommen sprechen, wie man so schön sagt, denn nichts, was hier besprochen wird, verlässt diesen Raum.«

»Das ist höchst ungewöhnlich«, erklärte Miss Gardiner.

»Bitten Sie uns etwa gerade darum zu sagen, wer unserer Meinung nach der Verrückte Hutmacher ist?«, fragte Teddy Wise.

»Ja. Das sollte eigentlich aus den Fakten, die ich Ihnen geschildert habe, ersichtlich sein.«

Der Streich, der ihnen gerade gespielt worden war, sorgte, nachdem der anfängliche Schock überwunden war, für eine Atmosphäre der Leichtfertigkeit. Die Anspannung hatte sich entladen, und die grotesken Gegenstände, die vor ihnen ausgebreitet lagen, ließen alles unwirklich erscheinen. Es wurde stillschweigend angenommen, dass dieser Streich nur das Werk einer Person außerhalb dieses Raumes gewesen sein konnte, und daher waren alle Anschuldigungen der Anwesenden eher theoretisch und harmlos.

Miss Gardiner wies darauf hin, wie gut es auf den Charakter Albert Morleys passen würde, einfach nur Streiche spielen zu wollen. Captain Wise erwähnte die Indizien, die angeblich Paul Perry belasteten, und sagte entschuldigend, dass er Paul seit geraumer Zeit der Taten verdächtigte. Daraufhin erhob sich Mr Thistlethwaite und beschuldigte Captain Wise und Miss Jones, wie er es am Vorabend gegenüber Nigel getan hatte.

»Und nun«, sagte er schließlich, »komme ich zu der Frage nach dem Motiv. Weshalb sollten diese beiden, deren Schicksal mit dem Wunderlands steht und fällt, die Gans, die goldene Eier legt, schlachten, wenn ich das so ausdrücken darf.

Die Antwort lautet – die Eier waren ihnen nicht groß genug. Miss Jones, Tochter eines Millionärs und gewohnt an ein Leben in Müßiggang und Luxus, sieht sich auf einmal gezwungen, ihren Lebensunterhalt mit dem Hungerlohn einer Sekretärin zu bestreiten. Captain Wise, dessen Gehalt, wie ich von mehreren Leuten erfahren habe, beileibe nicht seinen Fähigkeiten oder Ambitionen angemessen ist, geschweige denn ausreichend, um einen Lagonda zu unterhalten, goldene Armbanduhren oder den anderen Plunder, den er trägt, zu kaufen ...«

»Wirklich, Mr Strangeways«, sagte Esmeralda Jones eisig, »geht das jetzt nicht zu weit? Das ist äußerst geschmacklos.«

»Das waren all die Streiche auch, Miss Jones. Vergessen Sie das nicht.«

Die Atmosphäre im Zimmer, die immer beklemmender geworden war und dabei zunehmend an Realität wiedergewonnen hatte, war nun zum Zerreißen gespannt. Der Tonfall, in dem Nigel seine letzte Bemerkung angebracht hatte, ließ sie alle aufmerksam die Köpfe recken. Alle Augen waren auf Miss Jones gerichtet. Das Kinn stolz gereckt, der rotgeschminkte Mund zu einem verächtlichen Ausdruck verzogen, starrte sie Nigel an und wich keinen Fußbreit. Captain Wises Finger trommelten auf den Tisch. Er war dem allen nicht gewachsen, er wirkte absolut überfordert und in sich zusammengesunken.

»Das Motiv«, sagte Nigel, »ist wie Mr Thistlethwaite es dargelegt hat. Wie ich erfahren habe, hat Captain Wise vor einigen Jahren eine stattliche Erbschaft durchgebracht. Er verschwendet Geld, genau wie Miss Jones. Einige von uns haben bemerkt, dass er auf größerem Fuß lebt, als sein Gehalt es eigentlich zulässt. Und sein Bruder hat mir erzählt, dass er keinerlei Privatvermögen hat.«

»Strangeways, das ist eine dreiste Unverschämtheit. Ich ...«

»Wir haben hier also dieses ambitionierte, Prunk liebende Paar, vielleicht bereits verschuldet und ganz bestimmt auf der Suche nach einem Weg, seine Lage zu verbessern. An diesem Punkt erscheint ein gewisser Mr Leyman auf der Bildfläche. Er ist der Mann hinter dem großen Unternehmen, das das Urlaubscamp in Beale betreibt und Wunderlands größter Rivale. Miss Arnold erzählte mir, dass sie vor einigen Monaten Leyman mit Captain Wise und Miss Jones in einem Restaurant in London sprechen sah. Das war natürlich an sich nicht unbedingt verdächtig, aber als ich es Miss Jones gegenüber erwähnte, gab sie von sich aus eine ganze Menge Informationen über Leyman preis. Sie kenne ihn noch aus ihren sorgloseren Zeiten, sagte sie, und als die Dinge schiefliefen, versuchte er, ihre Misere auszunutzen. Das mag zwar die Wahrheit gewesen sein, aber es fällt mir schwer, mir vorzustellen, dass sie sich mit einem Mann, der sich so verhalten hat, in einem Restaurant unterhalten würde. Es gab keinen Grund dafür, *außer, sie wollte mich davon ablenken, dass es zwischen ihr und Leyman eine andere Art von Beziehung gegeben hatte*. Diese Beziehung, würde ich sagen, war unser guter, alter Freund, der schnöde Mammon. Leyman hatte versprochen, dass Jones und Wise ausgesorgt haben würden, wenn sie im Gegenzug das Unternehmen zugrunde richteten, das sein größter Konkurrent war.«

»Das sind doch nichts als Hirngespinste«, sagte Miss Jones. »Glaubt irgendjemand hier wirklich, dass respektable Unternehmen sich gebärden wie Bösewichte in einem Gangsterfilm?«

»Natürlich tun sie das, wenn sie das, was sie wollen, auf keine andere Weise erreichen. Denken Sie doch nur an die Bestechungen und die Geheimnistuerei, die im Waffenhandel gang und gäbe ist. Oder an die Methoden, derer sich einige große Zeitungsverleger bedienen, um alteingesessene Provinzblätter zu verdrängen. Oh nein, das Motiv ist nicht bloß ein Hirngespinst. Die ungewöhnliche Vorgehensweise steht allerdings auf einem anderen Blatt. Ich denke, sie ist Miss Jones zuzuschreiben, die äußerst intelligent ist und außerdem über einen sardonischen Humor verfügt. Sie war das komische Genie, das hinter dem Verrückten Hutmacher steckte, und ich glaube, dass sie überdies die treibende Kraft hinter der ganzen Angelegenheit war. Ich bezweifle, dass Captain Wise ohne ihr Drängen etwas unternommen hätte. Doch wie so viele intelligente Kriminelle hat sie sich übernommen.«

»Ich habe Ihnen geduldig zugehört, diesem ganzen Theater, das Sie hier veranstalten, Strangeways. Ich kann dazu nur folgendes sagen: Wenn sich jemand übernommen hat, dann sind Sie es. Ich rate Ihnen, äußerst vorsichtig zu sein wie ...«

»Mr Thistlethwaite wies darauf hin, dass von all den Leuten im Camp der Direktor und die Sekretärin bei Weitem die besten Gelegenheiten hatten, all die Streiche zu spielen«, fuhr Nigel ungerührt fort. »Sie kannten das Terrain, sie wussten, wo die Wachen standen, sie konnten das ganze Zubehör für die Streiche sicher versteckt halten, und vor allem waren sie die einzigen zwei Leute, die der Logik nach für die Streiche verantwortlich sein konnten, da das Untertauchen im gleichen Zeitraum stattfand, in dem die Notiz am Schwarzen Brett auftauchte. Damit musste es sich um mindestens zwei Personen handeln. Und so kommen wir zu der Teegesellschaft des Verrückten Hutmachers, seinem letzten Streich. Natürlich sollte bewiesen werden, dass der Verrückte Hutmacher nicht einer der Anwesenden sein konnte. Doch auch hiermit haben sie sich übernommen, denn es ist völlig offensichtlich, dass niemand außer diesen beiden die Teegesellschaft hätte organisieren können. Zunächst einmal kam der Vorschlag, Tee zu trinken, von Captain Wise. Seine Angestellten sind ihm treu ergeben – die Bedienung, die das Tablett mit dem Tee brachte und zweifellos den Kuchen, den sie servieren sollte, durch diese unheilvollen Objekte ersetzt hat, würde ihn niemals verraten. Vielleicht hat er ihr sogar erzählt, dass dies zu dem Plan gehörte, den Verrückten Hutmacher zu schnappen. Und es hat funktioniert, wenn auch von seiner Seite sicherlich unbeabsichtigt. Sie sind alle vernünftige Leute. Kann sich irgendjemand von Ihnen vorstellen, dass dieser letzte Streich von jemand anderem hätte ausgeführt werden können als von Captain Wise und Miss Jones?«

Die Antwort darauf war Schweigen. Zudem hatten mehrere der Anwesenden die verärgerten, ratlosen und fragenden Blicke bemerkt, die die beiden ausgetauscht hatten. Schließlich sagte Miss Jones wütend und mit schriller Stimme, »Sie haben nicht auch nur den Hauch eines Beweises für ihre lächerliche Theorie vorgelegt. Und was diese Teegesellschaft angeht, von der Sie behaupten ...«

»Ich habe nicht den Hauch eines Beweises vorgelegt?«, frage Nigel in schneidendem Tonfall, der sie verstummen ließ. »Nun gut. Dann werde ich das jetzt tun, wenn Sie darauf bestehen. Ihr Komplize hat sich mit dieser Teegesellschaft selber ein Bein gestellt. Genauer gesagt, mit einem Stückchen Holz.«

Mit einer schnellen Bewegung griff Nigel nach der Astgabel und nahm sie aus der Schüssel. Er hielt sie hoch und fragte, »Ist jemandem irgendetwas Seltsames daran aufgefallen?«

Zu jedermanns Überraschung war es Albert Morley, der das verblüffte Schweigen durchbrach, errötete und mit wackelndem Kopf schüchtern sagte, »Ich fand es eher merkwürdig, dass Captain Wise meinte, auf diesem Zweig hätte die Rakete gelegen. Aber das stimmt doch nicht, oder?«

»*Ganz genau!* Aber ein Zweig wie dieser wurde benutzt, um die Rakete, die an jenem Abend zwischen den Hütten über den Köpfen der Leute abgefeuert wurde, abzustützen und auf ihr Ziel zu richten. Als ich den Zweig fand – und ich war der Erste, der am Tatort ankam, wie Sie sich erinnern werden –, habe ich ihn in meine Tasche gesteckt. Ich habe *niemandem* davon erzählt. Daraus lässt sich schließen, dass niemand, außer der Person, die die Rakete abgeschossen hat, dieses Stück Holz hätte erkennen können. Miss Jones hat sogleich realisiert, dass ihr Komplize sich damit verraten hat, und deshalb ›Mortimer!‹ gerufen. Sie hat noch versucht, es herunterzuspielen, aber es war zu spät. Haben Sie eine Antwort darauf, Captain Wise?«

Alle starrten den Direktor an. Seine Hände zitterten, er versuchte zu sprechen, aber die Antwort stand ihm bereits ins Gesicht geschrieben.

XVIII

Als Paul Perry am nächsten Morgen nach London zurückfuhr, saß er in einem Abteil mit Nigel Strangeways und den Thistlethwaites und ließ seine Gedanken zu der ungewöhnlichen Teegesellschaft am Vorabend wandern. Sallys Schulter drückte sich vertrauensvoll an die seine, eine angenehme Trägheit legte sich über seine Sinne, doch sein Geist war wach und klar. Er musste eingestehen, dass Strangeways gute Arbeit geleistet hatte. Er hatte etwas an sich, das selbst den effizienten Captain Wise und die brillante Esmeralda Jones schachmatt gesetzt hatte. Ja, irgendwie hatte er es geschafft, Miss Jones zu blamieren und die allgemeine Stimmung gegen sie zu wenden.

Selbst nachdem ihr Komplize eingebrochen war, war sie standhaft geblieben. Paul konnte immer noch ihren wütenden, verächtlichen Gesichtsausdruck vor sich sehen, als sie gesagt hatte, »Sie wissen ganz genau, dass sie keine echten Beweise haben. Sie können überhaupt nichts ausrichten.«

Einen Moment lang hatte es so ausgesehen, als würde sie doch noch gewinnen. Dann hatte Strangeways in diesem ihm eigenen kühlen, unerschütterlichen und analytischen Tonfall verkündet, »Beweise im streng legalen Sinn habe ich keine. Aber jeder an diesem Tisch glaubt, dass ich recht habe – ja, sogar der Bruder von Captain Wise muss das zugeben.« Teddy Wise vermied es, seinen Bruder anzusehen, und nickte bedrückt. »Ich werde zu diesem Fall und den Geschehnissen dieses Nachmittags einen umfassenden, schriftlichen Bericht erstellen. Dieser Bericht wird von allen Anwesenden außer Miss

Jones und Captain Wise unterschrieben werden. Falls Captain Wise einwilligt, ein schriftliches Schuldgeständnis bezüglich der Taten des Verrückten Hutmachers abzulegen, werde ich die Angelegenheit nicht weiter verfolgen, sondern nur noch sicherstellen, dass keiner der beiden aus der Beziehung mit diesem Mr Leyman Profit schlagen kann. Falls Captain Wise sich jedoch weigern sollte, ein Geständnis zu unterschreiben, werde ich meinen Bericht an Ihre Geschäftsführer wie auch an meinen Onkel senden. Vorausgesetzt, natürlich, wir stimmen alle überein, dass dies die beste Vorgehensweise ist.«

Die Anwesenden stimmten alle ohne Einwand zu. Nigels ruhiger, besonnener Tonfall und sein wacher Blick hatten sie überzeugt. Sie waren immer noch verwirrt, sie hatten nach Indizien verlangt, und sie hatten sie bekommen. Paul fand es bewundernswert, wie geschickt Nigel einen Keil zwischen die beiden Komplizen getrieben hatte. Er hatte psychologisches Feingefühl bewiesen, indem er Mr Thistlethwaites gigantische Erscheinung zwischen Captain Wise und Miss Jones platziert und so den Direktor von dem ungebrochenen Widerstand seiner Partnerin isoliert hatte. Er war das schwache Glied in ihrer Liaison, und Nigel hatte gekonnt ausschließlich auf ihn Druck ausgeübt.

»Reiß dich zusammen, Mortimer«, sagte Miss Jones heftig. »Das alles hat weder Hand noch Fuß, und das weiß er auch. Der Fall gegen uns ist von vorne bis hinten erstunken und erlogen, einfach weil er den wahren Schuldigen nicht ausfindig machen konnte. Lass ihn ruhig seinen verdammten Report schreiben, wenn er will. Niemand wird ihm Glauben schenken. Ich könnte ihn in einer Minute auseinandernehmen.«

Aber ihrer lebendigen Stimme fehlte es an Nachdruck, und

sie wirkte ein wenig lächerlich, denn sie sah sich gezwungen, an Mr Thistlethwaite vorbeizureden. Nigel sagte, »Sie müssen Ihre eigene Entscheidung treffen, Captain Wise, außer sie wollen für den Rest Ihres Lebens unter der Fuchtel dieser jungen Dame stehen.«

Captain Wise hob den Kopf und betrachtete die ablehnenden, peinlich berührten Mienen um ihn herum. Sein eigener Gesichtsausdruck, in dem vormals Kompetenz, Gelassenheit und Freundlichkeit gestanden hatten, zeigte Zeichen von Schwäche. Er war alles offensichtlich leid – er war es leid, ständig angetrieben zu werden, wie von einer allzu potenten Arznei, von einer Ambition und Lebhaftigkeit, die so viel größer war als seine eigene. Er fuhr sich mit der Hand durch das schüttere Haar und sagte, »Also gut, ich werde tun, was Sie verlangen.«

Esmeralda Jones sprang auf. Einen Moment lang befürchtete Nigel, sie würde sich auf ihren Geliebten stürzen.

»Du bist verachtenswert, Mortimer. Erbärmlich und verachtenswert. Du hast dich von einem kleinen Täuschungsmanöver in die Knie zwingen lassen. Ich bete zu Gott, dass ich dich niemals wiedersehe.«

Schnellen Schrittes ging sie zur Tür, aber sie hatte vergessen, dass diese abgesperrt war. In ihrer Wut war sie über alle Maßen schön und würdevoll, und selbst die verschlossene Tür tat dem keinen Abbruch. Sie stand still an der Tür und betrachtete sie alle ruhig, während Captain Wise sein Geständnis niederschrieb.

Als er es unterschrieben hatte, sagte Nigel in etwas freundlicherem Ton zu ihm, »Sie haben Ihr Bestes getan, um das Camp zu ruinieren. Jetzt müssen Sie sehen, dass Sie seinen

Ruf wiederherstellen. Ich denke, wir alle können Ihnen nur gutes Gelingen wünschen ...«

Jetzt blickte Paul Perry verhalten zu Nigel hinüber, der in eine Kurzgeschichte Tschechovs versunken war, und dachte dabei an etwas, das ihm seit der gestrigen Teegesellschaft keine Ruhe gelassen hatte.

»Ich frage mich ... Diese Astgabel – also, die hat ihn ja in eine ziemlich verzwickte Lage gebracht. War es nicht fürchterlich dumm von den beiden, sie als ein Symbol für den Verrückten Hutmachers zu verwenden? Die Rakete hätte auch nicht getaugt, aber es hätte doch sicherlich etwas anderes gegeben, das die Geschichte mit dem Geschoss hätte symbolisieren können.«

Nigel legte das Buch in den Schoss. Ein amüsiertes Leuchten blitzte in seinen blassblauen Augen auf.

»Ich habe mich schon gefragt, wann das jemandem auffallen würde.«

Mr Thistlethwaite erhob einen seiner beeindruckenden Zeigefinger. »Mit der Teegesellschaft haben sie einen schwerwiegenden Fehler gemacht. Ich fand schon immer, dass hochfliegende Ambitionen gerne über das Ziel hinausschießen. Wäre ich kriminell, würde mein Motto lauten ›Gib dich zufrieden‹«.

»Genau«, sagte Nigel. »Ganz so dumm waren sie dann allerdings doch nicht. Ehre wem Ehre gebührt. Es war *meine* Teegesellschaft.«

Sally zog scharf die Luft ein. »Sie meinen, Sie haben dafür gesorgt, dass all diese schrecklichen Gegenstände auf die Servierplatten gelegt wurden? Und der Siebenschläfer in der Teekanne?«

»Es war eigentlich kein Siebenschläfer. Ich konnte keinen auftreiben, also musste ich eine zahme Maus in Applestock kaufen.«

Alle starrten ihn in stiller Bewunderung an. Schließlich platzte Sally heraus, »Also wirklich, mein Bester, hätten Sie uns nicht vorwarnen können?«

»Sally«, sagte Mrs Thistlethwaite, »du solltest Gentlemen in einem Zugabteil nicht mit ›mein Bester‹ ansprechen.«

»Ich finde ihn liebenswert«, erwiderte Sally. »Aber er hätte es uns wirklich sagen können. Mir ist beim Anblick der toten Amsel beinahe das Herz stehen geblieben.«

»Hätten wir nicht alle ehrlich überrascht gewirkt, dann hätten die beiden Übeltäter den Braten gerochen. Die Voraussetzung für das Gelingen einer Überrumplungstaktik ist absolutes Stillschweigen.«

»So ist es, Mr Thistlethwaite. Ich versichere Ihnen, niemand hat während der Teerunde so gelitten wie ich. Die ganze Sache war ein einziges Täuschungsmanöver, eine Farce. Wie Miss Jones nur zu richtig erkannte, hatte ich keinerlei Beweise. Also musste ich es irgendwie bewerkstelligen, Captain Wise zu verunsichern. Allerdings hätte ich nie gedacht, dass er wegen der Astgabel so leicht aufgeben würde. Ich hatte schon befürchtet, er würde das Ganze durchschauen.«

»Aber wie haben Sie das alles organisiert? War die Bedienung eine verkleidete Polizistin in Zivil?«, fragte Paul.

»Nein, sie ist durchaus eine echte Bedienung. Ich habe mich an dem Morgen ihrer Hilfe versichert, indem ich ihr erzählte, dass sie dabei helfen würde, den Verrückten Hutmacher zu enttarnen. Sie musste schwören, Stillschweigen zu bewahren, und ich habe ihr vor der Besprechung die verschiedenen Dinge gegeben, um sie in die Teekanne und auf die Servierplatten zu legen, und ihr gesagt, sie solle nach dem Servieren die Tür hinter sich absperren. Die Tür musste abgeschlossen werden, denn sonst wäre die schlaue Esmeralda auf direktem Weg zum Dienstbotenquartier gegangen und hätte die Bedienung dazu gebracht, mit allem herauszurücken. Glücklicherweise hatte Captain Wise den Vorschlag mit dem Tee gemacht – ich hatte die Besprechung eigens für eine Zeit angesetzt, bei der er geradezu in Zugzwang kam.«

»Aber wollen Sie damit sagen, dass Sie diesen ganzen ausgeklügelten Plan für den unwahrscheinlichen Fall erdacht haben, dass Captain Wise sich verraten würde?«, erkundigte sich Paul mit einer Spur seines alten, aggressiven Auftretens, das sagen wollte ›Ich frage doch bloß‹. Da spürte er Sallys Hand in seiner und fügte etwas zurückhaltender hinzu, »Das scheint doch etwas riskant.«

»Das war es auch. Aber das war der einzige Weg, die beiden aus der Reserve zu locken. Bei einem gewöhnlichen Kriminalfall, in dem die Polizei ermittelt, hätten wir mit weniger spektakulären, solideren Methoden arbeiten können. Wir hätten die Herkunft des Strychnins, des Sirups und der Feuerwerkskörper zurückverfolgen, jedes einzelne Alibi überprüfen und auch mehr Informationen zu der Verbindung zwischen Leyman und den zwei Verdächtigen sammeln können. Aber was konnte ich alleine schon ausrichten? Außerdem musste ich schnell vorgehen – Wise hätte mich zweifellos heute auszahlen wollen. Und zudem haben Sie einen Großteil meiner Zeit vergeudet, indem Sie Schießereien gegen feindliche Ausländer veranstaltet haben.«

»Au! Das ist mein schlimmer Arm, Sally!«, rief Paul.

»Entschuldige, Schatz. Ich komme jedes Mal vollkommen durcheinander und muss mich auf jemanden stützen, wenn dieser furchtbare Mann erwähnt wird.«

»*De mortuis*, meine Liebe, *de mortuis*«, wies sie ihr Vater zurecht. »Auch wenn es im Auftrag eines undemokratischen Regimes war – der Mann ist nur seiner Pflicht nachgekommen.«

»Hat Strangeways Sie bei der Enthüllung, die sie präsentiert haben, unterstützt, Mr Thistlethwaite?«, erkundigte sich Paul nun. »Oder waren Sie der alleinige Urheber?«

»Mr Strangeways Geist und meiner, Sir, sind sich in ihren Gedankengängen sehr ähnlich. Ich habe nur eine Theorie wiederholt, die ich ihm bereits unterbreitet hatte«, erwiderte Mr Thistlethwaite würdevoll. Er wandte sich Nigel zu. »Bei dem Rummel in den letzten Tagen hatte ich nicht so häufig Gelegenheit, mich mit Ihnen zu unterhalten, wie ich es mir gewünscht hätte. Ich würde es sehr zu schätzen wissen, Sir, wenn Sie mich über zwei Dinge aufklären könnten. Wie kam es Ihnen in den Sinn, den Direktor und seine Sekretärin zu verdächtigen? Und was meinten Sie, als Sie mir sagten, ich solle besondere Aufmerksamkeit auf die Zeitpunkte richten, zu welchen die Hinweise erschienen, die scheinbar Mr Perry belasteten?«

»Ich glaube, es war Captain Wises widersprüchliches Verhalten in Gegenwart von Miss Jones, das meine Aufmerksamkeit erregt hat. Sie war offensichtlich eine Sekretärin, der er sehr vertraute, doch während meiner ersten Befragung mit ihnen wies er sie so scharf zurecht, als wäre sie bloß eine inkompetente Stenografin. Captain Wise war normalerweise ein höflicher, rücksichtsvoller Mann, also schien es sehr ungewöhnlich, wie er Miss Jones in diesem Fall behandelte. Natürlich war das der ungeschickte Versuch, mir den Eindruck zu vermitteln, dass seine Beziehung zu ihr nicht über das übliche Verhältnis zwischen Arbeitgeber und Angestellter hinausging. Er mag vielleicht ein guter Imitator sein, aber als Schauspieler ist er eher dilettantisch – er wirkt viel zu plump.«

»Mir ist sein unbeständiges Verhalten Miss Jones gegenüber auch aufgefallen«, sagte Paul. »Ich dachte, es lag daran, dass er der Schwächere der beiden war und sich hin und wieder behaupten musste.«

»Das stimmt auch zum Teil. Übrigens haben Sie selbst mir schon anfangs zu einer Eingebung verholfen. Sie wollten wissen, welche Art von Leuten ich als Auftraggeber habe – ob es Leute seien, die Angst davor hätten, die Polizei einzuschalten. Es war immerhin ein wenig seltsam, dass die Campleitung darauf verzichtet hat. Captain Wise betonte zwar immer wieder, er wolle die Gäste nicht verärgern ...«

»Wir alle hätten wesentlich lieber die Polizei dagehabt, als zu wissen, dass der Verrückte Hutmacher frei herumläuft und nichts dagegen unternommen wird«, sagte Mrs Thistlethwaite.

»Richtig. Genau das dachte ich mir auch. Und in den Augen der Geschäftsführung hätte das Captain Wise jeglicher Verantwortung enthoben. Es gab noch andere Kleinigkeiten, die ihn mir verdächtig machten. Als zum Beispiel der ganze Skandal von der Presse aufgegriffen wurde, tat er so, als sei er äußerst verärgert. Aber zugleich weigerte er sich, mit der *Applestock Gazette* zu telefonieren, und erteilte mir den Auftrag dazu. Eine ziemliche Kehrtwende, wenn man bedenkt, dass er eine Minute vorher noch Gift und Galle spuckte, aber verständlich unter der Annahme, dass er es gewesen war, der ihnen alles gesteckt hatte, und nun befürchtete, man könne ihn an der Stimme erkennen, auch wenn er sie bei dem Telefonat verstellt hatte. Ich stellte ihm diesbezüglich vorgestern eine kleine Falle. Ich rief die *Gazette* an und bat sie, mich umgehend zurückzurufen, sobald der Verrückte Hutmacher sich mit Einzelheiten zu seinem letzten Streich melden würde. Dann informierte ich Wise darüber. Damit geriet er in eine Zwickmühle. Er würde es nicht wagen, die *Gazette* mit der neuesten Geschichte anzurufen, denn er wusste, dass ich zu den Telefonkabinen gehen würde, um nachzusehen, wer telefonierte. Sollte ich niemanden vorfinden, musste ich davon ausgehen, dass der Anruf des Verrückten Hutmachers aus seinem Büro kam. Und so blieb der Verrückte Hutmacher an diesem Tag stumm. Doch nur die *Gazette*, der Direktor und ich wussten von meinem kleinen Plan. Warum also wurde die *Gazette* nicht auf dem üblichen Weg über den letzten Streich informiert, wenn der Direktor *nicht* der Verrückte Hutmacher war?«

»Überaus schlau, Sir! Famos!«, applaudierte Mr Thistlethwaite begeistert.

»Aber der entscheidende Hinweis, der zu den beiden führte, war der Punkt, den Mr Thistlethwaite soeben ansprach. Ab einem gewissen Zeitpunkt begannen Hinweise aufzutauchen, die Paul Perry belasteten. Wenn der Verrückte Hutmacher den Verdacht von sich ablenken wollte, indem er jemand anderen verdächtig machte, wieso tat er das nicht von Anfang an? Es musste etwas geschehen sein, das ihn verunsichert hatte. Bedenken Sie kurz die Reihenfolge der Geschehnisse. Die Durchsage über die Lautsprecher, das Untertauchen, die zwei Episoden mit dem Sirup, der vergiftete Hund, die Schatzsuche, der falsche Alarm bezüglich Phyllis Arnolds Verletzungen und der Vorfall mit den toten Tieren. Erst bei Letzterem tauchte zum ersten Mal ein konkreter Hinweis auf – das Stück Draht unter Pauls Hütte. Nun konnte man mit Fug und Recht behaupten, dass ich damit einen ersten brauchbaren Hinweis gefunden hatte, und Pauls Verhalten schien das Ganze zu bekräftigen. Aber ich konnte in Bezug auf ihn schlichtweg kein vernünftiges Motiv finden, außer er war tatsächlich – wie er selbst sagte – schizophren. Aber angenommen, der Hinweis war ihm untergeschoben worden. War nicht kurz davor etwas vorgefallen, das den echten Schuldigen belastete? Was war mit Miss Arnolds Blasen? Diese hatten sich gebildet, nachdem sie Hundspetersilie angefasst hatte. Zu dem Zeitpunkt hatten wir noch nicht bewiesen, dass es ein Unfall gewesen war. Als Teil eines bösen Streichs führte die Spur eindeutig zu den Gebrüdern Wise und Miss Jones, denn sie hatten die verschiedenen Verstecke für die Hinweise der Schatzsuche ausgesucht. Ich ließ Wise und Jones diesbezüglich absichtlich zappeln, solange ich konnte. Und sofort tauchten immer schneller Hinweise auf, die von ihnen ablenkten. Sie hatten Paul als ihr Opfer ausgewählt, denn er hatte bereits bestens Vorarbeit geleistet. Erstens, mit den Gerüchten über das Senfgas, und zweitens, da er sich Miss Jones gegenüber sehr interessiert an Initiationsriten gezeigt hatte, was als eine Art Verrückter-Wissenschaftler-Motiv für alle Taten ausgelegt werden konnte. Esmeralda Jones war eigentlich viel zu intelligent, um eine falsche Fährte gegen jemand anderen auszulegen. Aber als die Geschichte mit Phyllis Arnold Fahrt aufnahm, schien alles uneingeschränkt auf die Campleitung hinzudeuten, und ich nehme an, dass Wise in Panik geriet und sich über sie hinwegsetzte. Es ist nicht ohne Ironie, dass sie sich aufgrund der einen Aktion, für die sie nicht verantwortlich waren, verraten haben. Wenn sie nur einen Tag länger gewartet hätten, wären Dr. Holford und ich gezwungen gewesen, die beiden zu entlasten, denn zu dem Zeitpunkt wussten wir bereits, dass Miss Arnold noch nie zuvor solch eine Reaktion auf Hundspetersilie gehabt hatte. Aber, wie Mr Thistlethwaite ganz richtig festgestellt hat, Kriminelle geben sich nicht zufrieden.«

»Eine bemerkenswerte Schlussfolgerung, Sir«, sagte Mr Thistlethwaite. »Ich muss gestehen, die Bedeutung dieser Geschichte hatte ich gänzlich übersehen. Ich frage mich, wieso Sie das nicht bei der Teegesellschaft verkündet haben.«

»Für Kriminologen wie Sie mag sie vielleicht überzeugend klingen, aber nicht für Geschworene. Und ich sah mich mehr oder weniger einer Jury aus Geschworenen gegenüber. Außerdem hatte Wise sich bereits verraten, also gab es keinen Grund mehr.«

Der Zug ratterte durch eine Landschaft aus Ulmen, Höfen aus solidem Stein und Wiesen, so weich und satt wie goldfarbener Samt. Für Paul schien Wunderland bereits so fern wie ein Urlaub aus Kindertagen, so fantastisch wie sein Name. Nur die Berührung von Sallys Hand erinnerte ihn daran, dass es nicht nur ein schlechter Traum gewesen war. Mr Thistlethwaite verwandelte sich bereits wieder in den Schneider aus Oxford, so schnell, als hätte er magische Pilze gegessen. Der schwarze Frack, die Anzughose und der Halskragen, die er nun wieder trug, schienen Streiche mit der Zeit zu spielen, sodass der Zug genauso gut rückwärts in die Vergangenheit hätte rauschen können und sie wie vor einer Woche zu einem unbekannten Urlaubsziel transportierte. Doch da waren sie in ihrem Abteil nur zu viert gewesen. Paul wandte sich an Nigel und sagte, »Ich kann kaum glauben, dass das alles wirklich passiert ist. Diese Streiche, diese Art unterdrückter Hysterie, dazu diese harmlos vergnügte Atmosphäre im Camp ... Die Streiche waren alles andere als harmlos, aber mittlerweile kommen sie mir so weit hergeholt vor. Ich kann sie einfach nicht mehr ernst nehmen.«

»Dafür können Sie sich bei Esmeralda Jones bedanken. Sie hat viele bewundernswerte Eigenschaften, aber sie war ein verwöhntes Kind, und verwöhnte Kinder neigen dazu, zu verantwortungslosen Erwachsenen zu werden. Und verantwortungslose Erwachsene stellen sich den Konsequenzen ihres Handelns nicht, sondern erschaffen ihre eigene Traumwelt, in die auch Unbeteiligte hereingezogen werden. Niemand sonst hätte sich so eine fantastische Methode ausgedacht, um sein Ziel zu erreichen. Unglücklicherweise steht ihre Intelligenz ihrer Ambition und ihrer unkontrollierbaren Liebe zu Unfug in nichts nach, und so wurde aus dem Ganzen eine wirklich fantastische Aktion. Aber Leyman hätte sie letzten Endes wahrscheinlich sowieso beide hereingelegt. Sie tut mir eigentlich leid.«

»Mir nicht«, sagte Sally. »Captain Wise tut mir ein bisschen leid. Stellt euch vor, eine Frau wie diese ständig im Nacken zu haben. Ich wette, sie hätte sich von ihm getrennt, sobald sie das Geld bekommen hätte. Ich habe immer gesagt, dass sie nur auf das Geld aus ist.«

»Vielleicht. Aber sie mochte ihn wirklich. Als junges Mädchen hatte sie all die Macht, die sich mit Geld kaufen lässt.

Wise war ein Relikt, eine Erinnerung an ihr Königreich. Sie kommandierte ihn herum und hat so ihren Machtgelüsten Genüge getan. Sie ...«

Wie Alice stürzte der Zug in einen Tunnel. Die Dunkelheit und der ratternde Lärm setzten der Unterhaltung ein Ende. Paul und Sally aber wussten dies vielleicht für sich zu nutzen.

www.klett-cotta.de

John Bude
Mord an der Riviera
Kriminalroman
Aus dem Englischen von Eike Schönfeld
288 Seiten, gebunden
ISBN 978-3-608-98083-7

»Sie lesen zu viele Krimis – das ist Ihr Problem.«
»Wie meinen Sie das?«

Der legendäre britische Inspector Meredith tauscht das neblige London gegen die strahlend blaue Côte d'Azur. Denn dort treibt ein berüchtigter Geldfälscher sein Unwesen, den er vor Jahren schon einmal hinter Schloss und Riegel gebracht hat. Doch nicht nur das: Auch ein Mord unter Palmen will aufgeklärt werden – ausgerechnet in der mysteriösen Villa Paloma, die einer steinreichen britischen Witwe gehört …

www.klett-cotta.de

John Bude
Mord in Sussex
Kriminalroman
Aus dem Englischen von Eike Schönfeld
288 Seiten, gebunden
ISBN 978-3-608-96474-5

»Es sah ganz so aus, als hätte die Polizei es mit einem sorgfältig geplanten und raffiniert ausgeführten Mord zu tun, und mehr noch, mit einem Mord ohne Leiche!«

Während der Herzog und die Herzogin von Sussex regelmäßig für Wirbel in der königlichen Familie sorgen, geht in der gleichnamigen Grafschaft an der englischen Südküste alles einen gemütlichen Gang. Prominent ragen die weißen Kalksteinfelsen, das Wahrzeichen der hügeligen Kreidelandschaft, über dem Meer auf. Doch dann passiert ausgerechnet hier ein Mord und fordert das Ermittlungsgeschick von Superintendent Meredith heraus ...

www.klett-cotta.de

J. Jefferson Farjeon
Dreizehn Gäste
Kriminalroman
Aus dem Englischen von Eike Schönfeld
352 Seiten, Taschenbuch
ISBN 978-3-608-98422-4

»Eine Delikatesse für Fans klassischer englischer Krimis!«
Madame

»Kein Beobachter, der sich in Unkenntnis der Situation befand, hätte vermutet, dass der Tod ganz in der Nähe lauerte und nur wenig entfernt vom Funkeln des Tafelsilbers und dem Stimmengewirr zwei Opfer stumm auf dem Boden des Ateliers lagen.«